Met dank aan Gerry, alias Koffie,
die met het verhaal kwam,
die me telkens een duwtje gaf als ik vastzat
en die me heeft gewezen op The Clash.

In de stille nacht

Van Denise Mina verscheen eveneens bij uitgeverij Anthos

Sanctum
Bloedakker
Het dode uur
De kwetsbare getuige
De laatste adem

Denise Mina

In de stille nacht

Vertaald door
Marijke Versluys

Anthos|Amsterdam

ISBN 978 90 414 1504 2
© 2009 Denise Mina
© 2009 Nederlandse vertaling Ambo|Anthos *uitgevers*,
Amsterdam en Marijke Versluys
Oorspronkelijke titel *Still Midnight*
Oorspronkelijke uitgever Orion
Omslagontwerp Studio Jan de Boer
Omslagillustratie © Gandee Vasan / Getty Images
Foto auteur © Colin McPherson

Verspreiding voor België:
Veen Bosch & Keuning uitgevers n.v., Wommelgem

I

Over het donkere trottoir zwierde een supermarkttasje. Met volle zeilen en de handvatten omhoog paradeerde het parmantig rond als een buikige victoriaanse heer op zijn zondagswandeling. Het opgeblazen tasje zweefde langs een tuinhekje en volgde een laag muurtje, tot het werd gegrepen door een windvlaag die het optilde en tegen de zijkant van een witte bestelbus kwakte.

Nu de lucht eruit was geslagen, dwarrelde het tasje verfrommeld op de grond en belandde zachtjes tegen het achterwiel van het busje.

Het busje was amper drie weken oud, maar al gestolen en voorzien van valse nummerplaten; het stond keurig langs de stoeprand geparkeerd, de motor was nog niet afgekoeld. Nog geen zes uur later zou het smeulend in het bos worden gevonden, zonder ook maar één forensisch spoor van de inzittenden.

Voorin zaten drie mannen die eensgezind dezelfde kant op keken, naar de bungalow aan de overkant.

De chauffeur, Malki, zat over het stuur gebogen. Hij was zo mager als een junk. Vanonder de ver naar voren getrokken capuchon van zijn donkere trainingspak schoten zijn diepliggende ogen heen en weer door de straat, als een kat die jacht maakt op een vlieg.

De twee mannen naast hem – Eddy in het midden, Pat bij het linkerportier – bewogen zich als één dier. Beiden waren een jaar of vijfentwintig en vormden al zeven jaar een tweekoppig team nachtclubportiers. Ze gingen samen naar de film, pikten vrouwen op en dumpten ze, bezochten samen de sportschool, en net als een getrouwd stel waren ze in veel opzichten op elkaar gaan lijken: allebei stevig gebouwd, identiek gekleed in een gloednieuwe zwarte camouflagebroek, hoge veterschoenen, een legervest en een bivakmuts die tot hun voorhoofd was opgerold. De hele uitrusting kwam zó uit de verpakking, de vouwen zaten er nog in.

Als je iets beter keek, zou je wel verschillen zien. Eddy, die in het midden zat, dronk te veel sinds zijn vrouw met de kinderen was vertrokken. Als hij 's avonds laat van zijn werk kwam at hij vette afhaalmaaltijden en deed daarmee alles teniet wat hij met gewichtheffen had opgebouwd: hij was pafferig geworden, en verbitterd. Voor Eddy was een glas nooit halfvol maar altijd halfleeg.

Het was al heel lang een bron van irritatie tussen hen dat Pat een knappe kerel was. Erger nog: hij zag er jonger uit dan Eddy. Omdat hij gematigder van aard was, at en dronk hij niet zoveel en was hij minder opvliegend. Hij was gezegend met een dikke bos geelblond haar en aantrekkelijk regelmatige trekken, en er ging een rust van hem uit waardoor vrouwen zich veilig bij hem voelden. Zijn neus was gebroken geweest, maar zelfs daar kreeg zijn gezicht alleen maar iets kwetsbaars van.

Eddy had het plan bedacht en de spullen aangeschaft. Uit baloorigheid had hij beide tenues in dezelfde maat gekocht, in zíjn maat. Terwijl ze zich in Eddy's rommelige eenkamerflatje verkleedden, had hij een blikje zwarte camouflagemake-up gepakt om op hun gezicht te smeren, net als wanneer ze gingen paintballen. Op zachte, bijna lieve toon had Pat gezegd dat hij dat maar beter kon opbergen. Ze deden immers een bivakmuts op, dus die make-up was overbodig en droogde maar op, en dan ging zijn huid jeuken. Het enthousiasme waarmee Eddy het spul tevoorschijn had gehaald zat Pat niet lekker. Het was of ze de laatste hand legden aan een halloweenkostuum, terwijl ze van plan waren een overval te plegen waarvoor ze twintig jaar de bak in konden draaien. Pat had nog nooit één nacht in de cel gezeten. Nu betastte hij zijn platte neusbrug en hield zijn hand voor zijn gezicht om zijn twijfel te verbergen.

Hij keek eens naar het pistool op zijn schoot. Het ding was zwaarder dan hij had gedacht: wie weet kon hij het niet eens met één hand omhooghouden. Toen hij een schuinse blik op Eddy wierp, bleek die nijdig naar de bungalow te turen, alsof het huis hem iets had misdaan.

Pat hoorde hier eigenlijk niet. Hij had ook niet moeten aanbieden om Malki erbij te halen. Eddy had moeten worden opgevrolijkt, maar dit ging veel verder. Dit was link, dit voelde niet goed. Hij wendde zijn blik af. Eddy had de laatste tijd te veel meegemaakt. Geen groot leed maar wel veel klein zeer, en Pat had het idee dat zijn vriend aan één verwijtende blik kapot zou gaan. Hij keek nog eens naar het keurige tuinpaadje, naar de rustige, gezellige bungalow, en bedacht dat twintig jaar zitten een wel erg hoge prijs was voor medeleven met een in de steek gelaten vriend.

Het was een aardige eengezinswoning, goed van proporties, met een ondiepe tuin eromheen die tot in de straat ernaast liep. De huidige eigenaar had uit praktische overwegingen, maar niet voor het mooi, het gazon en de bloemperken opgeofferd voor parkeerplaatsen. In de woonkamer flakkerde het blauwe licht van een televisie en de gang achter de voordeur lag in een warm roze gloed.

'Zie je dat?' vroeg Eddy zachtjes, met zijn blik op het huis gericht. 'Vijandig subject in de woonkamer. Klein, waarschijnlijk een vrouw.'

Een vrouw in haar eigen huis. Niet bepaald een vijandig subject. Maar dat hield Pat maar voor zich en hij zei: '*Check.*'

'We gaan via de muur aan de achterkant naar binnen. Denk eraan dat je in de schaduw blijft tot we bij de voordeur zijn.'

'Check.' Pat kende het militaire jargon eigenlijk niet zo goed en beperkte zich veiligheidshalve tot dat ene woordje. Eddy genoot van het militaire sfeertje, en Pat wilde zijn pret niet bederven.

'En dan…' Eddy maakte zijn zin niet af maar begon commandoachtige gebaren te maken. Hij wees op Pat, vervolgens naar buiten, tikte op zijn eigen borst en bewoog zijn hoofd van links naar rechts om aan te geven dat hij op de uitkijk zou staan. Hij gebaarde dat Pat moest aanbellen, zette bij wijze van waarschuwing grote ogen op terwijl iemand van de denkbeeldige vijand opendeed, waarna zijn hand door de lucht sneed: actie, actie, actie! Zijn hand ging het huis binnen, zigzaggend als een vis tussen het riet, controleerde alle kamers die op de hal uitkwamen en omsingelde alle in de hal bijeengedreven vijandige subjecten.

'Dáárna vragen we pas naar Bob. Niet eerder. *Niet eerder.* Die hufter houdt zich misschien schuil, maar mag geen argwaan krijgen. En als we binnen zijn, noemen we geen namen. Duidelijk?'

'Check.'

Eddy draaide zich om en gaf de schichtige bestuurder met de rug van zijn hand een tik tegen zijn arm. 'Als de deur voor de tweede keer opengaat, komen wij weer naar buiten. Jij start en rijdt daarheen.' Hij wees naar het tuinhekje. 'Begrepen?'

Malki keek strak de straat in, zijn wangen hingen slap, zijn ogen stonden dof.

'Malki.' Pat boog zich voor Eddy langs en pakte Malki zachtjes bij zijn arm. 'Hé, Malki, joh, heb je gehoord wat Eddy zei?'

Malki kwam tot leven. 'Tuurlijk, maak je niet druk, man, zodra ik licht zie – *zoef!* Dan sta ik daar klaar, hoor. Meteen, man.' Hij omklemde het stuur en knikte heftig, half ter bevestiging, half omdat hij trilde, zo stoned was hij. Zijn wimpers waren even rossig als zijn haar, recht en lang als bij een koe.

Pat beet op zijn lip en leunde achterover om uit het zijraampje te kunnen kijken. Hij voelde Eddy's verwijtende blik in zijn wang branden. Malki deed mee omdat hij een neefje van Pat was. Malki had poen nodig, hij had altijd poen nodig, maar hij was hier niet geschikt voor. Pat eerlijk gezegd ook niet.

Even zaten ze alle drie naar de bungalow te kijken. Pat kauwde op zijn wang, Eddy was boos en somber, Malki deed niets dan knikken, knikken en nog eens knikken.

De wind wakkerde aan.

Bij het achterwiel van het busje werd het versufte plastic tasje wakker. Toen de wind onder de auto door stroomde liep het aan een kant vol, het trok zich los en schoof onder het chassis vandaan.

Het tasje kwam in beweging, maakte een elegante radslag in de brede, stille straat, in de richting van het huis, maar koos in een felle vlaag op de hoek het luchtruim. Het zweefde als een parachute een paar meter de lucht in, een oranje maan, hoger, steeds hoger, tot het buiten het blikveld van het busje de hoek om zwenkte naar de andere kant van de bungalow, over het dak van een blauwe Vauxhall Vectra.

De koplampen van de Vauxhall waren gedoofd, maar er zaten twee mannen voorin, onderuitgezakt en met de armen over elkaar. Ze wachtten.

Ze waren hooguit vijf jaar jonger dan de mannen die in het busje om de hoek soldaatje speelden, maar ze hadden beter te eten gehad, zagen er netter uit en oogden alles bij elkaar een stuk veelbelovender.

Omar was spichtig en slungelig, een wandelende elleboogstoot. Hij was onwezenlijk mager, zoals jongemannen dat wel vaker zijn voordat ze steviger worden. Alles aan hem was lang: zijn neus, zijn spitse kaak en zijn dunne vingers, die meer kootjes leken te hebben dan normaal. Mo, achter het stuur, had een rond gezicht en een stompe neus, die er naarmate hij ouder werd niet mooier op zou worden.

Ze zaten al twintig minuten te wachten, maakten af en toe een praatje om de tijd te doden, maar deden er vooral het zwijgen toe. Op de achtergrond bromde de radio, die een zachtgeel schijnsel op hun kin wierp. Ramadan AM was slechts één maand per jaar in de lucht. De programma's werden gevuld met jonge inwoners van Glasgow, die hakkelend meningen napraatten die ze in de moskee of op bandjes hadden gehoord. Mo en Omar luisterden niet om gesticht te worden; het was een kleine gemeenschap, en ze kenden sommige sprekers en konden zich vrolijk maken als zo iemand zenuwachtig overkwam of domme dingen zei. De beste discussies had je aan het begin van de avond, als iedereen honger had. Mo en Omar overstemden het rancuneuze gepraat dan met een ritmisch: 'Mogen we een cracker, mogen we een cracker.'

Mo zat achter het stuur en keek in een tijdschrift met een dubbele pagina over Lamborghini's.

'Shit, man,' zei hij, eigenlijk meer in zichzelf. 'Al kreeg ik 'm cadeau, dan zou ik 'm nog niet willen hebben.'

Omar reageerde niet.

'Ik bedoel, zet die auto ergens neer en hij zit binnen de kortste keren ónder de sleutelkrassen.'

'Het is geen auto om boodschappen mee te doen voor je moeder.' Omar had een verrassend hoge stem. 'Daar ga je mee door de buurt toeren, om je te laten zien.'

Mo keek hem aan. 'Om mooie meiden te versieren en zo?'

'Percies.'

Mo keek weer naar de foto's. 'Ach ja, en jij kunt het weten, jij doet het goed bij de vrouwtjes.'

Omar wreef met zijn spitse vingers stevig in zijn rechteroog. 'Toevallig wel, ja. Ze vechten om me. Maar ja, als jij erbij bent, zeg maar, dan houden ze zich in, anders voel jij je misschien lullig of zo.'

'Ja, hoor.' Mo knikte naar zijn tijdschrift. 'En je bent royaal.'

Omar geeuwde en rekte zich uit, waarna hij loom zei: 'Ik oefen een onweerstaanbare aantrekkingskracht uit op vrouwen van over de hele wereld.'

Mo tikte enthousiast op een actiefoto van een gele Lamborghini die op een zonnige berghelling een bocht nam. 'Het is net een verkeersdrempel. Man, de mensen weten niet of ze nou onder de indruk moeten zijn of moeten remmen.'

De belerende stem van Radio Ramadan zei hoe laat het was – 22.23 – en ze maakten allebei het hoofdrekensommetje.

Mo begon: 'Laten we nog een minuut of vijf wachten.'

'Goed.' Omar gaapte nogmaals loom, een geeuw die eindigde met een lichte rilling. 'Afgepeigerd... Ik mag hier zeker niet roken?'

'Hè nee, man, daar gaat de hele auto van stinken.'

'Doe mijn raampje dan even open.'

Mo bromde wat, maar drukte toch het knopje op zijn deur in om het raampje aan Omars kant omlaag te doen. Daarna opende hij met een scheef lachje ook zijn eigen raampje. Omar maakte een afkeurend geluid, haalde zijn pakje sigaretten tevoorschijn en nam er een voor Mo en een voor zichzelf uit, waarna hij hun allebei van een vuurtje voorzag.

Oppervlakkig inhalerend bliezen ze witte rookpluimen uit die zich langs de voorruit verspreidden. De oktoberwind trok dunne slierten naar buiten, over het dak van de auto heen, de rustige straat in.

Om de hoek, op de voorbank van het gestolen busje, rolden Eddy en Pat hun bivakmuts zo omlaag dat de smalle opening voor hun ogen zat. Eddy pakte zijn pistool, en Pat en hij keken ernaar. De loop trilde nog heviger dan zijn hand. Eddy werd opeens nijdig en gaf met een hoofdknikje het teken 'actie'.

Pat aarzelde maar heel even, toen won zijn loyaliteit het, en hij stapte uit. Hij stond nog niet met beide benen op straat, of hij had er al spijt van.

Achter hem liet Eddy zich omlaagglijden. Hij sloot het portier, gaf Pat een por in zijn rug en duwde hem in de richting van het hekje.

Pat draaide zich met gebalde vuisten om, klaar om te protesteren, maar Eddy merkte het niet eens. Met zijn pistool langs zijn zij rende hij diep gebukt de weg over naar het hekje, het donkere tuinpad op.

Pats ogen begonnen te tranen van de wind en door een waas zag hij Eddy het pad op rennen, snel en laag, alsof het een lolletje was, een spelletje paintball. Pat volgde haastig, deed hem na: hoofd omlaag, rug recht, een menselijke stormram. Achter elkaar namen ze het steile tuinpad, Eddy op weg naar de roze gloed bij de voordeur, Pat achter hem aan om te zeggen dat ze ermee moesten kappen. Opeens zwenkte Eddy het pad af om in de schaduw van de schutting te gaan staan.

Pat haalde hem in en begon: 'Eddy…'

Maar Eddy bracht het pistool al omhoog, evenwijdig met zijn wang, en zette de veiligheidspal om. Terwijl hij de kolf met beide handen omvatte en op een drafje naar de voordeur liep, zwoegde zijn borst van opwinding.

Pat constateerde gelaten dat zijn maat te hard liep voor die korte afstand. Eddy was er dan ook eerder dan hij had verwacht, maakte een onbeholpen draai en smakte ruggelings tegen de muur. Zijn hoofd sloeg achterover, zodat zijn schedel luid tegen het metselwerk knalde.

Eddy kneep zijn ogen dicht van de pijn. Hijgend boog hij zijn bovenlichaam iets naar voren, en hij zwaaide met de loop van het pistool naar Pat om hem tot spoed te manen.

Pat vroeg zich opeens af of hij het zou kunnen maken om Eddy bij zijn arm te pakken en terug te sleuren naar het busje. Of om zelf doodgemoedereerd weg te lopen, naast Malki te gaan zitten en geen stap meer te verzetten. Maar ja, ze hadden al gedokt voor het busje en de wapens, en Malki moest trouwens ook zijn geld krijgen. Malki moest echt zijn geld krijgen.

Pat haalde diep adem en slenterde, tegen beter weten in, nonchalant de schaduw uit naar de voordeur.

Hij belde aan.

In de hal weerklonk een knusse drietonige gong. Even later verschenen er achter het melkglas twee schimmen: de ene bevond zich achter in de gang, de andere kwam van links, vlak achter de deur.

De figuur achterin – uit de stand van de schouders sprak ergernis – bromde iets onverstaanbaars. De tweede figuur gaf hem antwoord: nasaal, brutaal. Ze was dichtbij, kwam uit de woonkamer links. Het was het vijandige subject dat ze vanuit het busje al hadden gezien. Onmiskenbaar een vrouw: slank, in een spijkerbroek met een grijs T-shirt erop en lang zwart haar los op haar rug.

Met een soepele, sierlijke handbeweging reikte ze naar de deur-kruk.

De deur ging open, en de warmte wolkte Pat tegemoet, samen met de geur van geroosterd brood.

Roze tapijt en wanden. Links van hem, tussen de woonkamer-deur en een andere deur, stond een zwart telefoontafeltje. Erboven aan de muur tikte luid een goedkoop ogende zwartfluwelen klok; op de achtergrond een goudkleurige afbeelding van een moskee of zoiets. Pat prentte zich de gang goed in: er kwamen zes deuren op uit. Uit een kamer aan de achterkant klonk Pakistaanse muziek, dus er was in elk geval nog iemand in huis.

Pat keek naar de vrouw die had opengedaan. Uitgesproken mooi was ze niet; ze had een lange, spitse neus en een ontstoken pukkel op haar wang. Hij kon niet uitleggen – toen niet en later evenmin – wat hij zo opvallend aan haar vond, of waarom hij verstrakte en zich, met het pistool slap langs zijn lijf, vergaapte aan de onberispelijke S van zwart haar op haar schouder. Op haar T-shirt stond HELLO MONKEY, een groene kreet op verschoten zachtgrijs, in de rij letters zaten barstjes van het vele wassen.

Aleesha keek verwonderd terug. Haar ogen gleden over zijn ge-zicht alsof ze probeerde te bepalen waar die zwartwollen bedekking op sloeg. Een streng blauwzwart haar gleed traag van haar schouder, om op een kleine, appelronde borst te blijven liggen. Ze was westers gekleed en had kennelijk geen beha onder haar T-shirt aan. Vreemd, want ze was onmiskenbaar de dochter van de man achter in de gang – ze leek op hem – en Pat had altijd gedacht dat die oude Aziaten hun dochters goed in de hand hadden.

'Zeg, wie ben jij eigenlijk?' riep de man. Hij was klein van stuk, ergens tussen de zestig en zeventig, had een amish-achtig baardje dat als een keurig gordijntje aan zijn kin hing, en hij droeg een vol-gens de regelen der kunst gestreken pyjama van lichtblauw nylon. 'Wat doe je hier…?' Toen hij begreep dat er gevaar dreigde, stierf zijn stem stierf weg. 'Zo laat…'

Een gestreken pyjama en warmte en geroosterd brood. Het wa-ter liep Pat in de mond. Hij had zin om naar binnen te lopen, zijn jack uit te doen en te blijven, maar hij werd door een por met een puntige schouder het huis in geduwd. Eddy wrong zich langs Pat heen, struikelde over de mat en wankelde zijdelings de roze gang in. Iedereen keek naar zijn idiote krabbendans, tot hij weer stevig op zijn O-benen stond. Zijn bivakmuts was zo scheef gezakt dat hij niet goed meer kon zien, en hij trok hem recht. Opeens dacht hij aan zijn pistool, bracht het omhoog maar keek ernaar alsof hij het ding niet in zijn hand had verwacht.

Pat, die voor in de gang stond, voelde dat hij zich geneerde. Eddy haalde diep adem, gooide het hoofd in de nek en schreeuwde door de mondopening van de bivakmuts: '*BOB*!!! *BOB.!!!*'

Zijn entree, uitrusting en optreden trokken zo de aandacht dat niemand goed hoorde wat hij zei. De man in pyjama keek angstig naar de deur om te zien of er soms nog iemand kwam. Het meisje werd boos. De angst daalde als mist in de gang neer.

Pat monsterde het meisje nog eens. Alle kleur was uit haar wangen weggetrokken en ze keek met grote ogen oplettend van Eddy naar haar vader. Opnieuw viel hem op hoe bijzonder ze was: zijn hartslag vertraagde en de haartjes op zijn huid gingen overeind staan alsof ze naar haar toe wilden. Ze zag de smekende, verwonderde blik in zijn lichtblauwe ogen.

Aleesha was een tiener en dus alleen geïnteresseerd in de wereld voor zover die betrekking had op haarzelf. Ze merkte dat Pat haar leuk vond, dat hij hoopte dat zij hem ook leuk vond, en ondanks alle verbijstering en doodsangst koesterde ze zich in zijn openlijke bewondering. Maar ze was nog jong en haar vader was erbij, en opeens werd ze vreselijk verlegen. Ze liet haar hoofd hangen zodat haar zwarte haar als een gordijn voor haar gezicht viel, waarna ze schuchter een stap naar achteren deed in de richting van de woonkamer.

Eddy schrok van die beweging. Hij dook op haar af, greep haar arm beet en zette haar met een ruk weer naast Pat. 'WAAG HET NIET, VERDOMME! HIER BLIJVEN! HÍÉR BLIJVEN!'

Nu hij haar uit haar evenwicht had gebracht liet hij haar los om terug te springen naar de man in pyjama. Aleesha boog zich opzij en keek nijdig naar de arm die Eddy had durven aanraken. Wat een lekker pittige meid. Pat glimlachte achter zijn wollen masker. Toen ze zich oprichtte was haar gezicht vlak bij Pats borst, en ze keek naar hem op, met haar volle lippen licht geopend; haar angst had even plaatsgemaakt voor boosheid.

Op dat moment, toen ze niet bang meer was, stelden Pats met

wol omrande ogen haar een woordloze vraag. Aleesha rechtte haar rug, maakte zich zo groot mogelijk, keek langs haar lange neus en antwoordde met een trage, trotse knipoog.

Ze glimlachten allebei en wendden hun ogen af.

Door de aanblik van het onbekende roze tapijt kwam Pat weer bij zijn positieven. Hij richtte zijn zware pistool op het plafond, weifelend, bijna alsof hij het aan haar liet zien, en Aleesha verbeet een paniekerige giechel.

Er klonk een harde klik, waarna alle ogen zich richtten op de deur achter in de gang. De deur ging langzaam open, en er verscheen een grote, forse man. Billal leek op zijn ooms, niet op zijn schriele vader, en zijn reuzengestalte was onverwacht en beangstigend.

Eddy stond vlak bij hem, maar schreeuwde hem toe: 'BOB? Ben jij Bob?'

Billal kwam met grote ogen en stramme schouders de kamer uit; hij sloot de deur en hield achter zijn rug de kruk nog vast.

'BOB?'

'Nee,' zei Billal rustig. 'Ik ben Bob niet… Er woont hier helemaal geen Bob.'

Eddy gebaarde met de loop van het pistool en schreeuwde: 'Doe open! DOE OPEN DIE DEUR!'

Billal keek naar zijn voeten en slikte moeizaam. 'Eh, nee, dat doe ik liever niet.'

Aleesha snoof, voor Pat een excuus om weer naar haar te kijken. Ze had haar hand voor haar mond geslagen; haar vingers glinsterden mooi van de goedkope ringetjes, haar nepnagels waren slordig opgeplakt, die op haar wijsvinger zat scheef. Ouder dan zeventien kon ze niet zijn. Hij mocht over een meisje van zeventien niet zulke gedachten koesteren. Hij had nichtjes van die leeftijd.

Eddy stapte gedecideerd op Billal toe en richtte het pistool op diens neus. 'EN GAUW!'

Gebiologeerd door de loop van het pistool ging de forse man langzaam opzij. Eddy tilde zijn voet op en trapte met zijn hak de deur open.

Het was halfdonker in de kamer. Recht tegenover de deur stond een hoog, ouderwets tweepersoonsdivanbed met een gehavend hoofdeinde van donker hout. In het bed zat een pafferige vrouw met warrige haren; twee vingers van haar rechterhand lagen als een open schaar om een bolle bruine tepel. Haar andere hand hield ze beschermend om het hoofdje van een pasgeboren baby.

Ze staarde in de loop van het pistool en klemde de baby tegen haar borst, als om zich ermee te bedekken.

Eddy keek nog naar de plek waar de ontblote tepel was geweest. 'Opstaan,' zei hij. 'Kom dat bed uit.'

Billal ging tussen hen in staan, met zijn handpalmen als een muur voor de loop van het pistool. 'Voorzichtig met dat ding, kerel.'

Eddy raakte in paniek. 'BLIJF VAN M'N PISTOOL AF, GODDOMME! AFBLIJVEN!'

'Oké, oké.' Billal gaf zich met hoog opgestoken handen gewonnen. 'Maak je niet druk, niks aan de hand.'

'EN JIJ DAAR!' Eddy stapte opzij om de vrouw in het bed toe te schreeuwen. 'HIER KOMEN!'

'Maar ik mag helemaal niet opstaan.' Ze keek voor bevestiging naar de forse man. 'Anders krijg ik misschien een bloeding.'

Eddy wierp een blik op Pat, zag dat hij aandachtig naar Aleesha's haar stond te kijken en riep door de gang: 'PISTOOL IN DE AANSLAG, PAT!'

Nog eerder dan Eddy zelf beseften alle aanwezigen in de gang dat hij een fout had gemaakt. Hij had Pat zijn naam niet mogen noemen. Billal keek een andere kant op, de vader kromp ineen en Aleesha snoof en onderdrukte weer een paniekerig lachje.

Eddy beet op zijn lip en begon te trillen van paniek. Het ging niet goed. Het ging helemaal niet goed.

Omdat hij wel voelde dat hij geen enkele bondgenoot had, draaide hij zich abrupt weer naar Billal toe. 'KLOOTZAK! VUILE GORE KLOOTZAK! BOB! WAAR IS BOB?'

Bill stak opnieuw zijn handen op. 'Man, er is hier helemaal geen Bob. Er is verder niemand in huis. We hebben een pasgeboren baby. Ga nou maar weg.' Hij wees naar de voordeur. 'Ga nou maar, dan zullen we er geen werk van maken, goed? Ga nou maar weg, dan krijgen jullie geen problemen.'

'Wie schreeuwt hier zo?' De autoritaire stem van een moeder. Iedereen verstrakte en keek naar het einde van de gang.

Sadiqa was niet groot maar wel breed. Omdat ze haar bril niet op had tuurde ze naar de twee zwarte schimmen. 'Omar? Jongens, waar zijn jullie mee bezig?'

Met de gratie die je van een dikke bokser niet zou verwachten sprong Eddy de gang door, greep haar en de oude man bij de arm en sleurde hen mee naar Billal. Hij zette het drietal op een rijtje, richtte zijn pistool om beurten op hen en schreeuwde zo hard dat zijn stem ervan oversloeg. 'WIE,' tegen Aamir, de vader, 'IS,' tegen Billal, 'BOB?' tegen Sadiqa.

Sadiqa was de enige die antwoord gaf. 'Een pistool...?'

Daarmee trok ze Eddy's aandacht, waarop Aamir naar voren kwam om hem af te leiden. Met zijn handen omhooggestoken en zijn ogen neergeslagen boog hij telkens zijn hoofd, onderdanig als een boerenknecht. 'Jongen, wij allemaal gewone mensen. Hier geen Bob. Geen Bob, verkeerde huis.'

Sadiqa keek naar Aamirs achterhoofd en maakte een afkeurend geluid met haar tong.

Maar Aamir negeerde haar en bleef smeken. 'Geen Bob, kerel. Vergissing. Jullie weggaan. Geen probleem.'

De zwartfluwelen klok tikte luid.

Niemand wist zich goed raad. Behalve Aleesha. Verward van angst maar aangemoedigd door Pats openlijk strelende blik, was ze ervan overtuigd dat alles goed zou komen, dat deze gewapende inval op een onschuldig misverstand berustte. Het had haar nu lang genoeg geduurd. Ze keek lachend opzij naar Pats hoofd en stak haar hand uit naar de rand van de wollen bivakmuts om hem met een vrolijk 'ta-ta-ta-ta!' af te rukken en zo een eind te maken aan de netelige situatie.

Pat schrok zo van die onverwachte, scherpe nagels in zijn nek, dat hij zich met een ruk omdraaide.

Het was niet zijn bedoeling geweest om de trekker over te halen.

Omar en Mo veerden op toen ze het gedempte 'woemf' in huis hoorden en de witte lichtflits in het slaapkamerraam van Billal en Meeshra zagen.

Ze keken elkaar aan om zich ervan te vergewissen dat ze het goed hadden gezien, lazen de schrik op het gezicht van de ander en gooiden op hetzelfde moment hun portier open. Ze mikten hun sigaret op straat, lieten de portieren wijd openstaan en holden de stoep over. Achter elkaar sprongen ze over het lage tuinmuurtje en raceten ze naar de voordeur. Omar trapte hem open.

Malki voelde zich lekker rustig, cool, oké. Toen de voordeur openging zag hij vanuit zijn ooghoek een witte lichtflits. Hij herinnerde zich de instructies en kwam meteen in actie.

Nadat hij het nog warme aluminiumfolie tot een balletje had verfrommeld wilde hij het over zijn schouder gooien, maar hij bedacht zich, want dat leek hem onverstandig. Lachend om zijn heldere moment stopte hij het folie zo diep mogelijk weg in de zak van zijn capuchontrui, waarna hij met werktuiglijke precisie het contactsleuteltje omdraaide, de handrem loszette, schakelde en langzaam naar het afgesproken punt aan de overkant reed.

Hij was zeer tevreden over zichzelf omdat hij de instructies had onthouden, maar hij vergat wel te remmen en botste met de voorkant van het busje tegen het tuinmuurtje. De linkerkoplamp ging aan diggelen.

Vrolijk rinkelde er glas over de stoep, en Malki beet op zijn lip.

Omar trapte de voordeur open en zag alle aanwezigen – onder anderen twee onbekende mannen in camouflagepak – als zoutpilaren in de gang staan. Er hing een vreemde lucht: rokerig, zwavelig. Iedereen staarde naar Aleesha, en het duurde even voordat Mo en Omar begrepen waarom.

Ze had haar arm opgeheven, alsof ze naar de wandklok wees, en ze keek over haar schouder omhoog. Omar volgde haar blik naar haar hand. Een brij zwartrood, vuurrood, vingers als een door elkaar gegooide legpuzzel.

Opeens kronkelde er iets roods langs haar arm.

Woedend wendde ze zich naar de onbekende die voor haar stond. 'M'n hand, verdomme!' Ze bediende zich van een accent en een woord die daar in huis verboden waren.

De schutter jammerde zachtjes sorry.

Er sprong een dikkere schutter op Omar en Mo af. Hij richtte zijn wapen van de een naar de ander en terug. 'HUFTERS! EEN VAN JULLIE IS BOB.'

Ze hielden allebei hun mond.

'JIJ.' Hij porde Mo met het pistool tegen zijn borst. 'Jij bent Bob.'

Maar Mo had niet dezelfde neus als de anderen. Omar had de familietrekken: de lange neus van Aamir en de smalle kaak van Sadiqa. Zonder Mo's reactie af te wachten richtte Eddy zijn pistool op

Omar en zei zachtjes: 'Jij bent Bob.'

Sadiqa kon zich niet meer beheersen. Ze stak haar armen uit naar haar lievelingskind en riep: 'Nee, niet Omar! Niet mijn Omar!'

Eddy raakte in verwarring. In de stilte klonk door de open voordeur opeens het gerinkel van glas dat uit de linkerkoplamp viel toen Malki achteruitreed, zodat het busje weer loskwam van de muur.

'Stelletje klojo's,' zei Eddy wraakzuchtig. Met zijn vrije hand omklemde hij de keel van Aamir. De kleine man protesteerde niet, stak niet eens zijn hand op, maar hield zijn ogen neergeslagen, zodat hij niemand beschuldigend kon aankijken.

Eddy voerde de druk verder op, maar toen hij zag dat de oude man niet van zins was verzet te bieden of zich te verdedigen, bedaarde hij opeens. 'Zeg dan maar tegen Bob dat ik morgenavond twee miljoen pond moet hebben, in gebruikte bankbiljetten. Eén telefoontje naar de politie en deze plurk is 'r geweest. Vergelding. Vergelding voor Afghanistan.'

'Afghanistan?' protesteerde Sadiqa. 'Ik kom uit Coatbridge, wat heeft dat…' Ze slikte haar verontwaardiging in, drukte haar kin tegen haar borst en zweeg.

Aleesha liet haar hand langzaam zakken, en ze keek naar het bloed dat uit de verfomfaaide stomp gutste. 'Verdomme, m'n hand…' fluisterde ze.

Eddy liet Aamirs keel los, ging vliegensvlug achter de oude man staan en sloeg zijn arm om zijn borst, ter hoogte van de empirelijn.

Iedereen bereidde zich er al op voor dat de overvaller het pistool tegen Aamirs hoofd zou zetten en weer zou gaan schreeuwen, maar Eddy deed geen van beide. Nee, hij boog zich achterover, tilde de oude man vierkant op en droeg hem als een zware schemerlamp achterwaarts de voordeur uit.

Pat wendde zijn blik schaapachtig van Aleesha af, mompelde nogmaals sorry en liep met Eddy mee naar buiten.

Opeens kwam de gang tot leven: Sadiqa schommelde naar Aleesha toe, die in elkaar dreigde te zakken. Ze hield de arm van haar dochter omhoog om het ergste bloeden te stelpen, stootte de telefoon van de haak en toetste het alarmnummer in. Billal blokkeerde de slaapkamerdeur met zijn brede lijf, haalde zijn mobiel uit zijn zak en drukte met zijn duim het nummer in. Zelfs Meeshra met de onrustige baby aan haar borst boog zich uit bed naar het mobieltje op het nachtkastje en belde de hulpdienst.

Omar en Mo stormden naar buiten, de gewapende overvallers achterna.

Een van de koplampen van het busje scheen extra helder doordat het glas ontbrak. Tijdens het wegrijden werd de achterdeur dichtgetrokken door een dikke hand, en Omar slaakte een klaaglijk kreetje. 'Boppa…'

Mo pakte hem bij de schouder en trok hem mee. De jongens renden naar de Vauxhall.

Mo reed, Omar keek uit naar het busje. Het was donker op de weg. Links lag een golfbaan, rechts een terrein met kalend struikgewas en daarachter een blinde muur. Hoewel de straat breed en recht was, hoewel het rustig was, hadden ze een grote witte bestelbus uit het oog verloren, goddomme het enige andere voertuig op de weg.

Op een bepaald moment hadden ze hem in het vizier gehad, daar waren ze van overtuigd. Mo had achterlichten gesignaleerd, zo hoog boven het wegdek dat ze van een bestelbus hadden kunnen zijn. Toen het busje door rood reed en voorzichtig een hoek om ging, had Omar een glimp opgevangen van een witte achterdeur.

Op het viaduct over de M8 remde Mo voor een rood stoplicht, maar opeens haalde Omar uit met zijn arm en sloeg Mo tegen zijn kin.

'Stop!' schreeuwde hij. 'Stop!'

Mo remde zo hard dat de Vauxhall slippend tot stilstand kwam. Doordat Omar geen gordel droeg, gleed hij als een dronkenman in een slapstickfilm van de voorstoel en bonkte hij met zijn wang tegen het dashboard.

'Politie!' schreeuwde Omar uit de diepte, en hij wees langs Mo naar buiten. 'Politieauto!'

Op een zijweggetje stond een patrouillewagen verdekt opgesteld, met gedoofde lichten, klaar om snelheidsovertreders aan te houden. De twee agenten hadden de Vauxhall over de verlaten weg op zich af zien racen en waren van plan geweest het voertuig naar de snelweg te volgen, aan de kant te zetten en er hun sarcasme op los te laten. De noodstop overrompelde hen. Ze zagen Omar uit de auto springen; hij liet het portier wijd openstaan en kwam naar hen toe rennen.

'Politie! Help alstublieft…' Op zijn wang ontstond een fikse roze bult als gevolg van de botsing met het dashboard.

Argwanend gespten de agenten hun gordel los, openden hun portier en stapten uit om hem te woord te staan. 'Had u daarnet uw gordel wel om, meneer?'

'Sorry, nee, moet u horen, mijn vader, mijn vader is ontvoerd in een busje.'

Maar ze luisterden helemaal niet naar hem. De agenten keken naar zijn kleren. Beide jongens droegen de traditionele wijde witte broek met bijbehorend hemd. Ze waren net naar de moskee geweest en zagen er in de ogen van de agenten dan ook heel vreemd en ongewoon schoon uit. Omar had een sweatvest van Adidas over zijn kameez aan en was op sportschoenen, maar Mo met zijn rafelige, onverzorgde baardje droeg een vest en instappers.

Opeens drong het tot Mo door hoe vreemd ze eruitzagen, en hij probeerde vriendelijk te lachen. 'Alles oké, man?' vroeg hij opgewekt aan de dichtstbijzijnde agent, maar de spanning en de schrik vervormden zijn stem en zijn gezicht. Beide agenten grepen naar hun koppel. Op de snelweg onder hen denderde een vrachtwagen voorbij.

'Niet doen,' zei Omar radeloos. 'Help ons alstublieft, mijn vader is meegenomen door een stel mannen in een busje. Ze waren gewapend.'

De agenten monsterden hen zwijgend. Vanuit de open Vauxhall zweefden de klanken van Radio Ramadan de avondstille voorstad in: een jonge man hield met een quasi-Arabisch accent een betoog over de koran.

Plotseling besefte het tweetal hoe eigenaardig het hele tafereel op de politie moest overkomen.

Als op een afgesproken teken sloeg de agent die het dichtst bij Omar stond zijn notitieboekje open en vroeg nadrukkelijk: 'Mag ik uw naam, meneer?'

'Omar Anwar.' Terwijl de agent aan het schrijven was, ratelde hij door: 'Luister nou, er zijn gewapende mannen ons huis binnengevallen en die hebben mijn vader meegenomen, ontvoerd, ze hadden allebei een pistool.'

De agent vertikte het om op te kijken uit zijn notitieboekje. 'Hoe spel je dat?'

'Hij is gekidnapt.'

'Zo zo. O-M-A-R, A-N-W-A-R?'

'Ja, ja ja. Luister, we zijn het busje gevolgd tot de laatste stoplichten, maar daarna zijn we het uit het oog verloren. Volgens mij reden ze naar de snelweg. Ze kunnen overal heen gaan…'

De agent die aantekeningen maakte keek naar de auto, hoorde de stemmen, zag Mo's baard. Omar lachte flauwtjes. 'Luister nou, mijn vader is maar een onbelangrijke winkelier, de ontvoering heeft niks met openbare veiligheid te maken, het waren gewoon kerels met een pistool. Ze waren op geld uit. Afghanistan, daar ging het om, zeiden ze, het had iets met Afghanistan te maken.'

'Omdraaien en handen op het dak van de auto, alstublieft.'

'Het zijn criminelen!'

'Leg uw handen nou maar op de auto, alstublieft.' Gedecideerder ditmaal. Omar gehoorzaamde.

De andere agent liep om de auto heen en gebaarde dat Mo mee moest komen om het voorbeeld van Omar te volgen. Nu de jongens aan weerszijden van de wagen stonden, ontfermden de agenten zich ieder over een van hen en begonnen hen te fouilleren.

Mo begreep wel dat hij er het vreemdst uitzag vanwege zijn baard, en daarom begon hij rustig te praten tegen de agent die zijn kleren doorzocht; hij bediende zich van zijn bekakste particuliereschoolaccent. 'Agent, we begrijpen volkomen dat u dit moet doen, zonder meer, maar de vader van mijn vriend is een burger als ieder ander. Een Schot.'

Omar keek over het dak heen toe, en zag dat de agent met venijnig toegeknepen ogen naar Mo's nek keek. Opeens begreep hij dat een kakkerig accent niet de juiste manier was om medeleven op te roepen. Hij probeerde Mo een seintje te geven, maar Mo keek niet naar hem.

'Het zit zo,' vervolgde Mo. 'De vader van mijn vriend is door gewapende mannen ontvoerd, en ze hebben op zijn zus van zestien geschoten.'

'Je meent 't.'

'Het is waar. Ze hebben hem in een busje gegooid, en wij zijn achter ze aan gegaan en hebben het busje gevolgd, maar nu zijn we het uit het oog verloren.'

'Waarom hebt u de politie niet gebeld, menéér?'

'Gewoon, omdat we achter ze aan zijn gegaan.'

'En jullie hebben geen mobiel? De een kan rijden, de ander kan bellen.'

'Ik denk… Daar hebben we niet aan gedacht… Het is een grote witte bestelbus, waarschijnlijk een Mercedes, dicht aan de zijkant, de linkerkoplamp is kapot, dat licht is feller, want ze zijn tegen de muur vlak bij het huis gereden…'

'Zo zo. Echt waar?' De agent deed alles heel langzaam. Hij was klaar met fouilleren, lachte besmuikt en drukte zijn vulpotlood in.

Net op dat moment zag Omar, die over Mo's schouder naar de snelweg onder hen keek, het busje met de ene felle koplamp over de verlaten weg hun kant op komen.

Hij schreeuwde: 'Hé!' en zette twee handen op de motorkap van de Vauxhall, wipte eroverheen en sprintte naar de reling, net toen het busje onder het viaduct door schoot. Omar hing over het hek en riep het na: 'Boppa! Boppa!'

Een verblindende pijnscheut trok door zijn schouder, omhoog naar zijn nek en omlaag naar zijn ribbenkast. Zijn knieën knikten. Terwijl hij op de grond gleed maakte hij een halve draai om zich te voegen naar de onverbiddelijke houdgreep van de agent.

De agent hees Omar bij zijn pols overeind, met het gemak alsof hij een holle stok opraapte, en troonde hem over de weg mee naar de patrouillewagen. Omar keek door de spijlen van de reling en zag het busje de snelweg af rijden, in de richting van de stad.

2

Alex Morrow zette langzaam haar tanden in haar wijsvinger, tot ze de huid zachtjes hoorde knerpen. Ze was zo boos dat er een trekkertje zat in haar linkerbovenooglid, waardoor het verschuivende uitzicht door het beregende autoraampje vervaagde. Als ze niet was gekalmeerd voordat ze ter plekke aankwamen, zou ze er van alles uit flappen en zich in zijn bijzijn belachelijk maken. Bij de gedachte aan een confrontatie met Grant Bannerman beet ze nog eens op haar vinger.

Jaren geleden had een instructeur die het goed bedoelde gezegd dat ze de beslissing van een leidinggevende nooit in twijfel moest trekken: rechtvaardigheid bestaat niet, doe wat je moet doen, bemoei je niet met de bureaupolitiek en zorg dat je er thuis niet meer mee bezig bent. Hij snapte er geen bal van, dacht ze terwijl ze haar tanden nog iets dieper in haar huid zette. Verder dan brigadier had hij het niet geschopt. In haar positie draaide alles om bureaupolitiek. Bovendien had ze niets anders om over na te denken, vooral nu thuis amper bestond.

Ze schaamde zich een beetje voor haar melodramatische neigingen en vermande zich. Haar tanden lieten haar vinger los. Ze had wel een thuis. Natuurlijk had ze een thuis, godbetert. Ze had alleen geen zin om erheen te gaan.

De auto bromde rustig, de geüniformeerde chauffeur nam de tijd en hield zich aan alle verkeersregels en voorschriften omdat zij erbij was, hij nam geen enkel risico. Bij elk stoplicht trok hij de handrem aan. Ze kon hem wel meppen.

Ze wist dat haar ongerichte woede buiten alle proportie was, en haar boosheid sijpelde uit haar weg als water uit een sok. Het bleef niet onopgemerkt: tijdens beoordelingsgesprekken werd er iets van gezegd. Niets aan de hand, hield ze zich voor, ik maak me druk om niets.

Tot dan toe hadden ze een rustige avond gehad. In oktober begon het kouder te worden, dan haastten de dronken straatvechters zich naar hun warme huis om hun gelaten echtgenote te mishandelen, dan vertrokken alle echte rotzakken om in de zon te gaan overwinteren. Het academische jaar was weer begonnen, bedacht ze, een mooie periode om tijdrovende onderzoeken te starten en onopgeloste zaken opnieuw te bekijken.

De straten lagen er verlaten bij. Koude regen tikkelde zachtjes tegen de voorruit en werd door de wissers ritmisch weggeveegd, zodat Vicky Road afwisselend zichtbaar en onzichtbaar was. Het adres waar ze heen gingen kende ze nog uit haar jeugd: een voorstad zo rustig dat ze er in geen twintig jaar was terug geweest. De criminaliteit bestond er uit inbraken, rumoerige tienerfeestjes, kleine ongeregeldheden.

Ze zag dat de chauffeur onzeker hulp zocht bij zijn zwijgende gps. 'Bij de rotonde rechtsaf,' zei ze. 'Daarna de eerste links.'

Nu ze nog maar een paar straten van hun doel verwijderd waren, nam ze de checklist door die ze altijd afvinkte voordat ze zich in het openbaar vertoonde. Haar haar zat netjes, een vleugje make-up op de juiste plaatsen. Met haar vinger veegde ze onder haar ogen. Ze had kleine ogen, zodat de mascara daar weleens klonterde. Handtas aan haar voeten, geen persoonlijke spullen in het zicht, zoals tampons of foto's. Ze trok haar jasje recht, streek over de knopen om te voelen of haar pantser intact was.

De auto stopte aan het begin van de straat, bij een haar onbekend bord VERBODEN IN TE RIJDEN, en de chauffeur aarzelde, niet goed wetend of hij de wet zou overtreden of zou gehoorzamen. In het laatste geval zou hij kriskras via achterafstraten bij het huis moeten zien te komen.

'Rij nou maar door,' zei ze bits.

Hij reed langzaam, als met tegenzin, de straat in. Hij had ooit een uitbrander gekregen voor een snelheidsovertreding, schoot haar te binnen, en hij wilde de baas laten zien dat hij voortaan wel uitkeek.

De straat was smaller dan in haar herinnering, de huizen eerder bungalows dan de villa's uit haar geheugen. Op weg naar de lagere school was ze deze straat elke dag overgestoken. Haar hand herinnerde zich nog de lekker warme hand van haar moeder als ze haar naar de overkant loodste. Bij die gedachte vouwde ze haar vingers tegen haar handpalm. Toentertijd was deze wijk in hun ogen enorm welvarend geweest.

Een eindje verderop was de weg afgezet met blauw-wit lint. Voor het afzetlint stond een agent in uniform, en toen de auto stopte liep hij naar het portier van de chauffeur. Vanwege de kou droeg hij een reflecterend jack en grote gevoerde diensthandschoenen; terwijl hij zich naar het raampje boog, maakte hij knipbewegingen met de vingers van een hand. Nog niet zo lang geleden had ook Alex in uniform en met die bespottelijk dikke handschoenen aan gelopen, en ze wist nog hoe vervelend die dingen haar vingers hadden gespreid. Haar chauffeur deed het raampje naar beneden.

De agent bukte zich. 'Weg afgesloten.'

'Ik heb een meerdere bij me.' Haar chauffeur wees naar Morrow.

'O.' De agent kreeg een kleur van schaamte omdat hij haar niet had zien zitten. 'Sorry. Kunt u daarginds parkeren?'

'Ja, maar kijk alsjeblieft beter uit je doppen,' antwoordde Morrow.

De chauffeur, die wilde laten merken dat hij partij koos voor haar, lachte besmuikt en reed langzaam door.

Ze keek de verlaten straat uit naar het afzetlint aan de andere kant. Het huis stond rechts van haar, op de hoek, waardoor de plaats delict een onhandige T-vorm kreeg. Achter het tweede afzetlint verderop stonden politiewagens met de zwaailichten nog aan, zodat de straat nu eens in blauw, dan weer in rood baadde, als de jurk van Assepoester. Aan haar kant van de weg stonden enkele geüniformeerde agenten bij het afzetlint geposteerd: kaarsrecht, handen op de rug – een formele houding waaraan ingewijden meteen konden zien dat er heel hoge functionarissen heel dicht in de buurt waren.

Haar chauffeur begon een trage bocht. 'Gaat u… eh… Zal ik achteruit…?'

'Stóp nou maar.'

Heel even gingen zijn lippen verontwaardigd uiteen, maar vervolgens klemde hij ze op elkaar; zonder te reageren en strak voor zich uit kijkend trok hij de handrem aan. Rechtvaardigheid bestaat niet. Ze wist best dat ze hem niet zo had mogen afbekken, maar ze had geen idee hoe ze zoiets moest rechtzetten. Ze opende het portier en stapte de zachte oktoberregen in, haalde diep adem en boog zich de auto weer in. 'Sorry,' zei ze kortaf. 'Ik deed onaardig.' De chauffeur keek angstig. 'Tegen jou.' De nadere verklaring maakte het er niet beter op. Zenuwachtig smeet ze het portier dicht, vervloekte zichzelf. Het zou makkelijker zijn om maar gewoon bot te doen.

Er kwam een oudere agent met het plaats-delictlogboek op een klembord naar haar toe.

'Rechercheur Alex Morrow,' zei ze, en hij noteerde haar naam en rang. 'Bureau London Road.'

'Dank u. Rechercheur Bannerman en inspecteur MacKechnie zijn daar.' Hij wees om de hoek naar de voorkant van het huis. Voorbij de lage tuinmuur zag ze de hoofden van een groepje kijkers.

'Is MacKechnie erbij?'

Ook hij leek verbaasd. MacKechnie, dan was het dus een belangrijke zaak. Een zaak die goed was voor je carrière, maar helaas was het niet haar zaak, herinnerde ze zich knarsetandend.

'Nieuw hier?'

'Klopt.'

'Alle toegangen afgezet?'

'Jazeker. Het arrestatieteam is gewaarschuwd, ze zijn onderweg.'

'De overvallers zijn er dus vandoor?'

'Klopt. Er is aan de voor-, achter- en zijkant gezocht.'

'Schoten gelost?'

'Eén. Hand van een meisje van zestien aan flarden.'

'Godallemachtig.'

Hij bromde instemmend.

'Bewoners?'

'Allemaal daarginds, er wordt proces-verbaal opgemaakt.' Hij wees naar het eind van de straat, naar het lint en de auto's met zwaailicht. Daarachter stonden omstanders op een kluitje, in pyjama met een jas eroverheen, sommigen op pantoffels, anderen op schoenen, en ze werden een voor een ondervraagd door agenten met notitieboekjes. Alle bewoners van het afgezette gebied hadden hun huis moeten verlaten en mochten pas weer naar binnen wanneer het arrestatieteam de omgeving veilig had verklaard.

'Mooi,' zei ze. 'Goed gedaan.' Ze was zich ervan bewust dat ze aardig tegen hem deed om haar botte toon tegen de chauffeur goed te maken. Dat leverde je geen medestanders op, wist ze, daarvoor moest je aardig zijn tegen degene die je had beledigd. Niettemin keek hij vergenoegd.

'Waar mag ik lopen?'

Met zijn potlood wees hij naar het midden van de straat en de hoek om.

Morrow dook onder het lint door en keek goed waar ze haar voeten neerzette, speurend naar bewijsmateriaal dat over het hoofd was gezien. Ze bleef staan en keek op. Het huis bevond zich rechts van haar: een laag muurtje langs de stoep, daarna een hellend stuk grond, een strook gras en daarachter klinkers. Daar stonden enkele auto's: een Nissan MPV, een Audi, een nieuwe Mini en een blauw bestelbusje.

Naast haar op straat lagen, gemarkeerd met witte bordjes, twee sigarettenpeuken. Ze bukte zich en tuurde ernaar: het merk was Silk Cut. Ze waren ter plekke opgebrand – de askegel lag op een reepje nicotinegeel papier – en lagen zo'n anderhalve meter uit elkaar, alsof ze links en rechts uit een autoraampje waren gegooid. Ze keek om naar de agent die hun auto had tegengehouden.

'Zeg! Waarom zijn deze nog niet veiliggesteld?'

'Ik moest wachten tot er foto's waren genomen.'

Ze hadden ze meteen moeten veiligstellen. Het regende, en eventuele DNA-sporen op de peuken zouden nu wel verloren zijn gegaan. De plaats delict werd slecht beheerd. Morrow was daar stiekem wel blij mee.

Eenmaal op de hoek kon ze de bewoners beter zien: drie oosters ogende jongemannen stonden te praten met agenten in uniform. Er was ook een blank ouder echtpaar, man en vrouw beiden in pyjama met een jas eroverheen. Een boos kijkende huisvrouw, jong, alleen, haar warrig van het slapen, keek haar strak aan. Morrow staarde terug: moeten we ons soms verontschuldigen voor de overlast die we jullie bezorgen bij het oppakken van gewapende overvallers?

Morrow begon het huis te bestuderen. De tuin had twee ingangen: een breed ijzeren hek dat rechtstreeks toegang gaf tot de eigen parkeerplaats, en een klein sierhek met daarachter een pad naar de voordeur. Ze liep de hoek om en zag een vers hoopje veiligheidsglas op de stoep liggen. Erboven waren enkele stenen van het muurtje beschadigd.

Ondanks alles was haar belangstelling gewekt. Ze voelde het gebeuren: onsamenhangende, irrelevante feiten werden in gedachten systeemkaartjes die ze archiveerde – haar eigen vertrouwde landschap van combineren en deduceren. De ins en outs van gekonkel, hetzij op persoonlijk hetzij op professioneel terrein, ontgingen haar altijd, maar dit was een kolfje naar haar hand. Dat was Alex Morrows enige absolute zekerheid: hier was ze goed in.

Ze keek op en zag hen bij het sierhekje staan, waar ze met de armen over elkaar wachtten tot de collega's van het arrestatieteam het pand hadden verlaten. Rechercheur Grant Bannerman en inspecteur MacKechnie, zij aan zij, met de schouders bijna tegen elkaar, keken naar de voordeur en hoorden twee geüniformeerde dienders aan die hen informeerden over de getuigenverklaringen. Bannerman knikte alsof hij al wist wat er was gebeurd en alleen even kwam controleren of iedereen zijn werk goed deed. MacKechnie keek naar zijn wonderkind: in zijn nek een vage echo van een goedkeurend knikje.

Bannerman. Gespierd, gebruind, zijn door de zon gebleekte haar aan de lange kant zodat het een beetje voor zijn ogen hing. Volgens haar wilde hij eruitzien als een surfer, maar in haar ogen had hij eerder iets van een carrièrejager: een jongen die door zijn vader, een politieman, aan de hoge omes was voorgesteld. Daardoor had hij het al tot rechercheur gebracht toen hij nog maar pas bij de criminele inlichtingendienst werkte. Morrow had eerst haar uniform weer moeten aantrekken en haar papiertjes moeten halen. Zonder vriendjes, zonder kruiwagen, op eigen kracht. Bij de CID nam nooit iemand ontslag en er werd zelden iemand weggepromoveerd: de afdeling was een eindbestemming en vacatures waren er uiterst schaars. Om het binnen de CID tot rechercheur te schoppen moest je met je meerderen aanpappen, samen naar het voetballen gaan, of hen met golfen laten winnen.

Morrow en Bannerman zaten nu een maand samen op een kamer, maar het wilde niet echt boteren tussen hen. Hoeveel kopjes koffie hij ook voor haar zette, hoeveel KitKats hij ook voor haar meenam uit de automaat, ze zag aan zijn ogen dat hij achter haar rug grapjes over haar maakte, dat hij haar niet mocht, bang was voor haar stemmingswisselingen. Hij bivakkeerde al twee maanden op die kamer toen zij arriveerde, hij kwam gemoedelijk over, was vier jaar jonger dan zij. En zij maakte het anderen niet gemakkelijk, dat wist ze best. Als Morrow met zichzelf zou moeten samenwerken, zou ze een paar bureaus verderop gaan zitten.

Bannerman zag haar komen, en zijn glimlach bleef zo lang om zijn lippen spelen dat het een grimas werd.

'Inspecteur.' Ze knikte kort naar MacKechnie, maar kon zich er niet toe zetten Bannerman aan te kijken. 'Grant.'

Grant Bannerman knikte terug. 'Alles goed, Morrow? *What's happening?*'

Ze voelde het bloed uit haar gezicht wegtrekken. 'Hallo' was Grant niet mooi genoeg. 'Goedenavond' evenmin. Het moest een melige begroeting zijn, een regel uit een liedje, een toespeling op Elvis of zoiets lulligs. Hij deed zijn best om anders te zijn dan anderen omdat hij dat niet was. Zij had juist de ambitie om niet op te vallen, wat niet lukte. Door haar afgunst bekeek ze hem extra scherp en zag ze kleine kwetsbaarheden: hij kwam weleens iets te rood onder de zonnebank vandaan, ging vaak strijken met de eer van andermans werk, en hoewel hij zelfverzekerd overkwam, maakte hij in het gezelschap van andere mannen soms een verloren indruk.

Haar wangen begonnen te gloeien, en ze besefte dat ze de aandacht gauw moest zien te verleggen. 'Er ligt bewijsmateriaal nat te worden,' zei ze. 'Die twee sigarettenpeuken moeten worden veiliggesteld.'

Bannerman besefte heel goed dat hij fout zat. 'We wachten op de fotograaf.'

'Maar het heeft toch weinig zin om te bewijzen dat ze hier vandaan kwamen als de sporen zijn uitgewist?'

MacKechnie kneep zijn ogen vergoelijkend half dicht. 'Laat ze maar vast veiligstellen.'

Bannerman gaf een van de agenten die hun hadden bijgepraat met een hoofdknikje opdracht om de peuken in een plastic zak te doen.

Het arrestatieteam kwam naar buiten. De angstaanjagend ogende mannen verdrongen zich bij de voordeur. Vier forse kerels in zwarte kogelvrije vesten blokkeerden het licht in de gang. Allen hielden een imposant groot pistool met beide handen vast, alsof de wapens anders vanzelf zouden afgaan en fatale schade zouden aanrichten.

Terwijl ze lachend over het pad naar hen toe kwamen, was de opluchting af te lezen aan hun gezicht en de stand van hun schouders. Bij wapengeweld moest een arrestatieteam óf de schutter ontwapenen, óf nagaan of er zich niet een gewapende gek in een kast had verschanst die de politie op de nek kon springen. Het was stressvol werk dat niemand lang volhield. Ze moesten aan één stuk door rekruteren, want er werd steeds vaker een beroep op hen gedaan. Glasgow werd overspoeld met overbodig geworden wapens uit Ierland, die voor een schijntje van eigenaar verwisselden.

De collega's van het arrestatieteam namen aan dat MacKechnie de leiding had en brachten hem op de hoogte: binnen geen verdachten, geen wapens, één kogel in de muur en heel veel bloed. Eén bewoonster was nog thuis, een bedlegerige vrouw die weigerde uit bed te komen.

'Bedlegerig?' vroeg Morrow.

Alle mannen keken haar kant op alsof ze haar nu pas zagen.

'Nou ja,' antwoordde hun leidinggevende zwakjes, 'ze is pas bevallen. Een week geleden of zo.'

'Waarom ligt ze nog in bed?'

'Ze mag niet opstaan. Kans op bloedingen, zei ze.' De man lachte gegeneerd. 'En ik ben niet bevoegd om haar hechtingen te controleren, hè?'

Ze zag hen allemaal gniffelen. Zelfs MacKechnie deed mee. Bannerman wendde zijn blik af. Het hoofd van het arrestatieteam deed zijn mond al open om op het grapje voort te borduren, iets grofs te zeggen, maar toen hij Morrows gezicht zag hield hij zich in.

'Maar goed, het zit erop,' zei hij, met een blik speciaal voor Bannerman om aan te geven dat hij hem beklaagde vanwege Morrow. 'Wij gaan ervandoor.'

Ze keken de forse mannen na die heel behoedzaam de verste poot van de T-kruising af liepen, tot ze voorbij het afzetlint en buiten de plaats delict waren. Daar stapten ze weer in hun glanzend zwarte busje.

Morrow wenste dat ze alleen was om weer in haar vinger te kunnen bijten, maar ze haalde diep adem en vroeg de agent: 'Het verhaal?'

De diender wilde al antwoorden, maar Bannerman kapte hem af. 'Familie samen thuis na het ramadangebed in de moskee…'

'Welke moskee?'

'De Central voor de kinderen, de Tintagell Road voor de vader.'

Morrow knikte, dat was logisch. De Central was een moskee voor de wijde omgeving, waar jongelui uit alle hoeken van de stad elkaar troffen. De Tintagell was kleiner, een hechtere gemeenschap. Als deze jongelui naar de Central gingen, waren ze niet aan hun wijk gebonden, hadden ze geen band met een bende. Dan deugden ze.

'Ze zijn achter in het huis,' vervolgde Bannerman. 'Er wordt gebeld, ze denken dat iemand van de familie zijn sleutel is vergeten, dochter doet open, vader komt de gang in. Twee gemaskerde, gewapende mannen komen binnen, schreeuwen bedreigingen, zoeken een zekere Rob. Ze eisen geld en zeggen dat ze ons niet mogen bellen…'

'Veel?'

'Twee miljoen.'

'Pónd?'

'Ja.'

Ze keken weer naar het huis, schatten de waarde, en MacKechnie zei: 'Ik schat het op drie ton. En jullie?'

Morrow en Bannerman knikten bevestigend.

'Twee miljoen in contanten? Hebben ze die gekregen?'

'Er was geen Rob aanwezig.'

'Welke huidskleur hadden die gewapende mannen? Waren het Aziaten?'

'Blanken. Ze hadden een bivakmuts op, maar ze waren blank.'

'Wie is Rob?'

'Geen idee. Het zijn allemaal Indiërs, tenminste, ze hebben allemaal Indiase namen, dus… Er was geen Rob bij.'

'Geen huurders? Geen louche vriendjes?'

'Nee. Geen geld gekregen,' vervolgde Bannerman. 'Vertrokken met vader als gijzelaar.'

Morrow keek nog steeds verwonderd naar het huis. 'Is het dan misschien een kwestie van het verkeerde adres?'

'Is nog niet vastgesteld,' antwoordde Bannerman, wat betekende dat hij het niet wist.

'Ze hebben zich niet in het adres vergist,' zei ze tegen MacKechnie, en ze wees de straat in, 'want daar heb je Albert Drive en…'

'Dat is de goudkust,' onderbrak Bannerman haar. Hij kwam half tussen hen in staan en knikte alsof hij het zelf had bedacht.

Ze ploeterde verder: 'Als ze domweg mensen met geld zochten, dan hadden ze daarginds wel ergens een deur ingetrapt.'

'En dus…' MacKechnie spoorde haar aan een conclusie te trekken. Bannerman bleef knikken, bijna manisch.

'En dus was dit adres hun doelwit. Ze hadden info over iemand, en op grond daarvan dachten ze dat hier geld te halen was. In contanten misschien wel.'

'Tenzij…' Bannerman hengelde naar de aandacht van MacKechnie. 'Tenzij ze eerst naar een ander huis waren gegaan, het alarm per ongeluk in werking hebben gesteld of zoiets, en daar weg zijn gegaan? Ik bedoel, dat zouden we moeten natrekken…' Zijn stem stierf weg, zijn zelfvertrouwen taande.

Wat een ongelofelijk stomme opmerking.

'Als er vanavond elders een gewapende inval was gedaan, zou de meldkamer het arrestatieteam wel hebben ingeseind.' MacKechnies stem klonk mild, vermanend.

Morrow keek om naar de patrouillewagens die her en der in de straat stonden. 'Zei je nou dat er tegen de bewoners is gezegd dat ze ons niet mochten bellen?'

Bannerman haalde ongemakkelijk zijn schouders op. Daar had hij zelf aan moeten denken.

De agent hield de getuigenverklaringen als bewijsstukken omhoog en antwoordde: 'Ja. "Eén telefoontje naar de politie en deze kl…"' – hij zag af van een letterlijk citaat – 'eh… dreigementen aan het adres van de gijzelaar.'

MacKechnie keek naar de politiewagens en het vervaarlijk ogende busje van het arrestatieteam dat net wegreed. 'Die opvallende wagens kunnen daar beter weg.'

Bannerman sjokte weg om een en ander te regelen.

'Als ze hebben gezegd dat wij niet gebeld mochten worden' – Morrow dacht hardop verder – 'dan waren ze er kennelijk zeker van dat de familie zou gehoorzamen. Misschien hebben ze gelijk, misschien ligt er toch geld.'

MacKechnie controleerde of Bannerman buiten gehoorsafstand

was. 'Morrow, we weten allebei dat dit jouw zaak is, maar ik kan je er niet op zetten.'

'Maar inspecteur, u hebt gezegd dat de volgende…'

'We hebben in deze buurt de laatste tijd veel problemen met minderheden, rivaliserende bendes, die jongen van Boyle. We zitten niet te wachten op misverstanden tussen twee culturen.'

Morrow knarsetandde en staarde naar het huis alsof het haar iets had misdaan. 'Ik kom uit deze buurt, ik ken de mensen hier…'

'Rechercheur Bannerman behandelt deze zaak,' ging hij verder. 'Jij krijgt de volgende.'

Deze zaak was goed voor je carrière, en MacKechnie nam Bannerman aan het handje. Het besluit stond vast, rechtvaardigheid kwam er niet aan te pas, maar het trekkertje in haar oog was er weer en ze kon het niet eens opbrengen om naar MacKechnie te kijken.

'Waarom déze zaak niet, inspecteur?'

Hij gaf geen antwoord. Toen ze wel weer naar hem keek, volgde ze zijn blik naar de Aziatische jongens achter het afzetlint. Ze stonden er verloren bij, geslagen. De oudste, fors en met baard, droeg een effen sweatshirt op een katoenen broek. De twee jongere kerels, lang en mager, droegen een salwar kameez met capuchontrui en sportschoenen: traditioneel, religieus.

'Persoonlijke omstandigheden maken ons soms geschikt voor bepaalde zaken,' zei hij, 'en voor andere juist niet. De volgende keer is het jouw beurt.'

Typisch MacKechnie. Nooit zou hij iets onomwonden zeggen. Lastige situatie, bedoelde hij: alle Aziaten haten vrouwen en bovendien ben jij een beetje gestoord.

Aan de lengte van de jongens en aan hun weke lichaamsbouw kon Morrow zien dat ze tot de tweede generatie behoorden. Ze hadden hun haar bij de kapper met de tondeuse laten bewerken. Eentje droeg de allerduurste Nikes, en die waren heus niet bedoeld om er zijn vrome makkers in de moskee mee te imponeren. Het maakte die jongens echt niet uit of zij een man of een vrouw was. Ze was tien jaar ouder dan zij, ze had net zo goed een man kunnen zijn en ze kende South Side op haar duimpje. Als íemand door zijn persoonlijke omstandigheden geschikt was voor deze zaak, was zij het wel. Maar MacKechnie vertrouwde haar niet meer, vermoedde dat ze aan het afglijden was. Het was onrechtvaardig, maar zo ging het nu eenmaal in het korps, en daar had ze zich maar bij neer te leggen.

'Inspecteur, dat is…' – het woord was haar nog niet ontsnapt of ze had er al spijt van – 'racistisch.'

Ze bleven beiden roerloos naar het huis staan kijken. De koude regen bespetterde hun hoofd. De druppels liepen over Morrows wang, vielen van haar kin, doordrenkten haar revers en verzamelden zich rond een lelijk schotwond bij haar hart. Achter hen reden politiewagens langzaam achteruit de straat uit. Ze kreeg een drukkend gevoel op haar borst en merkte dat ze haar adem inhield.

MacKechnie wendde zich niet naar haar toe en zijn stem klonk nog zachter dan gefluister. 'Zeg zoiets nooit weer.'

Hij draaide zich abrupt om en liep van haar naar Bannerman.

Klote.

3

Zoals afgesproken legden ze de hele weg zwijgend af: geen woord in bijzijn van de gijzelaar. Maar het was niet de voldane stilte na een vakkundig afgeronde klus: Pat was te boos om iets te kunnen uitbrengen, Eddy was vastbesloten om dit gedeelte tenminste goed te doen en Malki was te ver heen om te kunnen rijden en praten tegelijk.

Malki was eraan gewend dat hij de oorzaak was van de verpeste sfeer: hij woonde nog bij zijn moeder en nam aan dat de rotstemming in het busje zijn schuld was, vanwege dat akkefietje met de muur, en dus deed hij extra voorzichtig en reed hij voorbeeldig. Hij nam de oprit naar de snelweg, hield zich tot in het centrum keurig aan de maximumsnelheid, nam de afslag Cathedral voor een sluiproute via Sighthill om tijdelijk buiten het bereik van de camera's te zijn, keerde en reed vervolgens vanuit een andere hoek de snelweg weer op. Onberispelijk.

Al die tijd lag de oude man op zijn buik achter in het busje, in precies dezelfde houding waarin hij was neergekomen: met zijn neus op de vloer, de benen gestrekt, de ene arm langs zijn zij, de andere bij zijn gezicht, roerloos, terwijl de witte plastic jerrycans met benzine traag heen en weer rolden.

Hij lag zo stil dat Pat zich zorgen begon te maken. Hij keek telkens achterom, bang dat de man hoofdletsel had opgelopen toen ze hem in het busje hadden gesmeten. Pat had een keer iemand bij een nachtclub zien doodgaan. Een man van een jaar of vijfendertig wankelde en struikelde op het trapje, tuimelde achterover en sloeg slapstickachtig tegen het trottoir, en daar bleef hij liggen. Alle bezoekers die de club verlieten namen aan dat hij straalbezopen was en lag te slapen. Ze moesten erom lachen.

Terwijl de zwarte rubberzak werd dichtgeritst legde een treurig kijkende ambulancebroeder uit dat de ruimte binnen de schedel beperkt is. Een bloeding in de hersenen is te vergelijken met een gepekeld ei dat je in een vol glas bier mikt: doordat het extra volume nergens heen kan, worden de hersenen naar de ruggengraat gezogen. En daar ga je aan dood.

Door de herinnering aan die avond en aan de dode man stond Pat in gedachten weer bij de deur van de Zebra Wine Bar. Lelijke dronken kerels en roodharige vrouwen die op zomerschoenen over de ijzige stoep zwikten. Die winter hadden de vrouwen allemaal lang haar, wist hij nog. Nylon haarextensies die eruitzagen als knullige pruiken. De Zebra werd ook wel 1669 genoemd, omdat de vrouwen van achteren zestien leken maar van voren negenenzestig.

Hij was dus bang dat de oude man, die ze een kussensloop over zijn hoofd hadden gedaan, lag dood te gaan, en zijn gedachten dwaalden naar het jonge meisje dat hij had aangeschoten en naar het gezellige huis waar de geur van geroosterd brood hing. Had hij zijn kont maar tegen de krib gegooid, had hij maar geweigerd naar binnen te gaan… Eddy was voor Pat een soort familie, al jaren, maar opeens besefte Pat dat hij weer dezelfde familie had uitgekozen: akelige, lullige losers.

Alsof hij aanvoelde dat Pat hem dreigde te ontglippen, gaf Eddy de oude man een tik tegen zijn voet en vroeg naar zijn naam. Het hoofd werd een eindje opgetild en antwoordde dat hij Aamir heette, en opeens drong het tot Pat door dat ook Eddy bang was geweest. Gelukkig maar, want misschien was Eddy dus nog voor rede vatbaar en ging hij niet helemaal op in het soldaatje spelen.

Eddy had zijn bivakmuts tot vlak boven zijn ogen opgerold en knielde achterin bij de man neer. Hij keek Pat nadrukkelijk niet aan.

Ze waren bij Harthill, hartje Schotland, een naargeestige hoogvlakte bezaaid met televisie- en telecommunicatiemasten, waar altijd een gure wind stond. Malki reed de uitvoegstrook op, manoeuvreerde feilloos over een rotonde en stuurde met een scherpe bocht een akker op, waarna hij het busje rustig langs de voet van een heuvel naar een groepje door de wind geteisterde bomen bracht. Hij stopte, trok de handrem aan, zuchtte en smakte met zijn lippen. Hij keek Pat glimlachend aan.

Zonder een woord te zeggen sprong Eddy het busje uit en deed de deur achter zich dicht. Hij liep onder de beschutting van de bomen uit, een uitgestrekte, modderige akker op.

De grond was hard bevroren, over de omgewoelde aarde lag een dun waasje rijp. Een bolle blauwige maan verlichtte de omgeving als een felle tl-lamp. Eddy begon te lopen, bewaarde met beide armen zijn evenwicht en keek strak naar de oneffen ondergrond. Het licht was zo scherp en blauw dat hij de afzonderlijke gevederde ijskristalletjes kon zien terwijl hij het bandenspoor van het busje volgde, terug naar een opening in de heg. Hij bleef staan om even om zich heen te kijken. Het braakland strekte zich uit tot de horizon. In de verte hoorde hij het verkeersgedreun op de snelweg. Geen huizen in het zicht, geen busladingen kampeerders. Niemand. Perfect.

Hij liep zo'n tweehonderd meter verder over het omgewoelde stuk tussen de twee sporen van het busje in; zijn adem wolkte voor hem uit. Hoewel hij hem er zelf had neergezet, wilde Eddy met zijn eigen vermoeide ogen de Lexus zien staan.

Hij stond weer stil, keek de weg langs de akker af en zag de rand van de zilverkleurige kofferbak, de rode achterlichten. Het was een huurauto. Op de heenweg had hij alle knopjes uitgeprobeerd, genietend van de kuipstoel, het stuur, de cd-speler en het bedieningspaneel. Als het geld binnen was, ging hij er zo een kopen, beloofde hij zichzelf. De aanblik van de auto had een kalmerende uitwerking, en zijn hart bonkte niet langer alsof hij net een sprintje had getrokken.

Ondanks alles wat er was gebeurd, kwam het misschien toch nog goed. Eddy knipperde met zijn ogen om zijn tranen terug te dringen en keerde terug naar het busje.

4

MacKechnie had haar voor straf hierop af gestuurd, en nu zat ze op een harde stoel in de slaapverwekkend schemerige slaapkamer een verhoor af te nemen: de schoondochter, een jonge vrouw die haar bed niet uit mocht en die eigenlijk alleen maar toeschouwer was geweest.

Morrow hoorde dat de anderen achter de deur lekker bezig waren in de gang: ze mompelden tegen elkaar, bekeken details en vergaarden belangrijke brokjes informatie die het verhaal body zouden geven, terwijl zij hier aan het werk was gezet zodat ze hen niet voor de voeten kon lopen.

Meeshra zag er onverzorgd uit, langs haar gezicht groeide donker dons en haar haar zat in de war en was klitterig doordat ze erop geslapen had.

Uit overwegingen van discretie was de deur achter hen dicht, terwijl Meeshra de baby met haar gezwollen tepel belaagde. De twee weken oude zuigeling stribbelde tegen, hapte met zijn tandeloze, radeloze mondje vergeefs in huid en vingers. De borst was te vol, wist Alex, stond zo strak van de melk dat de baby er met zijn mondje geen vat op kreeg. Ze kon haar goede raad niet over de lippen krijgen, dat vond ze ongepast en te intiem. Het was niet aan haar om Meeshra zoiets te vertellen, dat was de taak van de wijkverpleegkundige.

'Ze zwaaiden met het pistool en ze schreeuwden. Zochten een zekere Rob. "Robbie". Echt een Schotse naam, hè?'

Meeshra's accent herinnerde nog vaag aan Lancaster, maar het Schots begon de overhand te krijgen. Ze woonde hier nog geen jaar, vertelde ze. Na de trouwerij was ze bij haar schoonouders ingetrokken. Ze waren gelukkig met elkaar, en toen moest ze even met haar ogen knipperen, het was een welvarende familie van harde werkers, en opnieuw knipperde ze.

Achter Alex stond een agente de onwaarheden te noteren, zodat Alex alleen maar hoefde te observeren. Iedereen had wel een tic waaraan je kon merken wanneer hij loog, en informeren naar de familie was dé manier om die te ontdekken.

Morrow was ervan overtuigd dat Meeshra niet met opzet loog. Familiemythen en familiefabels waren niet zozeer bewuste leugentjes als wel een vorm van zelfbescherming, gemeenplaatsen, onwankelbare meningen die je beter niet in twijfel kon trekken: ze houdt van me, we zijn gelukkig, hij verandert nog wel. Maar er was altijd wel iets wat hen verried. Alex verbaasde zich er nog steeds over dat de mensen er zo gebrand op waren de waarheid te spreken. Wanneer er tijdens een verhoor tegenstrijdigheden in een verhaal slopen, stortten de mensen vaak in, dan snikten ze van verlangen naar oprechtheid, alsof betrapt worden op een leugen het allerergste was dat er kon gebeuren. Ze had wel meegemaakt dat mannen hun nagels tot bloedens toe in hun handpalmen drukten om te voorkomen dat ze alles opbiechtten. Nadruk was de meest voorkomende verklikker. Iemand die een zin begon met 'Eerlijk waar' of 'Om je de waarheid te zeggen' vertrouwde ze niet meer. Dat waren vlaggen die hoog boven een zin uit werden gestoken om de aandacht van de oppervlakkige kijker te trekken: addertje onder het gras!

Aartsleugenaars bedachten van tevoren smoezen en weken daar niet van af, maar het kunstmatige geheugen werkte traag: vroeg je zo iemand naar een kleur of een detail, dan liet het antwoord te lang op zich wachten. Vlotte leugenaars waren gevaarlijk, omdat ze zo kwaadwillig of beïnvloedbaar waren.

Morrow was zo goed in het signaleren van leugens, dat het haar wereldbeeld negatief had beïnvloed. Het ergste was dat haar daardoor de luxe van zelfbedrog was ontzegd. In het kille daglicht viel nauwelijks te leven.

Ze benijdde Meeshra er dan ook om dat die zo stellig kon beweren dat ze gelukkig waren met z'n allen. Natuurlijk, er waren weleens spanningen, maar haar schoonmoeder was best een aardig mens, ze deed een beetje geleerd maar was toch aardig, en ze wist precies hoe het huishouden gerund moest worden en waar de meubels moesten staan en ze had zo haar eigen manier van koken, hè? Dat sprak toch vanzelf? En de baby was een grote zegen, een zoon, het eerste kleinkind. Daarbij moest ze met haar ogen knipperen, en Alex signaleerde en registreerde dat. We zullen gelukkig zijn, zei Meeshra, en zweeg toen, verbaasd omdat ze de toekomende tijd had gebruikt.

Ze duwde de baby weer tegen haar borst. Hij liet zijn kale hoofdje achteroverrollen en slaakte een droog, ijl kreetje. Gefrustreerd kneep Meeshra in haar tepel, waarop er een krachtig boogje waterige melk over het bed spoot en het laken doorweekte. Huilerig van schaamte vloekte ze zichzelf uit in een taal die nieuw voor Alex was.

'Probeer het nog eens nu je een beetje kwijt bent,' zei Alex.

Aarzelend hield Meeshra de baby bij de nu iets zachtere tepel.

'Tepel bij zijn neusje houden,' zei Alex. 'Dan vindt hij hem zelf wel.'

Meeshra raakte met haar donkere tepel het met melk bespatte neusje van de baby aan. Hij kromde zijn rug, sloot zijn lippen er onwennig omheen, maar toen begonnen zijn kleine kaken fanatiek te zuigen, zo fel dat haar adem even stokte. Terwijl de baby haar ontlastte van de stuwende melk, trok de spanning weg uit haar schouders en ze keek Alex dankbaar aan.

'Je spreekt uit ervaring, hè?'

Alex glimlachte gespeeld vriendelijk. 'Wil je me vertellen wat je je van vanavond kunt herinneren? Begin maar bij het begin.'

'O.' Meeshra verbaasde zich erover dat Alex van onderwerp veranderde, maar ze was een en al bereidwilligheid. 'Eh, tja, ik lag in bed, met de baby. Billal zat op de rand, waar jouw knieën nu zijn.' Haar ogen schoten onzeker naar de bewuste plek. 'Hij wilde me helpen. Maar eigenlijk zaten we 'n beetje te kibbelen,' zei ze met een gegeneerd lachje, 'over het voeden en zo. We horen geschreeuw in de gang, en we denken: dan zal Omar wel terug zijn.'

'Wordt er dan wel vaker geschreeuwd als Omar thuiskomt?'

Meeshra rolde met haar ogen. 'Nou ja, hij en z'n vader kunnen niet zo goed opschieten, zeg maar, hun schreeuwen wel vaker tegen mekaar, maar wij luisterden niet.'

'Waar maken ze bijvoorbeeld ruzie over?'

'Ik zou 't niet weten, vraag 'm dat zelf maar,' zei ze schouderophalend. Ze hoorde er weliswaar nog niet helemaal bij, maar verraden wilde ze haar familie ook niet. 'Maar wij luisterden niet, toch?'

'Je zat met Billal te praten?'

'Ja, over het voeden. Maar goed, er wordt geschreeuwd, en opeens horen we het. Billal zegt zoiets van: "Dat is niet de stem van Omar."'

'Hoe zou je de stem beschrijven?'

'Schots. Echt een Schotse stem. *Rrr*ob.' Ze liet de r rollen. 'Waar is *Rrr*obbie?'

Toen deed ze er het zwijgen toe – interessant, vond Morrow – en moest ze worden aangespoord. 'En toen?'

'Billal ging kijken wat 'r aan de hand was, want het geschreeuw werd... Nou ja, we hoorden zó dat het niet Omar was die stond te schreeuwen. Goed, Billal ging gauw de gang op, maar hij hield de deur dicht, om mij, snap je wel.' Ze keek naar de baby aan haar borst. 'M'n schoonmoeder wil het bed hier hebben, tegenover de deur. Ik liever daar.' Ze keek naar een hoekje dat meer privacy bood. 'Nou ja, la' maar. Ik hoor Billal op de gang zoiets zeggen van: "Niet doen, man," en opeens wordt de deur opengetrapt, en ik lig hier met de baby en met m'n nachtpon half uit.'

Ze bloosde bij de herinnering en streek over het donzige haar van de baby.

'Wat zag je door de open deur?'

'Klein kereltje, nou ja, niet heel erg klein, maar hij stond naast Billal, en die is één meter negentig en fors.'

'Tot waar kwam hij bij Billal?'

'Z'n hoofd kwam tot Billals kin, ietsje hoger.'

'Dus hij was ongeveer...?'

'Eén vijfenzeventig, zoiets.'

'En hoe was hij gebouwd?'

'Tja, kweenie, fors, beetje dik. Met van die schouders, je weet wel, van die schouders die schuin in z'n nek overgaan, tot aan z'n oren?'

'Als bij een gewichtheffer?'

'Percies. Een gewichtheffer. Maar dan wel met een pens.'

'Maar zijn gezicht heb je niet gezien?'

'Hij had een soort wollen masker voor, met een gat voor z'n ogen.'

'Een bivakmuts?'

'Ja. En hij zegt van: "Kom hier," of zoiets, en ik zeg van: "Dat kan niet, ik heb net een baby gekregen," want je weet dat je dan plat moet blijven liggen, toch?' Alex herinnerde zich het tegenovergestelde. Ze wist ook nog dat ze er jaloers op was geweest hoe onbeschaamd sommige vrouwen zich na een bevalling gedroegen, alsof ze door kinderverlamming waren getroffen, en hoe ze bezoekers lieten draven om nu eens dit en dan weer dat aan te dragen, hoewel ze na het bezoekuur prompt een wonderbaarlijke genezing opvoerden. 'Dus hij zegt van: "Opstaan," maar ik zeg van: "Nee." En toen kwam Billal voor ons staan en hij zegt: "Zo, man, nou is 't mooi geweest," maar toen zegt die gewapende gozer tegen die andere vent, die d'r ook bij is, hij schreeuwt hartstikke boos tegen 'm: "Pistool in de aanslag, Pat."'

'Pát?'

'Ja, zo heette-d-ie, Pat, en toen bleven ze allebei doodstil staan, alsof ze 't in hun broek hadden gedaan omdat ie dat had gezegd.'

Toen Alex door de gang liep, had ze Billals accent gehoord. Tenzij ze zich heel erg vergiste, had hij op de St. Al gezeten, de particuliere katholieke school in het centrum, een dure instelling die zeer hoog stond aangeschreven. Hij had die zelfverzekerde privéschoolcharme en een kenmerkend rollende r. Meeshra was een tikje ordinair, praatte slordig en een beetje plat, en ze deed verslag alsof ze een ander meisje op een straathoek vertelde over een vechtpartij op school.

'Mag ik vragen hoe je Billal hebt leren kennen?'

'Ik ben met mijn familie hierheen gekomen.'

'Jullie zijn naar Glasgow verhuisd?'

'Nee, nee, de families hebben iets afgesproken. Ik ben uitgehuwelijkt. Voordat we trouwden, hebben we mekaar maar vier keer gesproken.'

'Aha.'

Meeshra voelde zich in het defensief gedrongen en richtte zich weer op de baby. 'Jullie snappen dat niet, jullie denken dat er dwang aan te pas komt en zo…'

Alex liet haar niet uitpraten. 'Ik niet.'

Meeshra keek haar aan.

'Ik ben er best voor,' zei Alex schouderophalend, 'vooral als je bij de schoonouders intrekt. Je kiest immers niet alleen een echtgenoot?' Alex had er vaak over nagedacht wie haar moeder voor haar zou hebben uitgekozen, hoe anders haar leven dan zou zijn gelopen. Dat was het 'm juist, dacht ze, wanneer er werd uitgehuwelijkt had niemand het recht voor een onverwachte toekomst te kiezen.

Meeshra glimlachte toegeeflijk. 'Percies.'

'Je kiest de hele familie. Je moet van heel veel dingen weten of je wel bij elkaar past.'

Meeshra knikte. 'Percies, percies.' Ze keek Alex even schuins aan omdat ze zich afvroeg of ze in de maling werd genomen. Kennelijk kwam ze tot de conclusie dat Alex het meende, en toen glimlachte ze lief, bijna dankbaar.

Alex kneep haar ogen tot spleetjes en hervatte het verhoor. 'Waar waren we… Die gewapende jongen zegt "Pat" en ze blijven allebei doodstil staan. En toen?'

'Nou eh… Hij zeg dus "Pat" en ze blijven allebei doodstil staan en dan zegt m'n schoonmoeder van "wat is hier aan de hand?" en die dikke rent de gang door, ik zie 'm langs de deur schieten' – ze wees naar de achterkant van het huis – 'om m'n schoonmoeder en schoonvader te gaan halen. Toen was het even stil. En toen schoot die Pat Aleesha d'r hand eraf.'

'Zomaar opeens?'

'Ja.'

'Geen dreigementen of eisen?'

'Niks.'

'Heb je hem zíén schieten?'

'Nee. Ik hoorde een hard geluid, een soort *baf,* en ik zie een lichtflits en toen zegt Aleesha van: "Je hebt m'n hand d'raf geschoten, verdomme!"'

'Hoe wist je dat Pat het had gedaan?'

'Omdat die andere hier bij de deur stond, ik kon 'm zien.'

'Heb je het schot gehoord?'

'Ja. En een soort wit licht, een flits, en iedereen keek die kant op en ik zag bloed op de muur en ik dacht dat Aleesha was doodgeschoten, maar toen hoorde ik haar zeggen van: "Je hebt m'n hand d'raf geschoten, verdomme."' Zo te zien was Meeshra niet diepbedroefd bij het idee dat er op Aleesha was geschoten. Ze glimlachte zelfs een beetje.

'Vloekte ze?'

'Aleesha is…' Meeshra wendde snel haar blik af, lachte snuivend en vreugdeloos. 'Nou ja, een tiéner.' Standaardmening, nagepraat commentaar. Meeshra was zelf amper tiener af.

'Was jij ook zo?'

Weer die holle lach. 'M'n vader zou het er wel uit geslagen hebben.'

'En zo is Aamir niet?'

Ze schudde van nee. 'En ook al was hij wel zo, dan nog zou ze volgens mij geen haar beter zijn. Spijkerbroeken en T-shirts. Nagellak. Vertikt 't om ook maar íets aan godsdienst te doen.'

'Recalcitrant?'

'Nee. Eigenwijs.' Ze was boos, maar eigenlijk niet op Aleesha. Het was alsof ze er een beetje buiten stond, alsof ze moest meedoen aan een campagne tegen het meisje om zich een plaatsje in de familie te veroveren.

'Heeft ze de traditionele dracht afgelegd?'

Meeshra voelde zich ongemakkelijk. 'Nooit gedragen. 'Ik weet 't niet. Ik… Weet ik niet goed.'

'Heeft ze nooit traditionele kleding gedragen?'

'Neu. Weet ik niet.' Ze keek Morrow nadrukkelijk niet aan.

'Is de familie bekeerd?'

'Neu, gewoon, niet altijd erg godsdienstig geweest, weet je wel.'

'Aha, ze zijn de laatste tijd pas wat strenger?'

'Ja, klopt.'

Morrow registreerde het allemaal wel, maar ging er niet op in. 'Wat is er na het schot gebeurd?'

'Toen, eh, toen kwamen Mo en Omar door de voordeur binnen.'

'Omdat ze het schot hadden gehoord?'

'Ja, ik hoorde ze langs het raam daar komen.' Ze wees naar het raam naast het bed. 'Ze renden zó rond.' Met haar vinger wees ze de route langs de witte muur aan. 'En toen stormden ze de voordeur binnen. Die dikke, niet Pat maar die andere, begon tegen ze te schreeuwen. "Jij bent Robbie, nee, jij bent Robbie," en toen pakte hij pappa beet en is weggegaan. Ik lag de hele tijd in bed, dus ik heb lang niet alles gezien.'

Het hoofdje van de baby knikte dommelig op het dunne nekje. Meeshra keek naar hem, rustiger nu, en haar hand vouwde zich om het volmaakt ronde schedeltje.

46

'Dus,' souffleerde Morrow, 'Omar en Mo hadden buiten in de auto zitten wachten?'

'Zou 't?' Meeshra keek op.

'Tja,' zei Morrow, 'het is niet waarschijnlijk dat ze net op dat moment kwamen voorrijden.'

'Geen idee.'

'Wat zei die dikke toen hij wegging?'

'Twee miljoen pond, morgenavond. Had ie dan niet goed naar het huis gekeken? Twee miljoen! Niet goed snik.'

'Nog iets?'

'We mochten de politie niet bellen en het was vergelding voor Afghanistan. Zwaar gestoord.' Ze knikte naar de gang. 'Zij komen uit Oeganda en ik uit Lancaster, verdorie. Je hebt geen idee hoeveel narigheid we tegenwoordig te verduren hebben vanwege al die kut-Arabieren.'

'Was dat het volgens jou? Misplaatst godsdienstfanatisme, meer niet?'

'Nou ja, wat anders? 't Is alsof je een Afrikaan ontvoert vanwege de slavenhandel.'

Alex dacht even hard na over die vergelijking, tot ze besefte dat hij mank ging. 'Goed.' Ze stond op. 'Reuze bedankt voor je hulp, Meeshra. We zullen te zijner tijd nog wel een keer met je moeten praten, maar nu mogen jij en de baby lekker gaan slapen.'

Meeshra leunde tegen de kussens, tevreden over zichzelf. 'Robbie, zegt ie. *Rrr*obbie, echt op z'n Schots.'

Het was een afsluitende verklaring, een vaarwel, waarop Alex eigenlijk niet hoefde te reageren, maar ze kon het niet laten om zich in de kaart te laten kijken. 'Echt waar?' vroeg ze nadrukkelijk.

Meeshra, van haar stuk gebracht door de staalharde klank in Alex' stem, knipperde met haar ogen.

5

Pat voelde een vlaag kou in zijn nek, waaruit hij afleidde dat Eddy beide deuren had geopend.

'Help even,' zei Eddy nors. Hij pakte de oude man bij een voet en begon te sjorren.

Pat stapte uit en liep om het busje heen naar de achterdeuren.

De oude man in zijn pyjama scharrelde rillend op handen en knieën achteruit, stuntelig, omdat Eddy zijn blote enkel vasthield en zijn voet naar de grond dirigeerde.

Door de sponzige zolen van zijn pantoffels kostte het hem moeite om zich staande te houden op de oneffen grond. Pat zag hem wankelen, keek naar de kussensloop waarachter een gezicht moest zijn, en zocht vergeefs naar tekenen van menselijkheid. De kussensloop was niet eens bijzonder groot, maar de kleine man ging er tot over zijn schouders onder schuil.

Toen hij zijn evenwicht eenmaal had hervonden bleef de kussensloop roerloos staan wachten, tot Pat en Eddy hem ieder bij een elleboog pakten en meeloodsten over het pad. Hij verzette zich niet en probeerde ook niet weg te lopen, maar liet alles gelaten over zich heen komen, alsof er toch niets aan de situatie te doen was en ze er alle drie tegen wil en dank in verzeild waren geraakt. Toen hij struikelde en zijn enkel verzwikte op de modderkluiten slaakte hij een kreetje, als een veldmuis waarop getrapt wordt.

Pat voelde Eddy's ogen over het hoofd van de kussensloop heen in zijn wang prikken, smekend om hem aan te kijken. Dat vertikte hij, en hij keek strak voor zich uit, hij weigerde om te doen alsof alles oké was. Het verzet tegen Eddy kostte hem zoveel inspanning dat het zweet hem uitbrak.

Bij de rand van de akker tastte Eddy in zijn zak en drukte op de autosleutel. De lichtjes van de Lexus begonnen te knipperen. Ze brachten de kussensloop erheen, openden het achterportier, duwden de oude man naar binnen en schoven hem naar het midden van de bank. Eddy deed het portier dicht en tastte opnieuw in zijn zak. De auto knipoogde en piepte. Ze waren alleen.

Pat en Eddy stonden zo dicht bij elkaar dat het wit van hun adem zich vermengde, maar ze keken elkaar niet aan. Die gewoonte stamde uit de tijd dat ze avond in, avond uit in de kou bij de ingang van armoedige kleine nachtclubs hadden gestaan.

'Oké,' zei Eddy. 'Dat ging niet erg...' Hij kon geen neutrale uitdrukking bedenken.

Pat haalde adem om iets te zeggen maar kon geen woorden vinden.

Eddy keek naar zijn pistool en zei rustig: 'Als jij niet op dat meisje had geschoten...'

'Als ik niet op het meisje had geschoten? Ben je gek geworden?'

'Jij hebt de trekker overgehaald.'

'Jíj schreeuwde al "Bob" toen we net binnen waren, en je riep godbetert ook nog eens luid en duidelijk mijn naam. Jíj hebt de verkeerde man meegenomen, verdomme. Dit is zomaar een ouwe Aziaat. Stokoud, zeker zestig, zeventig.'

Ze keken de auto in. Wachtend op de dingen die komen gingen zat de omgekeerde kussensloop midden op de achterbank recht voor zich uit te staren, kalm met zijn handen op zijn knieën, emotieloos als een zakje chips.

Opeens trok Eddy's gezicht krampachtig samen. Pat deinsde achteruit, bang dat er op hem geschoten was, of erger nog, dat hij ging huilen, maar Eddy barstte in panisch lachen uit. Tot zijn eigen verbazing deed Pat mee.

De wind stak op en voerde over de akker de bedorven lucht van koeienpoep aan, en plotseling was het eigenlijk wel grappig om hier te zijn beland: Malki was stoned geweest en Eddy zo zenuwachtig dat hij Pats naam had geroepen. De kussensloop hoorde kennelijk iets. Hij draaide heen en weer, wat er komisch uitzag. Pat en Eddy vielen slap van het lachen tegen elkaar aan, als kleine jongens proestend om een schuine mop.

Eddy kalmeerde als eerste. 'Godverdegodver, wat nu...' Hij

kneep in zijn neus en keek verzaligd lachend naar de verre heuvels. 'Zullen we hem maar door zijn kop schieten en hier achterlaten?'

Het lachen verging Pat.

'Vlak bij het busje bijvoorbeeld,' opperde Eddy glimlachend. 'Wegrijden en laten liggen?'

'Eh, nee…' Van pure angst brak Pat het zweet weer uit. 'Nou nee, laten we… dat maar niet doen.'

'Maar eh, hoor 's, hoe langer we bij hem zijn, hoe groter de kans dat we gepakt worden.'

'Dat is zo.' Pat deed zijn best om rustig en redelijk over te komen. 'Maar die ouwe zou weleens net zo nuttig kunnen zijn als Bob. Misschien zelfs nog nuttiger.'

'Verklaar je nader.' Eddy moest grinniken om zijn eigen woord-keus.

'Die Bob zal wel dokken om hem terug te krijgen. Ik bedoel, stel dat we Bob hadden meegenomen, hoe had hij dan aan het geld moeten komen? We zouden het samen met hem moeten gaan halen, en als het ergens goed opgeborgen zit, worden we onderweg misschien gesnapt, toch?'

Eddy fronste zijn wenkbrauwen, want hij begreep het maar half.

'Denk nou 's goed na. Nu het zo gelopen is, kan Bob voor het geld zorgen en het aan ons geven zonder dat wij er met hem naartoe hoeven, toch? Dus met die ouwe vent hebben we minder kans om erbij gelapt te worden.'

'Aha, ik snap het. Ik snap het…'

'Zie je wel? We hoeven die ouwe helemaal niet dood te schieten.'

'Nee.' Eddy tuurde in de verte en zijn glimlach verflauwde. 'Alleen… Jíj hebt je wapen gebruikt en, nou ja… op iemand geschoten.'

Pat wist niet wat hij daarop moest zeggen. 'Kom… Zullen we teruggaan en… en de baas bellen?'

'Hij is de baas niet,' verbeterde Eddy hem chagrijnig. 'Ik ben de baas. Hij heeft het karwei aan ons uitbesteed. Het is meer een verhouding van aannemer en onderaannemer dan van werkgever en werknemer.'

'Oké,' zei Pat aarzelend. 'Maar misschien is het beter om Malki niet te lang te laten wachten…'

'Ga jij maar.' Eddy streek met zijn vingertoppen over de loop van zijn pistool. 'Dan wacht ik hier wel… Ik zal hem in de gaten houden.'

'Goed, goed.' Maar Pat bleef staan. 'Alleen in de gaten houden…'

Eddy glimlachte. 'Ik hou hem in de gaten. Wat bedoel je eigenlijk?'

'Niks, alleen…' Pat schraapte zijn keel. 'Alleen… Ik zal Malki een seintje geven.'

'Ja. Zorg dat hij het goed doet.'

Aamir hoorde hen praten. Het bleke avondlicht filterde door de kussensloop, die nog nieuw rook. Klein en stil zat hij te luisteren terwijl zij stonden te lachen en een van hen zei dat hij hem wilde doodschieten. Een van de twee jongemannen liep weg, hij wist niet welke.

Er schampte een hand in het voorbijgaan langs de deurkruk. Aamir versteende vanbinnen. Het portier ging niet open en de hand verdween, maar opeens, als de napijn van een migraine, voelde Aamir de koperen punt van de kogel de huid boven zijn linkeroog doorboren, voelde hij hoe heet het was in de auto en rook hij het rode stof dat boven de weg dwarrelde.

De tijd werd vloeibaar.

De hitte op de uitvalsweg van Kampala vulde de auto tot hij erdoor overspoeld was.

Een taxi, samen met zijn moeder. Ze hadden eigenlijk eerder weg moeten gaan, maar zij was een optimist. Achterin bij zijn moeder, op weg naar de luchthaven. Omdat ze bang was, reikte ze over de warme plastic zitting naar zijn hand. Hij trok zijn hand terug, wilde niet toegeven dat ook hij bang was.

Een schok onder de auto: iets wat eens een mens was geweest op de weg. Niemand durfde te stoppen om hulp te verlenen aan het haveloze, uitgemergelde lichaam met het aan flarden gescheurde overhemd, dat door auto's en bussen was aangereden.

Hij rook de jasmijnolie die zijn lang geleden gestorven moeder in haar haar deed. Hij trok zich terug en wilde haar hand niet vasthouden, maar opeens zag hij waar ze bang voor was. Verderop: de zoveelste wegversperring. De stoffige rode weg lag bezaaid met de bonte inhoud van koffers, de soldaten – in openhangend legerhemd en met het geweer over de schouder – maakten een maniakale indruk, een vijandige stam. Zijn moeder stootte een geluid uit dat hij nog nooit van haar had gehoord, een kreun die uit haar keel kwam, als een tevreden zucht van heel vroeger die wordt teruggehaald.

Verzonken in zijn oude herinnering hoorde hij de taxi weer piepend remmen, en Aamir wist dat hij haar hand had moeten pakken. Hij had zijn moeder moeten troosten, want nu begreep hij dat geluidje en besefte hij hoe bang ze was geweest. Sinds ze tien jaar geleden in een ziekenhuis in Glasgow aan hartfalen was overleden, bewaarde hij slechts vage herinneringen aan haar, maar nu fluisterde hij haar onder de kussensloop zachte woordjes toe, zei dat ze zich geen zorgen hoefde te maken, dat alles goed kwam, terwijl zijn stem werd verstikt door een brok doodsangst in zijn keel.

Opnieuw schampte de hand langs het portier, en weg waren de hitte en de geuren, zijn moeder en de warme natte bloedvlek die zich verspreidde over de achterkant van haar gele sari.

Aamir was alleen, in het donker, in het godverlaten Schotland.

6

Alex Morrow bleef bij de slaapkamerdeur staan nadat ze hem met een hoorbare klik had dichtgetrokken. De in het wit gestoken collega's van de technische recherche bewogen zich als spoken door de gang en de woonkamer. Ze gingen bestudeerd rustig te werk, verzamelden gegevens en deden metingen, achter maskers die hun een elegante anonimiteit verleenden.

De muur tegenover de slaapkamer zat onder de bloedspatten. Een kleine man pulkte met een pincet gaatjes in het pleisterwerk, een andere plukte vezels van de vloerbedekking; beiden knielden op krukjes die bij hun uitrusting hoorden.

Morrow liep behoedzaam door de gang naar de deur, op de voet gevolgd door de agente die aantekeningen had gemaakt. Buiten had het duister zich verdiept, verbitterd. Ze liepen via het tuinpad naar het hekje, met strakke gezichten die zich afsloten voor de kou, en Morrow begaf zich naar de overkant, naar de getuigen achter het afzetlint.

De buren waren alweer naar binnen gegaan, en een van de drie Aziatische jongens was vertrokken; nu waren alleen de twee jongste en magerste van het stel er nog.

Ze rookten zwijgend en stonden erbij alsof ze meededen aan een line-up voor een confrontatie, onzeker en geschokt. De loden last van het schuldgevoel.

Dat verbaasde haar, zodat ze even twijfelde aan haar waarneming, maar haar eerste indruk klopte meestal, en bovendien herkende ze de houding: ze lieten hoofd en schouders vermoeid hangen, hun ogen schoten schichtig heen en weer over de grond. Ze doolden niet zomaar door het duister, naar haar idee zat het dieper:

ze probeerden vast te stellen in hoeverre hun wereld was veranderd. Bij de recherche zag je dat wel vaker: levens die een heftige wending hadden genomen, met alle gevolgen van dien, de ontreddering van slachtoffers die hun plek moesten zien te vinden in een veranderde wereld – ik was echtgenote, nu ben ik weduwe, ik was kind, nu ben ik wees. Jongere mensen konden dat beter aan, hun identiteit lag nog niet vast, maar ze zag hoe moeilijk de jongens het hadden en voelde dat er meer achter zat dan geluk tegenover pech. De aantasting van hun wereldbeeld ging dieper.

Ze bleef staan om nog eens te kijken. Zo te zien waren het goeie jongens, die uit een degelijk, gematigd milieu kwamen. Geen protserige auto's of opzichtige kleren, netjes geknipt, verzorgd gebit, goed doorvoed. En toch stonden ze daar alsof ze iets heel vreselijks hadden gedaan. Ze watertandde, zo graag wilde ze weten wat er speelde.

Morrow wendde zich tot de agente die tijdens het verhoor aantekeningen had gemaakt en vroeg haar op gedempte toon naar haar mening over Meeshra; ze luisterde niet naar het antwoord maar nam de gelegenheid te baat om de twee jongens nader te bestuderen. Geen broers, al leken ze sterk op elkaar. Waarschijnlijk vrienden, goede vrienden, met dezelfde normen en waarden. Ze rookten. De jongen die zo te zien bij de familie hoorde liep op Nikes. De andere: zelfde leeftijd, zelfde tenue, maar traditioneler. De zoon hield zijn sigaret tussen duim en wijsvinger, vanwege de wind in het kommetje van zijn hand, als een bouwvakker. Dat maakte overigens geen aangeleerde indruk, hoewel zijn familie niet tot de arbeidersklasse behoorde.

Ze sloeg hem gade terwijl hij zijn sigaret naar zijn lippen bracht, een fikse trek nam en zijn borst uitzette om de rook binnen te houden. Wiet. Zeker weten. Ze had zo'n vermoeden dat wiet door de islam verboden werd. Het ging dan wel niet om sterkedrank of een broodje ham, maar de islam moedigde het gebruik van stemmingsbeïnvloedende middelen niet bepaald aan. Ze keek naar hun baardje en hun salwar kameez en glimlachte bij zichzelf. Onder die uiterlijke geloofskenmerken waren het gewone Glasgowse jongens.

Ze pakte haar mobiel en deed of ze een nummer zocht, maar koos de camera en maakte over de schouder van de agente een foto van ieder van de jongens.

'Kun je op eigen gelegenheid terug naar het bureau?'

'Ja hoor.'

Verstrooid zei ze: 'Hartelijk bedankt.' Ze meende er niets van, en de geüniformeerde agente keek niet-begrijpend. 'Voor de aantekeningen.' Morrow wees met haar duim naar het huis, terwijl ze die stomme aantekeningen nog niet eens had gezien, en wie weet stelden ze geen moer voor.

'Graag gedaan.' De verbaasde agente draaide zich om en ging weg.

Morrow keek een beetje opgelaten om zich heen. Bannerman en MacKechnie waren vertrokken, waarschijnlijk om plannen te smeden voor Bannermans gouden toekomst.

Maar zij was op de plaats delict bezig om feiten en indrukken in elkaar te passen, om zich een eigen beeld te vormen, om de logica in de versplinterde avond te ontdekken en als een god orde in de chaos te scheppen. Ze deed dat graag, maar vanavond, nu de gedachte aan thuis als een last op haar schouders drukte, kreeg het iets dwangmatigs.

De eerste tekenen van een strenge winter hingen in de lucht. Ze trok haar jas dichter om zich heen. Zodra Bannerman wist dat de jongens bij de zaak betrokken waren, zou hij haar bij hen uit de buurt houden.

Als een gazelle die zich op een weidse grasvlakte bewust is van haar kwetsbaarheid liep Morrow over de verlaten straat naar hen toe.

7

Pat liep over het pad terug naar de akker. Hij hoorde niets dan zijn eigen oppervlakkige ademhaling, zijn huid was klam van angst en over zijn gezicht lag een laagje plakkerig zweet. Ze hadden wel kerels in elkaar geslagen, soms vrouwen hard aangepakt, maar altijd met reden, nooit alleen omdat ze zo graag wilden schieten. De wind stonk naar mest en verkilde zijn huid, het helderblauwe maanlicht bescheen de rijpkristallen die knerpten onder elke stap. Voordat hij aan het eind van het pad de akker op ging, waagde hij nog een keer een blik op de Lexus.

Eddy stond met zijn rug naar hem toe met gebogen hoofd naar zijn pistool te kijken. Pat zette het op een sukkeldrafje, strompelde struikelend over de hobbelige grond en rende bij hem vandaan.

De tijd had hen hierheen gevoerd. De tijd en coke.

Zeven mooie jaren hadden ze samen bij diverse bars in de hele stad gewerkt. Hun handen zaten los aan hun lijf, daar stonden ze om bekend, en ze waren goed in hun werk, tot Eddy's vrouw ervandoor was gegaan. Toen begonnen de vechtpartijen, kreeg hij keer op keer een straatverbod en dronk hij te veel. Op de bewuste avond had hij ook gedronken, bedacht Pat nu.

Waarschijnlijk was de coke versneden geweest met speed. Het was een magere jongen, eigenlijk te jong voor die bar, de meeste vrouwen konden zijn oma zijn. Zijn pupillen waren speldenknopjes en hij wankelde rillend naar buiten en botste tegen Eddy op. Zijn lippen hadden moeite om de vochtige woordenstroom bij te houden: fuck ouwe trut fuck oud vet wijf.

Naderhand zei Eddy dat hij zijn evenwicht had verloren, dat die jongen geluk had gehad, dat die avond alles was misgegaan. Misschien was dat ook wel zo en had de eerste stoot van de jongen hem op een andere avond, vanuit een andere hoek, niet meteen gevloerd. De jongen had het niet op Pat gemunt, maar zuiver op Eddy, degene die niets te verliezen had en alleen nog maar hard kon zijn. Hij had Eddy's gezicht in elkaar getrapt.

Toen Eddy's vrouw opstapte bleef Pat hem trouw, en ook wanneer ze hun banen kwijtraakten na ruzie met managers, maar die vechtpartij bleef Eddy dwarszitten. Hij snapte niet wat het probleem was. Een meisje, zei hij, hij had een meisje nodig, en dus regelde Pat iets voor hem, maar ze was het niet helemaal en gaf haar een klap en haar broer kwam erbij en de zaak liep uit de hand. Een nieuwe baan, niet buiten maar binnen, de betaling deugde van geen kanten, zei Eddy, en ze mochten niet drinken. Hij had geld nodig, als hij nou maar geld had, dan... Eén grote klus. Pat zag het niet meer zitten, was niet bereid zijn contacten aan te spreken, en dus was Eddy er zelf op uit gegaan, hij had een plan uitgebroed en gezorgd voor de wapens, het busje, het adres. En nu was het probleem een oude man die naar geroosterd brood rook en nog geen gat in zijn hoofd had.

Terwijl hij over de zee van bevroren modder liep, besefte Pat dat er voor Eddy binnenkort nog een probleem zou zijn: Pat zelf.

Een eindje verderop zag hij tussen de bomen een oranje oog uitnodigend groter worden. Malki stond doodgemoedereerd een peuk te roken naast de twee grote witte plastic jerrycans met benzine. Pat stormde op hem af om hem de sigaret uit zijn mond te slaan. Het regende rode vonkjes, die hij uitstampte.

Malki had staan genieten van die sigaret en keek er teleurgesteld op neer. 'Hé man!' bromde hij. 'Die jerrycans zijn nog dicht, doe niet zo opgefokt.'

Pat pakte hem bij de rits van zijn capuchontrui, trok hem omhoog tot hij op zijn tenen stond en beet hem toe: 'Jíj moet niet zo opgefokt doen, verdomme, Malki. Jíj moet niet zo opgefokt doen.'

Spatjes spuug van Pat besproeiden Malki's voorhoofd. Het was zo duidelijk dat geen van beiden het uitsprak: Malki was in medisch, chemisch en technisch opzicht helemaal niet opgefokt. Ook al was het ijzig koud die avond, ook al had hij staan roken bij twee enorme jerrycans benzine en was hij bedreigd door iemand die tweemaal zo zwaar was als hij – zelfs toen produceerde Malki's gestel niet genoeg adrenaline om het bloed naar zijn wangen te jagen.

Er biggelde een zweetdruppel over Pats voorhoofd, en Malki keek naar het spoor dat snel in een borstelige wenkbrauw verdween en er vervolgens doorheen viel.

'Het is niet lollig bedoeld, hoor, Pat, maar zijn jullie aan de anabolen of zoiets?'

Pat liet zijn kleine neefje weer op zijn voeten zakken. 'Malki…'

'Jullie zijn verdomd schrikachtig.'

'Kop dicht, Malki.'

Beledigd trok Malki zijn capuchontrui recht, en onopgemerkt rolde het balletje aluminiumfolie er in een sierlijk boogje uit; het stuiterde in het gras, belandde tussen de sprieten en verdween uit het zicht. Malki mompelde: '… hoeft niet zo lullig te doen, man.'

Mopperend pakten ze ieder een jerrycan en schroefden de dop eraf. Malki had nu de leiding, want hij liet al sinds zijn twaalfde gestolen auto's uitbranden en wist wat hij deed. Het was ontzettend makkelijk om in de fout te gaan.

Terwijl Pat de zittingen met benzine overgoot, opende Malki de tank en stak er een stuk slang in om de brandstof eruit te hevelen. Het was niet de bedoeling dat een explosie of een vuurbal de aandacht zou trekken, de klus moest gewoon degelijk worden geklaard. Hoe langer het duurde voordat de politie het busje vond, hoe meer tijd zij hadden om hun sporen uit te wissen.

Toen Pat klaar was prikten de dampen in zijn neusslijmvlies en werd hij duizelig. In gedachten was hij bij de Lexus: hij spitste zijn oren, zijn nekharen stonden overeind, en elk moment verwachtte hij het gedempte *paf* van een schot te horen.

Malki stond bij de achterkant door de slang in de benzinetank te blazen.

'Om de damp te verspreiden,' legde Malki tussen twee puffen uit. Lachend blies hij verder, zijn ogen groot van opwinding.

Pat keek toe. Zijn neefje kwam uit een familie van hufters, maar het jong zelf kon ermee door. Weer lachte Malki, waarna hij als een trompetblazer zijn wangen liet opbollen. Hoe was het mogelijk, vroeg Pat zich af, een goeie jongen in zo'n familie, een jongen met een geweten, met normen en waarden.

'Eddy is de weg een beetje kwijt,' zei hij zachtjes.

Malki pufte en trok zijn wenkbrauwen op.

Pat schopte in de aarde en keek weg omdat hij die opmerking niet loyaal van zichzelf vond. 'Zijn vrouw…' krabbelde hij vergoelijkend terug.

Malki haalde de slang uit zijn mond. 'Drie leuke kinderen.' Voorzichtig trok hij de slang uit de tank. 'Ze is mooi van hem af. Goed dat ze 'm naar Manchester is gesmeerd.'

Pat keek Malki maar niet aan, want hij had gelijk.

Malki legde de slang zo op de grond dat het uiteinde van het busje af het donkere bos in wees, gebaarde dat Pat de jerrycans onder het busje moest gooien en liep achterwaarts weg. Hij trok Pat mee en controleerde al lopend of er soms vettige vegen benzine op de grond zaten.

Malki nam geen enkel risico. Pat moest een flink eind verderop langs de bandensporen gaan staan, want hij was in het busje geweest en dus doortrokken van de benzinedamp. Malki liep zelf ook terug en hurkte bij het uiteinde van de slang; zijn aansteker vonkte twee keer, toen pas kwam het vlammetje. Hij hield het bij de opening van de slang, richtte zich snel op en liep achteruit weg om naast Pat te gaan staan.

Er schoot een warme gloed langs de slang, het gras werd overstroomd met licht. Het vuur sloeg aan, de vlammen lekten aan de omringende lucht, vlogen de benzinetank in, tot die opeens, *doef,* sputterend vuur uitbraakte dat zich over het gras verspreidde en elk druppeltje en veegje benzine zichtbaar maakte. De binnenkant van het busje stond in brand, de achterraampjes waren verlicht. Het vuur bereikte ook de voorbank, en er sloeg een golf warmte en rook in hun gezicht. Pat verschoot van kleur, zo heet was de lucht, maar Malki verblikte noch verbloosde. Zijn mond hing een beetje open, zijn kleine tanden staken wit af tegen het donker.

'Kom op,' zei Pat, die popelde om weg te gaan. Hij haastte zich het bos uit en volgde het pad terug naar de Lexus. Eddy's hoofd was niet meer te zien boven de grillige heg om de akker. Met zijn blik strak op de plek gericht waar zijn maat had gestaan versnelde Pat zijn pas: in zijn verbeelding boog Eddy zich al over het lijk van de oude man en rolde hij het de greppel in. Malki sjokte achter hem aan en botste bijna tegen hem op toen Pat bij het begin van de akker plotseling bleef staan.

Eddy was er niet meer.

Pat rende naar de auto, keek over het dak naar de greppel ernaast, maar Eddy was weg.

'Wel verdomme, waar…?'

Malki was hem gevolgd en keek hem verontrust aan. Met een slap handje wees hij naar de auto, naar de bestuurdersstoel. Daar zat Eddy.

'O,' zei Pat.

'Die rotauto,' mompelde Malki hoofdschuddend.

Pat keek Malki aan. Het harde maanlicht sneed diepe lijnen in zijn gezicht, waardoor hij wel veertig leek, terwijl hij pas drieëntwintig was. Maar toch keek hij meewarig naar Pat.

'Stomme slappe junk die je bent,' zei Pat.

Malki draaide zich nijdig naar hem toe en stak vermanend zijn wijsvinger op. 'Patrick, gast, sorry dat ik het zeg, maar je praat naar dat je verstand hebt.'

'Stap nou maar in, verdomme.'

'Je hoeft niet zo grof te doen, gast. We hebben allemaal zo onze problemen.'

Patrick rolde met zijn ogen. 'Malki…'

Malki stak beide handen op. 'Beetje belééfd. Meer zeg ik niet… Wij zijn geen beesten, man.' Hij opende het achterportier en schoof zijn magere lijf naast de kussensloop, en voordat Pat hem nogmaals had kunnen afbekken had hij de deur al dichtgedaan.

Pat liep met zware stappen en een hoofd dat nog een beetje bonkte van de benzinedamp om de auto heen naar het andere achterportier en stapte in. De kussensloop was niet alleen klein maar ook tenger: Pats heupen raakten hem niet eens. Het was alsof hij naast een kind zat.

Eddy startte en keek Pat via de achteruitkijkspiegel aan. Pat wendde zijn half toegeknepen ogen af.

Op de snelweg keek Pat om naar de plek waar het busje stond uit te branden. De rustige rookpluim die de heldere avondlucht in zweefde zou niet opvallen, behalve als er iemand langskwam die de omgeving goed kende en dus wist dat er achter de heuvel geen huis stond.

Net als op de heenweg werd er geen woord gezegd, maar nu was Malki voldaan omdat hij zijn pyromane neigingen had kunnen botvieren en omdat hij om middernacht een afspraakje had met zijn geliefde horse. En Eddy had het naar zijn zin achter het stuur van de Lexus: hij zag een toekomst voor zich waarin hij de eigenaar was van net zo'n auto en zichzelf recht in de ogen kon kijken.

Maar de kussensloop was verstijfd van angst, en Pat keek uit over de donkere velden en wenste dat hij iemand anders was, ergens anders. Hij had moeten weigeren om uit het busje te stappen.

8

In de donkere straat viel de regen zachtjes neer, regelmatig en ritmisch, als troostende schouderklopjes. De jongens achter het afzetlint keken naar Morrows naderende voeten; hun sigaretten waren
bespikkeld met motregen. Geen van beiden waagde het om hoger
dan haar knieën te kijken.

Ze waren jong, slank en knap, hun dure kleren waren netjes ge-
wassen en gestreken.

Morrow bleef voor hen staan. 'Zijn jullie…?'

Even bleef het stil, tot de vriend zei: 'Ik… eh… ik ben Mo. Dit is
Omar. Hij woont… eh… Het is zijn huis.'

'O ja?'

Ze lieten hun schouders hangen, namen een trekje van hun sigaret. Omar wilde iets zeggen maar bedacht zich, kon geen woord uitbrengen. Hij vatte moed en keek haar aan, hij maakte een heel jonge indruk.

'Het was me 't avondje wel,' zei ze.

Mo zei tegen het asfalt: 'Zeker. En we zijn ook nog bijna gearresteerd toen we de politie om hulp vroegen.'

Omdat ze hoopte dat Bannerman de boel had verziekt vroeg ze:
'Wat is er dan gebeurd?'

'We zijn het busje achternagegaan,' zei Omar. 'Maar we zijn het
uit het oog verloren, en toen we een politiewagen zagen hebben we
om hulp gevraagd en toen hebben ze ons gearresteerd.' Hij sprak
onduidelijk, eigenaardig loom, alsof hij al stoned was. Nawerking
van een shock. Diepe dip in het bloedsuikergehalte na een adrenali-
nestoot.

'Hebben ze jullie aangehouden?'

'Ja.' Omar keek met een veelbetekenend lachje naar Mo. 'Ze hadden een donkerbruin vermoeden.'

Ze begreep hem niet. 'Zijn jullie dan bekenden van de politie?'

'Nee. Ze wilden onze huidskleur eens goed bekijken.' Omar schaamde zich, alsof hij meteen al spijt had van zijn puberachtige reactie.

'Dat vind ik heel vervelend voor jullie,' zei ze formeel, want ze voelde zich in het defensief gedrongen. 'Ik hoop echt dat jullie niet het gevoel krijgen dat rassenonderscheid in dit onderzoek een rol speelt. We doen echt ons uiterste best om te helpen...'

'Nee, sorry, nee.' Ook Mo keek beschaamd. 'Sorry, het is zomaar een stomme uitdrukking, ziet u, want ze keken hoe we erbij liepen, en nou ja, ze hadden meteen hun mening klaar...'

'Hoe dan ook,' zei ze zachtjes, 'als iémand ook maar de indruk heeft gewekt dat huidskleur voor hem een probleem was, dan hoop ik dat jullie het durven te melden. Het is niet de bedoeling dat zulke politieke zaken een onderzoek als dit beïnvloeden.'

Ze voelden zich opgelaten, gevangen in een onhoudbare mythe tussen hen en haar, en Morrow boog zich naar voren om de genadestoot uit te delen: 'Jullie zijn helemaal niet aangehouden. Als dat zo was, zouden jullie hier nu niet staan, dan zaten jullie voor verhoor ergens op een bureau. Dat brengt een heleboel administratieve rompslomp met zich mee, dat doen ze niet voor de lol.'

'Zal ik u eens wat zeggen?' Omar keek haar aan, zijn knieën knikten. 'Wij waren stom bezig. Het was mijn schuld, we maakten een noodstop en renden naar ze toe. Ik was even vergeten, zeg maar, hoe wij eruitzien in de ogen van...' Zuchtend krabde hij op zijn hoofd. 'En ik zei achter elkaar een paar dingen waar iedereen van zou schrikken, denk ik.'

'Zoals?'

'Wapens. Busje. Vader ontvoerd.'

'Afghanistan!' bracht Mo te berde alsof het een woordspelletje was.

'Waarom begon je over Afghanistan?'

'Gewoon, omdat zij dat hadden gezegd, die gewapende mannen, toen ze weggingen. "Vergelding voor Afghanistan." Maar het klonk niet echt...'

Mo knikte. 'Nee, het klonk niet oké.'

'Het klonk eerder als zo'n stom afgezaagd zinnetje van Stephen Seagal. Alsof die klootzak – sorry – te veel naar actiefilms kijkt en denkt dat ie droomt, zeg maar.'

Ze praatten tegen elkaar, niet tegen haar, en hun woorden kwamen steeds sneller, klonken kleuriger en levendiger.

'Ja, zoiets, maar dan wel lullige actiefilms,' bevestigde Mo. Met een gespeeld accent à la Schwarzenikker zei hij: '*This-is-pay-back*,' maar het grapje ging hem niet goed af en was alleen tot de grond gericht.

Omar lachte plichtmatig en echode: '*Pay-back*. Maar goed, wij sprongen uit de auto en zij stelden allerlei vragen, maar toen zag ik het busje onder het viaduct door rijden en vergat ik alles en rende erheen. Ze zijn waarschijnlijk geschrokken en ze hebben me in de houdgreep genomen. Mijn schouder doet er nog pijn van.'

Mo klopte zijn maatje op de rug. Ze hadden een hechte band, dat beviel haar wel, en voor zijn leeftijd was Omar zeldzaam verstandig en oprecht.

'Je hebt het bewuste busje gezien?'

'We stonden op het viaduct over de snelweg en we zagen het eronderdoor rijden en ik rende erheen maar ze hielden me tegen.'

'Op het viaduct?'

'Bij Haggs Castle.'

'Mooi zo.' Ze pakte haar boekje en maakte een aantekening. 'We kunnen de camerabeelden opvragen en het busje achterhalen.'

'Ze hebben mijn schouder bezeerd…'

'Tja, daar kan ik alleen mijn verontschuldigingen voor aanbieden.'

'Nou ja, en we deden het toch al in ons broek, want we waren hartstikke zenuwachtig vanwege al dat bloed en Aleesha en zo.'

'Ze ligt in het ziekenhuis.'

'Dat weet ik.'

'Het gaat vast goed met haar.' Ze had eigenlijk geen idee hoe het met Aleesha ging, ze had het van horen zeggen maar had zelf geen contact met het ziekenhuis gehad. 'Ze is in goede handen…' Om te voorkomen dat ze doorsloeg naar te veel medeleven, verviel ze in holle frasen. Er waaide bitterkoude nacht over de weg en langs hun enkels. 'Waren jullie in de gang toen de mannen binnenkwamen?'

'Nee.'

'Waar waren jullie dan?'

'Buiten, in de auto.'

'Waar?'

Ze wezen naar de witte bordjes op de plek waar de peuken hadden gelegen. Ze keek en zag dat de sigaretten die ze nu stonden te roken van hetzelfde merk waren als die peuken. Dat stemde haar tevreden, want ze wilde hen graag vertrouwen, hoe onwaarschijnlijk hun verhaal ook was.

'Wat voor auto?'

'Die daar.' Omar wees naar de blauwe Vauxhall achter hem. 'De Vauxhall. Zíjn Vauxhall.'

'Wat deden jullie daar?'

'Praten.'

'Waar waren jullie geweest?'

'In de moskee.'

Morrow bestudeerde Omars gezicht. Wat ze voor schuldgevoel had aangezien zou best shock of vermoeidheid kunnen zijn. Hij zag er doodmoe en afgepeigerd uit, maar er was nog iets, een zekere terughoudendheid. 'Hebben jullie het busje zien staan?'

'Nee.'

'Hoe kan dat?'

'We stonden om de hoek. Konden het niet zien.'

'Het is eenrichtingverkeer. Toen jullie kwamen aanrijden moeten jullie het gezien hebben.'

'Wij stonden daar al twintig minuten. Het zal wel na ons zijn gekomen.'

'Wat hebben jullie die twintig minuten gedaan?'

Omar maakte zich lang, rechtte zijn rug en keek haar nu pas echt aan. Ze voelde zich gewoontjes. In haar mantelpakje zag ze er netjes uit, maar niet aantrekkelijk. Het had geen elegante details, geen markante stiksels of iets anders opvallends, niets waardoor een toevallige toeschouwer benieuwd zou worden naar haar als mens. Nietszeggend, daar mikte ze op.

'Moet u niet wachten tot er nog een agent bij is voordat we tegenover u een verklaring afleggen?'

Morrow reageerde verbaasd. 'Waarom… Hoe kom je daarbij?'

'Om mijn verklaring te bekrachtigen, ingeval de zaak voorkomt.'

Ze lachte een beetje, maar niet erg overtuigend. 'Wat weet jij daarvan?'

'Ik heb rechten gestudeerd,' antwoordde hij, en om de een of andere reden keek hij daar treurig bij.

'O.' Ze knikte even. Het drong slechts vaag tot haar door dat er achter de jongens een auto stopte. 'O. Wanneer was dat? Wanneer ben je...?'

'Ik ben in juni afgestudeerd,' zei hij.

'Morrow!' De auto stond amper stil of Bannerman was er al uit. De grote, forse broer kwam van de achterbank en beende zo snel naar hen toe dat hij Bannerman bijna inhaalde, zo graag wilde hij zijn broertje terzijde staan. Ze waren op weg geweest naar het bureau voor een verhoor, besefte ze, en beiden wilden een eind maken aan dit gesprek, waarvoor ieder zo zijn eigen reden had.

'Morrow?' vroeg Omar.

'Ik ben Morrow,' zei ze. 'Wie is die grote kerel?'

'Mijn broer, Billal.' Omar drukte zijn kin tegen zijn borst, en toen zag ze pas dat de oudere broer woedend naar hem keek.

'Morrow,' zei Bannerman met een boze blik, 'kan ik je even spreken?'

Er verscheen een blos op haar jukbeenderen. Ze draaide zich om en liep met gebogen hoofd naar hem toe.

Bannerman nam haar terzijde en mompelde verwijtend: 'Waar ben jij nou mee bezig?'

'Gewoon, ik stond even met de jongens te praten...' antwoordde ze op vlakke toon, alsof zij zelf iets had misdaan. Ze zocht iets om haar schuldgevoel op af te wentelen. 'Al iets gehoord van het ziekenhuis?'

'Ja.' Bannerman pakte haar bij haar elleboog en trok haar buiten gehoorsafstand van de jongens. 'Prima. Spoedoperatie, maar ze redt het wel. Hand is verminkt. Ze is pas zestien.'

'Haar moeder is bij haar?'

'Ja, en we hebben er een paar dienders bij gezet. Als ze bijkomt, maken we proces-verbaal op.'

'Er is iets geks met die familie,' zei ze zachtjes. 'Ik ben in Southside opgegroeid. Ik ken fanatiek gelovige families, maar hier klopt iets niet.'

'Hoezo?'

'Omar, de jongste zoon? Die rookt sigaretten alsof het joints zijn. Aleesha loopt in spijkerbroek en T-shirt, Meeshra schaamt zich daarvoor, maar ze liet doorschemeren dat de familie zich nog niet zo lang streng godsdienstig gedraagt. Ze komen oorspronkelijk uit Oeganda, van oudsher een vrij goed geassimileerde pro-Britse gemeenschap.'

'Zijn ze onlangs bekeerd?'

Hij had niet goed geluisterd. 'Nee. Het zijn geen bekeerlingen, maar ze doen er pas sinds kort meer aan dan vroeger.'

Inmiddels keek hij haar niet eens meer aan. 'Goed zo, Morrow: kennis van de plaatselijke omstandigheden. Laten we ze maar meenemen naar het bureau.'

Omar kromp ineen onder Billals blik en durfde hem niet aan te kijken.

'We gaan allemaal naar het bureau!' riep Bannerman.

'De jongens hebben het busje gezien,' zei ze. 'Ze hebben nog geprobeerd een surveillancewagen…'

'Weet ik.' Hij kapte haar af en riep Billal bij zich. 'Kom, we zetten de jongens in een auto. We gaan naar het bureau, goed?'

'Moet ik ook mee?' vroeg Mo aan Billal.

'We gaan met z'n allen,' antwoordde Billal streng.

Bannerman wenkte de jongens, die op een sukkeldrafje gehoorzaam naar een van de surveillancewagens kwamen. Toen Omar langsliep stak Billal een vlezige hand uit om hem onnodig hard bij zijn arm te pakken. 'Vertel de waarheid,' zei hij luid. Omar keek hem niet aan.

Bannerman zag het goedkeurend aan, alsof hij de grootste jongen in de klas had ontdekt en vriendschap met hem had gesloten.

'Vertel de waarheid.' Maar Billal sprak met uitroeptekens, zo luid dat hij het eigenlijk niet tegen Omar had.

De twee jongens stapten achterin, en Billal deed het portier dicht.

Morrow ging naast hem staan, raakte zachtjes zijn elleboog aan en loodste hem mee. 'Billal, ik ben rechercheur Alex Morrow. Mag ik even iets vragen: waarom zaten ze buiten te wachten terwijl er binnen van alles aan de hand was?'

Billal keek haar aan alsof hij het niet goed had verstaan. 'Pardon?'

'De jongens.' Morrow wees achter zich naar Mo en Omar. 'Ze

zaten al twintig minuten in de auto voordat ze naar binnen gingen.'

Billal keek verschrikt. 'O ja?'

Bannerman liep haastig om de auto heen en annexeerde de broer door bijna tussen hen in te gaan staan.

'Ja,' zei Morrow.

Billal keek over het afzetlint heen naar de overkant, naar de open voordeur van zijn huis. Fronsend probeerde hij de vraag te beantwoorden. 'Waar dan?'

Morrow wees de straat in. 'Daar verderop, waar die witte bordjes staan.'

Billal deed zijn best het zich voor te stellen. 'Maar de overvallers stonden daar geparkeerd.' Hij wees om de hoek naar het tuinpad.

'Dat klopt.'

Billal fronste zijn voorhoofd. 'Dus ze hebben ze misschien helemaal niet gezien?'

'Ze zeggen dat ze niets hebben gezien.'

'Zou dat kunnen?' Billal keek naar Bannerman, alsof hij hem vroeg of het mogelijk was dat zijn jongere broer de waarheid sprak.

'Ja.' Bannerman verbeet een glimlach. 'Dat is heel goed mogelijk.'

Billal keek nijdig naar de surveillancewagen. 'Mooi. Mooi.'

Hij wendde zich weer tot Morrow en knikte in de richting van het huis. 'Meeshra heeft uw vragen beantwoord?'

'Jazeker, daar heb ik veel aan gehad.'

Billal rechtte zijn rug een beetje. 'Ze heeft niet zoveel gezien. Ze is al die tijd haar bed niet uit geweest.' Hij knikte een paar keer abrupt, een beetje uit de maat. Hij keek naar Morrows schoenen, trok zijn bovenlip op en wendde zich af. Zonder gedag te zeggen liep hij weg.

Bannerman keek samen met Morrow toe hoe hij zijn grote lijf de auto in wurmde. 'Tja…' zei hij, alsof Morrow haar bedenkingen had uitgesproken. 'Wat had die schoondochter te vertellen?'

'Niet zoveel. Denk je nog steeds dat ze het verkeerde huis hadden?'

'Ik weet het nog niet. Ze hebben het alarmnummer gebeld. Uit een reconstructie blijkt dat het schot zo'n dertig seconden voor al de telefoontjes is gelost, ze hebben onmiddellijk gebeld…'

Over het algemeen wordt de politie gebeld door onschuldige

mensen. Dat duidde erop dat ze zich niet verantwoordelijk voelden voor het geweld. Of door criminelen die om een of andere idiote reden vonden dat ze in hun recht stonden. Er waren families die hele ploegen bij hun voornaam kenden. Als ze niet waren bestolen, dan belden ze de politie wel om hun familieruzies te laten beslechten. Morrow verwierp die mogelijkheid echter: als dat zo was, zouden het wel bekenden van hen zijn.

Bannerman slaakte een diepe zucht. 'Zeg,' zei hij, 'ik vind het een vervelende situatie, maar… MacKechnie heeft het zo geregeld. Volgende keer werk ik voor jou.'

Morrow verstrakte een beetje. Haar vingertop klopte. 'Hmm, het lijkt een ingewikkelde zaak. Tijdrovend. Ik weet dat het slecht gaat met je moeder.'

'O nee, nee, nee,' zei hij gauw, 'ze redt het wel.' De moeder van Bannerman had een dubbele longontsteking, niet best voor een vrouw van achter in de zeventig. Op het bureau hengelde hij al de hele week naar medeleven, maar nu keek hij haar met half toegeknepen ogen aan, omdat hij vermoedde waarom ze dit nu ter sprake bracht. 'Je werkt toch wel mee, hè?'

'Ik ben geen klein kind, Grant,' antwoordde ze ijzig.

Ze kon haar tong wel afbijten toen ze zag dat hij even in elkaar kromp. Zijn moeder was doodziek, en zij katte hem af.

'Sorry.' Ze zei het zo zachtjes dat ze hem voor de zekerheid naar haar mond zag kijken.

Hij monterde op. 'Tja, ik kan hier maar geen vat op krijgen.' Zijn verbazing kwam gespeeld over. 'Het lijken keurig nette mensen, geen criminelen in de familie, geen vijanden, niks. Ze hebben niet eens een grote tv staan.'

Hij deed het weer. Ze had Bannerman deze act – quasi-onschuldig vissen naar informatie – eerder zien opvoeren: hij wist mensen zover te krijgen dat ze hem van alles uitlegden en zich dan vastpraatten.

'Verkeerd adres misschien…' opperde ze zwakjes.

Bannerman keek nijdig, want hij besefte dat ze wel meer wist. 'Bedankt hoor, Morrow. Daar heb ik wat aan. Moet ik het met geweld uit je trekken?'

Morrow beet hard op haar mondhoek en sloeg Billal gade. Woede met een zweempje schaamte. De hoofdbestanddelen van haar gevoelsleven. 'Waar heb je me straks nog voor nodig?'

Hij keek haar aan, zijn mondhoeken wezen omlaag. 'Wat zou je willen doen?'

'Ik zou met die jonge kerels kunnen praten…'

'Denk je dat zij erachter zitten?'

'Geen idee. Ze hingen buiten rond…'

Haar gezicht was een open boek voor hem. Het drong tot hem door dat zij hen verdacht, dat voelde ze. Hij was dus niet van plan haar bij hen in de buurt te laten.

'Nee, dat doe ik zelf wel. Wil je iets voor me doen? De banden van de alarmcentrale afluisteren? Kijken of je daar iets wijzer van wordt?' Hij glimlachte, blij dat hij een rotkarweitje had bedacht waarmee ze hem niet voor de voeten zou lopen, tijdrovend en van ondergeschikt belang. 'Dat zou erg nuttig zijn, Morrow, bedankt alvast.'

Hij verbeet een glimlach en slenterde naar de auto.

9

Pat zag de koplampen van de Lexus over Malki's gezicht zwenken, waardoor het heel bleek werd. De straat was zo smal dat Malki plat tegen de muur van het kerkje moest gaan staan, anders kon de auto niet keren.

Er lag een rustige, tevreden uitdrukking op Malki's gezicht, en hij glimlachte licht. Hij had veel poen op zak, een zeldzaamheid, en hij was blij dat hij weer thuis was en regelrecht naar zijn slaapkamer kon gaan, naar zijn witte poederschatje. Ze liet Malki nooit in de steek, bezorgde hem nooit ergernis of verveling. Malki's enige probleem was dat hij maar niet genoeg van haar kon krijgen. Ware liefde, dacht Pat, en hij benijdde Malki om die zekerheid. Hij had nog nooit iets gehad met een vrouw die hij helemaal zag zitten. Hij moest denken aan het meisje in de gang – spijkerbroek en T-shirt terwijl alle anderen in moslimkledij waren – en kreeg een warm gevoel vanbinnen.

Eddy hield de brede straten aan. Een chique auto als een Lexus reed dit soort wijken altijd alleen maar door, stopte er nooit. Dat zou de aandacht trekken en iedereen zou het onthouden.

Eenmaal weer op de grote weg namen ze een afslag naar Cambuslang en reden door verlaten straten, door het ene groene licht na het andere, dwars door het slaperige Rutherglen naar de brede, bochtige weg in zuidelijke richting.

Eddy verliet onverwacht de doorgaande weg en sloeg twee keer een zijstraat in, tot de huizen steeds armoediger werden. In een doodlopend straatje met dichtgetimmerde huizen minderde hij vaart en doofde hij de lichten. Het trottoir en de weg waren overwoekerd met struiken. Er stond geen enkele andere auto geparkeerd, en nergens brandde licht.

Pat was ervan uitgegaan dat hij de schuilplaats wel zou kennen, maar hier was hij nooit eerder geweest. 'Wie…?' Hij maakte zijn vraag niet af, want Eddy kon in bijzijn van de kussensloop natuurlijk geen antwoord geven.

Eddy reed met een ruime bocht door een opening in een ruige heg en hotste en botste een steil betonpad op waar overdwars een tektonisch diepe scheur in zat.

Het huis deed Pat pijn aan zijn ogen. Het stucwerk brokkelde van de voorgevel, raamkozijnen splinterden en bladderden, tegen de voordeur hadden zich blad en afval opgehoopt. Tussen huis en heg lag een zee van kniehoog gras.

Voor alle onverlichte ramen hingen dichte gordijnen, zwaar van het vuil en de tijd.

In de langwerpige achteruitkijkspiegel zag Pat Eddy ontstemd naar het huis kijken terwijl hij voorzichtig naar links stuurde en het groen plette dat langs het pand kabbelde. Pas toen de auto opzij van het huis stond, onzichtbaar vanaf de straat, stopte hij, waarna hij met een geïrriteerde zucht de handrem aantrok.

Eddy dacht zeker dat Pat niets was opgevallen, want hij draaide zich naar hem om en zette een bepaald gezicht, het gezicht waarmee hij wilde zeggen dat hij was belazerd en dat iemand daarvoor zou moeten boeten. Pat trok zijn wenkbrauwen op, keek neutraal en wendde zijn ogen af. Eddy had de schuilplaats geregeld. Als er iets verprutst was, had Pat daar niets mee te maken.

Als Eddy per se iemand wilde doodschieten, had Pat al met al liever niet dat het de kussensloop was. De kussensloop had een familie, een schoon huis, een dochter. Dan maar liever degene die nooit de gordijnen waste.

Eddy stapte naast de blinde muur uit de auto. Pat ging bij hem staan. Ze keken om zich heen. Aan weerszijden stonden al even vervallen en verzakte huizen, met verveloze raamkozijnen en kapotte ruiten. Pal aan de overkant waren twee aan elkaar grenzende huizen dichtgespijkerd met glasvezelpanelen. Vanaf hun hoge standplaats zagen ze daken van huizen en flats, straatlantaarns die in de verte oranje tegen de nachtelijke hemel flakkerden. Ver naar links bescheen een bus of een vrachtwagen de voorgevels van een rij huizen: de lichtbundel doorsneed het stille duister.

'Wie woont…?'

Eddy knikte met opeengeklemde kaken naar de achterbank. 'Haal die eikel eruit.'

Pat opende het portier en trok hun passagier bij zijn arm naar buiten. De kussensloop volgde passief alle aanwijzingen op en kwam naast hem staan. In de commotie van hun vlucht was het hem eigenlijk niet opgevallen hoe klein de man was. Hij kwam tot Pats borst, en daarom had Eddy hem natuurlijk meegenomen.

Pat liet de arm los. Nu de oude man niet meer werd aangeraakt wist hij niet goed wat hij moest doen en stak hij zijn handen maar omhoog, alsof hij door cowboys werd overvallen. Hij had opgezwollen handen met levervlekken. Pats eigen vader had ook zulke handen.

Eddy verkocht de kussensloop met zijn knokkels zo'n gemene por tussen zijn schouderbladen dat de oude man zijn rug kromde. Hij kreeg nog een duw, zodat hij door het onkruid strompelde, in de richting van de achterkant van het huis. Eddy liep achter hem aan, greep hem bij zijn elleboog en sleurde hem ruw de hoek om.

De achterdeur zat niet op slot en gaf krakend toegang tot een keuken waar het schimmelig rook. Eddy duwde de kussensloop voor hen uit door een smalle gang met aan weerszijden stapels lekkende vuilniszakken.

Pat had eerst gedacht dat het huis onbewoond was, maar de deurloze keukenkastjes bleken vol te staan met nieuwe lege bierblikjes en volle asbakken, waarvan er een zelfs nog loom rookte.

'Stinkt.' De kussensloop had het zachtjes gezegd, het was hem ontsnapt, tegen niemand in het bijzonder. Pat moest erom lachen. Het stonk er inderdaad.

Eddy keek boos naar de kussensloop, alsof hij de opmerking over het huis als een persoonlijke belediging opvatte. Nijdig prikte hij de man met zijn wijsvinger tegen zijn schouder, om hem in de waan te brengen dat hij zijn pistool had getrokken, waarna hij hem ruw door een deuropening een woonkamer in schoof.

De wand tegenover hen werd vrijwel geheel in beslag genomen door een met steenstrips beklede open haard; elke kunststof baksteen was overdekt met een eigen laagje stof. Een kapotte stoel lag op zijn kant, tegen de muur stond een bank. De slapende figuur op de bank bracht een ijl, schril gefluit voort.

Pat herkende hem. Shugie. 'O fuck…'

Eddy keek Pat zo nijdig aan dat zijn bovenlip wit zag van spanning.

Shugies dikke bos wit haar was gelig geworden door het kettingroken. Boven zijn dikke ogen zaten ruige witte wenkbrauwen. Armen en benen, mager door gebrek aan inspanning, staken uit een lijf met een bolle bierbuik.

Eddy had een zwak voor Shugie, iets wat Pat nooit had begrepen: de man was een wrak, een strontvervelende schooier. Hij dronk al zo lang en zo veel dat zelfs zijn verhalen dronken klonken. Verhalen over bankovervallen en ontsnappingen van vroeger strandden halverwege. Maar hij was van de oude stempel, vond Eddy, die in dat wilde verleden een glamour zag waar Pat geen oog voor had.

Eddy schopte Shugie in zijn zij. De wenkbrauwen gingen omlaag, maar de oude man verroerde zich niet. Eddy gaf hem nog een schop, hard ditmaal, in het zachte gedeelte onder de ribben. Shugie fronste, kreunde zachtjes, maar bewoog zich verder nog steeds niet.

Maar terwijl ze naar hem stonden te kijken verspreidde zich vanuit zijn kruis een donkere vlek, een uitdijende kring die over zijn spijkerbroek kroop.

'Godallemachtig,' zei Pat, en hij wendde zijn blik af.

Eddy schudde zijn hoofd. Hij reageerde zijn gêne af op de kussensloop, die hij zo onverhoeds wegduwde dat de man richting gang en voordeur wankelde.

'Breng 'm naar boven,' beval Eddy.

Pat trok een wenkbrauw op en siste vermanend tussen zijn voortanden. Eddy had het fatsoen zijn ogen neer te slaan. 'Dan kan ik even bellen…' mompelde hij.

Pat staarde hem strak aan en liet hem even in de rats zitten. Eddy verplaatste zijn gewicht ongemakkelijk van de ene voet op de andere. 'Alsjeblieft.'

Pat knikte en liep achter de kussensloop aan, pakte hem bij zijn mouw en trok hem langs de voordeur. De mat lag vol ongeopende post en glom van het ingelopen vuil. Pat wilde niets aanraken. Op weg naar boven hield hij zijn handen angstvallig dicht bij zijn lijf om de plakkerige trapleuning te mijden. De kussensloop stak zijn handen uit en liep alsof hij blindemannetje speelde op de tast de trap op; met de neus van zijn pantoffel raakte hij eerst aarzelend een tree aan voordat hij erop stapte.

Op de overloop opende Pat een deur. Badkamer, de stank van pis en schimmel. Hij probeerde de volgende deur: een gore slaapkamer vol dozen en rotzooi. De kans dat er een wapen lag was te groot. Hij keek de derde kamer in. Een onopgemaakt bed, her en der tijdschriften.

'Hier.' Hij loodste de kussensloop met zachte hand naar de deur.

'Moet ik…?' De kussensloop volgde Pats voorbeeld en fluisterde, alsof zij tweeën de samenzweerders waren, niet Pat en Eddy. Pat kon dat wel waarderen. 'Ja kerel, ga hier maar naar binnen.'

Bij zijn vriendelijke woorden ontspande de arm van de oude man zich merkbaar, zijn voetstappen werden soepeler. Geroerd loodste Pat hem behoedzaam naar de rand van het bed en draaide hem bij de schouders om, zodat hij er met zijn rug naar toe stond. 'Vlak achter je staat een bed. Ga zitten, leg je voeten erop, en dan blijven waar je bent, oké?'

'Maar ik heb pantoffels aan.'

Pat keek naar het vlekkerige gele laken, naar de kreukels in het beddengoed. 'Daar zou ik me maar niet te druk over maken als ik jou was, vader.'

De oude man tastte achter zich naar het bed en liet zich langzaam zakken. Pat hielp hem. 'Goed zo. Nu je voeten nog, prima. Schuif maar naar het midden.' De oude man gehoorzaamde prompt. 'Zo,' zei Pat. 'Luister goed: je mag de kamer niet uit.'

'Maar als ik nou… naar de wc moet?' Het gezicht onder de kussensloop was naar hem toe gewend, als een kind dat niet durft te gaan slapen.

'Eh…' Pat had bijna geantwoord: doe het maar gewoon in bed. Shugie had waarschijnlijk talloze malen in het bed gepist, maar hij wilde graag geassocieerd worden met ordelijkheid, wilde zich distantiëren van de gore chaos hier. 'Klop maar met je pantoffel op de vloer, dan kom ik je wel halen.'

'Oké.' De kussensloop legde zijn handen over elkaar in zijn schoot. 'Oké.'

Pat liep weg, de gang in, en sloot de deur na een laatste blik op de keurige witte figuur die rechtop op het vieze bed zat.

Omdat hij nog geen zin had om naar beneden te gaan bleef hij nog even bij de deur staan. Als hij dan toch in dit huis moest zijn, dan was hij liever weer in de slaapkamer bij dat keurige mannetje.

Uiterlijk was hij onbewogen. Aamir zat stil, met zijn handen netjes gevouwen op schoot; ook in afzondering was hij nog even gedisciplineerd als in het volle zicht van zijn belagers. Hij zat daar roerloos, niet omdat hij zich niet kón bewegen, maar zijn spieren waren verstijfd, zijn keel voelde alsof hij er een klap op had gekregen, alsof er een schreeuw tegen zijn adamsappel drukte. Hij wist niet eens of hij zich op eigen initiatief zou kunnen bewegen.

Om zijn motoriek te testen bewoog hij zijn wijsvinger op en neer: hij bleek een beetje te trillen maar zich wel te kunnen verroeren. Hij haalde diep adem en opende zijn ogen. Door de sloop heen zag hij links een vaag lichtschijnsel, misschien van een raam, ter hoogte van zijn middel. Ze hadden twee uur gereden, misschien anderhalf, rekening houdend met zijn angst, waardoor de tijd langzamer ging. In twee uur hadden ze van Glasgow naar Dundee kunnen rijden, naar Edinburgh of een andere stad in het oosten, naar Perth misschien, naar Stirling zeker.

Doordat hij al zo lang in de winkel werkte, bezat hij een goed ontwikkeld tijdsbesef.

Weer bewoog hij zijn wijsvinger op en neer, en opeens zag hij Aleesha's hand uit elkaar vliegen, vingers die tegen de wand achter haar belandden, de pas gekochte islamitische klok en het felle rode stroompje langs haar arm. Vervolgens zag hij zichzelf smeken, knikkend met zijn hoofd als een oosterling in een klucht, sprekend in gebroken Engels terwijl hij de taal vloeiend beheerste: alstublieft, meneer, ik heb niks gedaan, laat me door, laat me door, Brits paspoort, sorry, sorry.

Het rode stof van de weg uit Kampala verstopte zijn keel. Opnieuw zag hij de arrogant paraderende soldaten, met het geweer over hun lompe schouders, grijnzend, de zwarte trekken overstraald door blikkerend witte tanden. En even verderop Aamirs moeder. Ze kwam wankelend achter de legertruck tevoorschijn, huilde niet eens, keek niet eens waar ze liep, strompelend verplaatste ze haar gewicht van de ene naar de andere voet, haar ogen omfloerst, haar mond slap. Ze omklemde de zoom van haar gele sari, hield hem op om te voorkomen dat er viezigheid en stof aan kwamen. Terwijl Aamir door het groezelige raampje van de taxi keek, zag hij door de stof op haar achterste nat, vuurrood bloed sijpelen, tot er een gigantische bloem was ontstaan. Aamir en zijn moeder hadden allebei een Brits paspoort. Dat was voor de soldaten een vrijbrief om met hen te doen waar ze zin in hadden.

Aamir had kans gezien het te overleven. Daar was hij goed in. Hij haalde diep adem. Ze waren ontsnapt, zij het ten koste van de waardigheid van zijn moeder, maar ze had er nooit meer met een woord over gerept. Eenmaal in Schotland had Aamir haar de rest van haar leven meewarig en minachtend bekeken omdat ze die kerels hun gang had laten gaan, omdat ze zijn vrijheid met haar waardigheid had betaald. Nu was het zijn beurt.

Ze wist dat hij haar daarna nooit meer zou kunnen aanraken. In het donker reikte hij over de hete plastic achterbank van de taxi en pakte hij de hand van zijn allang dode moeder. Nu, in deze gore slaapkamer, op het bed met de pisvlekken, bracht hij haar hand naar zijn mond en kuste hij haar vingers.

Toen Pat de woonkamer binnen kwam, bleek Eddy verdwenen. Shugie lag te snurken, fronsend in onbewust protest tegen de pis die schrijnde. In de keuken klonk het verre geluid van een telefoon die overging.

Eddy stond in het donker bij de gootsteen, zijn mobiel wierp een blauwig schijnsel op een wang. Toen hij Pat zag verwijdden zijn neusvleugels zich, ten teken dat ook hij teleurgesteld was. Aan de andere kant werd opgenomen, waarna het onheilspellend stil bleef.

'Eh... hallo,' zei Eddy, zenuwachtig maar hoopvol. 'Eh... met mij.'

Het was zo rustig in huis dat Pat het antwoord kon horen. 'Zeg dat het gelukt is.' In de stille keuken klonk het geknepen accent, typisch Belfasts, glashelder.

'Het is gelukt.' Eddy probeerde de professionele manier van doen te imiteren. 'We hebben er een. Een oude man.'

Stilte. 'Oud?'

'Niet de target. Iemand anders, een oude man.'

Weer een stilte. Niet vriendelijk. 'Waarom niet de target?'

'Eh... die was er niet.'

'Die was er niet?'

Het zweet was Eddy inmiddels uitgebroken, hij keek hulpeloos naar Pat. 'Eh, nee... Maar we hebben wel een ouwe kerel.'

'Hoe oud?'

'Ergens in de zestig?'

Er klonk een geïrriteerde zucht. 'Je zei dat je dit aankon.'

'Dat is ook zo, en we hebben… eh… die ouwe man.'

'Ik had toch gezegd: een jaar of twintig.'

'Nou ja, die was er niet, dus hebben we nu een ouwe.'

'Niet een van in de twintig?'

Eddy's gezicht verstrakte. 'Eh… we hebben de ouwe baas.'

'Geschoten?'

'Eén keer. Pat. Hand verwond. Stelt niks voor.'

Een geluid aan de andere kant: gesteun, een soort boos geblaas, een gesmoorde uitroep.

'Sorry? Ik versta je niet…'

'*Eikels, stelletje amateurs.*'

Eddy hoorde alleen nog de kiestoon. Hij liet zijn tong langs zijn tanden glijden, klapte het mobiel dicht en keek naar Pat om zich te laten geruststellen.

Pat wees naar de gang met de rottende vuilniszakken. 'Ik blijf hier niet, ik verdom het.'

10

Bureau London Road lag niet ver van Bridgeton Cross. Bridgeton, een aardige wijk vlak bij de weidse Glasgow Green, kon bogen op een museum en enkele panden die onder monumentenzorg vielen. Al jaren werd er gezegd dat de buurt in de lift zat, maar Bridgeton liet zich niet opstoten in de vaart der volkeren. Op elk uur van de dag waren er wel heftige dronkenmansruzies, de straten waren een vrijplaats voor graffitikunstenaars en van de taal die de kinderen uitsloegen zou zelfs een pornoster nog blozen.

Het bureau was betrekkelijk nieuw. Aan de buitenkant leek het een kruising tussen een fort en een kantoor van drie etages. Het was opgetrokken uit poepbruine baksteen, de gevel was versterkt met kolommen en de ramen waren veilig diep aangebracht. Tussen het pand en de weg stonden uit hun krachten gegroeide struiken in enorme betonbakken, die dienstdeden als verkeerszuilen om te voorkomen dat malloten de receptie binnen reden.

De deur stond altijd open voor de burgers, die werden ontvangen in een lege hal met vrijstaande rekken vol brochures met vriendelijk lachende politiemannen en -vrouwen. Uit veiligheidsoverwegingen was de receptie onbemand. De wachtcommandant hield de hal in de gaten met behulp van een doorkijkspiegel en een camera. Als een burger zo te zien niet gewapend was en geen kwade dronk over zich had, kwam hij in hemdsmouwen tevoorschijn, maar als de bezoeker ook maar enigszins zwaarmoedig keek, nam hij zijn adjudant en zijn wapenstok mee.

Morrows chauffeur reed een zijstraat naast het gebouw in en sloeg meteen daarna rechtsaf het parkeerterrein op. Rond een raamloos cellenblok stond een hoge muur met glasscherven erop. Hij vervolgde zijn weg naar de achterkant van het cellenblok, waar hij naast de politiebusjes nog een plekje vond.

'Doe hem maar op slot,' zei Morrow bij het uitstappen.

De meeste agenten namen niet de moeite hun voertuig af te sluiten, maar het hek was al twee weken defect en rancuneuze diefstallen uit een politiebureau waren met camera's niet afdoende te voorkomen.

Morrow liep de hellingbaan naar de deur op, bleef staan en keek recht in de camera, waarna ze haar code intoetste. John zat zoals altijd onberispelijk geüniformeerd achter de balie, leunend op een hoge kruk om zijn broek in de plooi te houden.

Hij wenste haar goedemorgen en zij schonk hem een glimlach. Eenmaal in het domein van de wachtcommandant zag ze door het streepglas dat Omar en Billal op de bezoekersstoelen bij de voordeur zaten te wachten. Hun houding was totaal anders: Billal zat rechtop, met zijn arm om de rugleuning van de stoel, en hij keek verongelijkt. Omar steunde zijn ellebogen op zijn knieën, met zijn hand stevig voor zijn mond alsof hij een schreeuw binnenhield.

De wachtcommandant, Gerry, bromde iets ter begroeting en ging door met het opstellen van een dienstrooster. Morrow had tijdens weekenddienst weleens meegemaakt dat er in de wachtkamer gevochten werd en dat Gerry zich in het gekrakeel begaf en de dronken kerels uit elkaar trok zoals een chirurg huid lossnijdt, zonder er warm of koud van te worden. Elke keer dat ze Gerry zag leek zijn haar nog witter te zijn geworden. Er werden voortdurend nieuwe mensen opgeleid, maar een diender die Gerry zou kunnen opvolgen was met een lantaarntje te zoeken. Je moest uit bijzonder hout gesneden zijn om zorgvuldig formulieren te kunnen invullen én onverwacht geweld te kunnen sussen.

Ze bromde iets terug en opende de deur naar de hal. Omar en Billal herkenden haar. Omar stond op, in de hoop dat ze hem bij zijn knorrige broer zou weghalen.

Ze stak haar hand op. 'Nee, ik kom jullie niet halen, ik neem het verhoor niet af. Ik ben op weg daarheen.'

Ze verdween naar de rechercheafdeling aan de linkerkant. Ze toetste de veiligheidscode in en opende deur, blij dat ze de lange groene gang in kon.

De kamer van MacKechnie lag helemaal achterin, zodat hij maar in de deuropening hoefde te gaan staan om hen allemaal te kunnen bekijken. Dat deed hij nooit.

Het heldere rangenstelsel was een van de dingen die Morrow zo goed bevielen aan het korps. Ze wist dat ze soms naar boven moest likken en soms naar beneden kon trappen. Daar zat iets in, vond ze. MacKechnie nam niet graag de leiding, naar haar idee, en verontschuldigde zich voor zijn status door te doen alsof hij luisterde. Zijn leiderschapsstijl kon worden omschreven met veel loos en modieus jargon: diversiteitsbevorderend, faciliterend, empowerend.

Zelfs om halfvier 's nachts was het betrekkelijk druk in de gang. Er brandde licht bij MacKechnie, zijn deur stond open, zijn kamer was leeg. Naast de kantine werd een regiekamer ingericht. Ze zag twee dienders zeulen met een tafel, die ze op zijn kant met de poten om de deurstijl naar binnen manoeuvreerden.

Ze liep naar haar eigen kamer, knipte het licht aan en zette haar handtas neer. Van hogerhand was bepaald dat Bannerman en Morrow een kamer deelden, maar dat schiep geen band, integendeel, het benadrukte de verschillen tussen hen. Bannermans computer stond aan: de screensaver was zijn gefotoshopte eigen kop op het lijf van een bodybuilder. Lachen, gieren, brullen. Aan de onderkant van zijn muis zaten paarse lichtjes die haar afleidden als ze zat te werken. In zijn bureaula had hij een voorraadje kauwgom en gezonde repen – bang om dik te worden zeker.

Op Morrows bureau was alles nieuw, geordend en anoniem. Keurige pennen en potloden, een puntenslijper en reserveblocnotes, altijd drie, om aantekeningen te maken. Ze hield van nieuwe blocnotes, gooide ze na gebruik weg. Het leek haar een mooie gedachte dat dit bureau overal kon staan en van iedereen kon zijn. Er kleefde geen geschiedenis aan, haar persoonlijkheid was er niet uit af te lezen, het was kleurloos, zo wilde ze het hebben.

Toen ze haar jasje bij de deur ophing, zag ze Harris in de gang staan. Brigadier Harris was klein van stuk en had een verweerde kop, alsof hij buiten was opgegroeid. Hij was aardig, aan zijn accent was te horen dat hij uit Ayrshire kwam, en op zijn gezicht lag altijd een verbaasde uitdrukking: wenkbrauwen opgetrokken, mond een open O.

'Morrow?' Hij maakte een enthousiaste indruk. 'Geweldig, hè?'
'Vind je?'

'Ja.' Hij had waarschijnlijk een nacht als alle andere verwacht, maar was verzeild geraakt in een heus mysterie in plaats van de deprimerende, uitzichtloze gevallen van huiselijk geweld en dronken kerels die elkaar om de prijs van een pakje sigaretten in elkaar sloegen. 'Ik heb pauze. Komt u ook kijken?'

'Waarnaar?'

'Volgens Bannerman weet die jongste zoon meer. Hij verhoort hem in kamer drie.'

Bannerman had haar belangstelling voor Omar dus opgepikt, en onwillekeurig rolde ze met haar ogen, boos op zichzelf omdat ze zo doorzichtig was geweest. Harris vatte dat verkeerd op, want hij herinnerde zich dat zij deze zaak had zullen behandelen en dat ze de pest in had. Bij wijze van troost vroeg hij: 'Gaat u toch mee?'

Ze kauwde op haar wang, deed haar best om neutraal in plaats van nijdig te kijken en antwoordde: 'Verrek, wat maakt het ook uit,' en ze liep achter hem aan, weer langs Billal en door de deur aan de andere kant naar het trappenhuis.

Ze draafden naar de tweede verdieping, naar een zaaltje waar het altijd naar groentesoep rook.

Kennelijk waren alle cid-medewerkers net aan hun pauze toe. Oranje plastic stoelen waren in twee rommelige rijen van vier geplaatst, en ze waren al allemaal bezet. MacKechnie had zeker toestemming gegeven. Een kleine agent stond Morrow zijn stoel op de voorste rij af, en uit respect voor haar rang verhieven alle andere aanwezigen hun zitvlak van de stoelen terwijl zij plaatsnam.

'Laat maar.' Ze maakte een handgebaar. 'Relax, het is geen officiële toestand.'

Vanuit haar ooghoek zag ze hen zitten, niet zoals ze er eerst bij hadden gehangen, maar ontspannen onderuitgezakt zodat het er nog net mee door kon, en op hun hoede. Het gaf haar een gevoel van macht. Ze keek strak naar de zwarte kast van de monitor aan de wand.

De verhoren die de rechercheurs afnamen werden vastgelegd, en de opnamen konden dienstdoen als informatiemateriaal voor de hele afdeling. Maar niet iedereen vond het prettig dat de camera erbij was, en lang niet altijd uit verlegenheid: sommigen namen een verhoor liever alleen af en stippelden zelf een strategie uit. Er was veel lef voor nodig om de collega's te laten meekijken.

Morrow vond dat de verhoortechniek een vreemde gedwongenheid had gekregen sinds er werd meegekeken. De ondervraging verliep tegenwoordig anders, behoedzaam en formeel, en de collega's waren steevast uiterst beleefd tegenover zelfs de grootste zak. Ze bedienden zich van een bizar politietaaltje, alsof ze voor het gerecht getuigenis aflegden.

Vroeger was dat niet zo. Uit haar jongere jaren herinnerde Morrow zich dat een verhoor een dronkenmanspolka was: rechercheurs en verdachten zwierden elkaar woest rond de feiten, steeds sneller, tot er iets knapte. Nu was het een ingetogen quadrille met harde, strenge regels, tot een van de partijen zich gewonnen gaf of buiten adem raakte van inspanning.

Hoe iemand reageerde op het feit dat hij werd bekeken, zei volgens Morrow veel over zijn zelfbeeld. Sommigen vonden het prettig, gingen ervan uit dat een kijker positief zou reageren. Anderen konden er niet tegen, werden houterig, keken telkens naar de camera en moesten het verhoor aan een collega overdragen. Morrow vond van zichzelf dat ze schichtig overkwam, schuldiger dan de criminelen die ze verhoorde.

De opnamehoek was niet geweldig. De camera was niet bedoeld om alle nuances van de gezichtsuitdrukkingen van de verdachte vast te leggen, maar om te registreren dat er niet hardhandig was opgetreden. Doordat de camera hoog aan de wand was gemonteerd, leek het vertrek smaller dan wanneer ze daar zelf zat, beklemmender. Bovendien was het beeld korrelig en waren de kleuren beperkt tot een palet van grijs, blauw en geel. Een houten tafel, vier stoelen, een lichtknopje en de deur op een kier: de stoffige bovenrand was nog net zichtbaar.

Opeens ging de deur helemaal open en kwam Omar Anwar binnen. Onder de politiemannen in het zaaltje ging een ingehouden gejuich op, ingehouden omdat zij erbij was, maar sinds haar promotie had ze niet meer zo'n saamhorigheid gevoeld, en hoewel ze niet echt meedeed, moest ze wel lachen.

Dat konden ze waarderen.

Omar liep zo soepel de kamer in dat het leek of hij extra rugwervels had, met zijn heupen naar voren, gebogen als een vraagteken toen hij zijn plastic beker water op tafel zette. Bannerman kwam achter hem binnen, en enkele van zijn fans juichten opnieuw. Morrow sloot zich daar niet bij aan, en ze voelde dat het werd geregistreerd.

Een dikke agent die in de wandeling Gobby werd genoemd arriveerde na hen. Gobby deed zelden zijn mond open. Natuurlijk had Bannerman hem er liever bij dan haar, besefte ze, om zelf de show te kunnen stelen.

Achterin werd gemompeld: 'De *Banner Man* neemt 'm wel te grazen.' Die bijnaam bezorgde haar opeens een bittere smaak achter in haar keel.

Omar nam op Bannermans verzoek tegenover de camera plaats, maar hij ging een flink eind van de tafel af zitten, om ruimte te hebben voor zijn gespreide benen. Zijn gezicht was niet helemaal te zien, maar zijn lichaamstaal sprak boekdelen. Hij was onrustig, wilde het water pakken, trok zijn hand terug en schoof heen en weer op de stoel. Bannerman deed zijn colbertje uit en hing het zorgvuldig over de rugleuning van zijn stoel.

Hij nam de tijd, ging zitten, rolde zijn mouwen op en monsterde de lange, onzekere jongen zonder iets te zeggen. Gobby reikte hem een van de banden aan, waarna ze zich al zittend omdraaiden naar de recorder. Met veel geknister trokken ze het cellofaan van de twee cassettebandjes, die ze in het apparaat schoven. Angstig gadegeslagen door Omar keken de politiemannen elkaar aan, knikten, sloten het klepje van de recorder en drukten de opnameknop in. Terwijl ze zich weer naar de tafel toe keerden, snerpte er een hoog gejank door het vertrek. Eerbiedig wachtten ze tot het ophield.

Omar keek Gobby vragend aan.

'Stukje blanco band,' legde Gobby rustig uit.

Omar was aandoenlijk dankbaar voor die verklaring, en hij boog zich glimlachend naar Gobby toe, klampte zich vast aan het kleine vriendelijke gebaar, smeekte Gobby om zijn bondgenoot te zijn.

Gobby wendde zijn blik af.

Bannerman opende de voorstelling met een omstandige uiteenzetting over de reden van de bijeenkomst, de regels, de mededeling dat Omar door derden werd gadegeslagen. Dat alles rustig en omstandig, als wilde hij tegenwicht bieden tegen Omars zenuwachtige onderbrekingen: ja, dank u, dank u, ik begrijp het, lichte fronsjes, schrikreacties en schokkerige bewegingen van zijn been onder de tafel.

Bannerman keek de jongeman opeens recht aan. 'Omar,' vroeg hij met een kil glimlachje, 'wat doe je voor de kost?'

Omar keek het tweetal aan. 'Kost?'

'Werk. Wat doe je voor werk?'

'Ik ben pas afgestudeerd.'

'Universitaire studie?'

'Ja, Glasgow University, rechten.'

'Rechten?' Hij stuurde ergens op aan, maar Omar wilde eerst nog iets kwijt.

'Cum laude.'

'Mooi, mooi. Heb je al een baan?'

'Nee, ik ben nog aan het rondkijken, zeg maar…'

'Sollicitatiegesprekken gehad en dergelijke?'

'Eh, nee, nog niet echt, ik weet eigenlijk niet of ik wel advocaat wil worden.'

'Dat scheelt er weer eentje,' grapte iemand achter in het zaaltje. Niemand kon erom lachen. Er was niks mis met grappen over juristen, maar dit was een Aziatische jongen en racisme lag dus op de loer.

'Vertel ons maar eens wat er vanavond allemaal is gebeurd.'

'Oké, oké.' Omar nam een slokje water.

'Doe rustig aan,' zei Bannerman, maar hij bedoelde: schiet op.

'Oké, nou goed, Mo en ik…'

Bannerman las uit zijn aantekeningen op: 'Mohammed Al Salawe?'

'Ja, Mo. Mo en ik zaten in de auto…'

'De Vauxhall?'

'Ik zat samen met Mo in de Vauxhall, om de hoek, we rookten een sigaretje en hadden de radio aan, we kletsten wat, en opeens hoorden we een hard soort *paf*, een soort *plof*, nooit eerder zoiets gehoord, met een flits erbij, een soort wit licht in de kamer van Meeshra…' Het verhaal kwam steeds sneller, de woorden spetterden het vertrek in. 'En we hebben niks tegen elkaar gezegd maar zijn erheen gerend…'

'Wat was het volgens jou?'

Omar keek niet-begrijpend.

'Dat geluid,' legde Bannerman uit. 'Waar kwam het volgens jou vandaan?'

'Wilt u het echt weten?' Omar hield ernstig zijn hoofd een beetje scheef.

Bannerman knikte.

'Ik dacht dat het een gasfles was. Stom, want we hebben helemaal niet zo'n gasstel, maar in Pakistan hoor je vaak over gevallen van eerwraak, dan vermoordt een vrouw haar schoondochter als die een verhouding heeft gehad of zo, en dan knoeien ze met de gasfles. Stom.' Hij haalde zijn schouders op. 'Maar daar moest ik aan denken...'

'Komt je familie uit Pakistan?'

'Nee.'

'Waarom dacht je dat dan?'

'Geen idee.'

Bannerman hield zijn hoofd scheef, alsof Omar iets belangrijks had gezegd, om hem op het verkeerde been te zetten. 'En toen renden jullie naar het huis. Hoe ben je gelopen?'

Omar knipperde met zijn ogen en schudde zijn hoofd om de herinnering weer boven te krijgen. 'Eh... ik zat links, aan de kant van de weg. Ik heb het portier opengedaan, ben uitgestapt.' Hij maakte een handgebaar alsof hij een sigarettenpeuk weggooide. 'Om de motorkap heen gerend...'

'De auto is van Mohammed?'

'Ja, ja, de auto van Mo...' Hij was de draad kwijt.

'In de richting van het huis?'

'Ja, ik ben over de lage tuinmuur heen gesprongen, naar het huis gerend, op de hoek bijna uitgegleden, kon me nog net staande houden, naar de deur geheld...'

'Was de voordeur open of dicht?'

'Eh... dicht.'

Morrow was ervan overtuigd dat hij de waarheid sprak, wat ze opmaakte uit zijn korte zinnetjes, de verre blik in zijn ogen, de manier waarop hij omlaagkeek om te kunnen zien waar hij liep, het tuinmuurtje en de hand die hij uitstak om niet te vallen.

'De deur was dicht...'

'En je hebt hem opengedaan?'

Bannerman zou hem niet zo vaak moeten onderbreken, hij verstoorde de herinnering. Een leugen ontdekte je eerder in een lange woordenstroom, want dan viel een stijlbreuk duidelijker op. Het kwam door de opdringerige camera: Bannerman wilde per se ge-zien worden. Ze benijdde hem om zijn zelfvertrouwen, maar ze zag in dat het soms een handicap kon zijn.

'Ja, ik heb de deur opengedaan.' Omar keek Bannerman aan, ver-wachtte een aanwijzing.

'En?'

'En...' Hij zweeg, keek in de camera en verstarde even toen hij besefte dat het oog hem kritisch opnam. Hij trok opeens een rimpel in zijn voorhoofd, als een kind dat een smoesje bedenkt, en hij wendde zijn blik af. 'Hoezo, "en"?'

'En wat zag je toen je de deur opendeed?'

Omar keek opnieuw in de camera, maar hij fronste afwerend. 'Ik zag mijn ouders in de gang staan, rechts.' Hij wees met zijn hand. 'Mijn broer Billal was er ook, vlak bij de deur van zijn kamer. Die deur stond open. En mijn zusje, Aleesha' – toen hij haar naam noemde stokte zijn stem even – 'stond links, met haar hand om-hoog.' Hij stak zijn linkerhand op, met de pols in de stand van het Vrijheidsbeeld. 'Ze keken allemaal naar haar hand...' Bij de herin-nering begon zijn kin te trillen en kreeg hij het benauwd.

'En die mannen?' vroeg Bannerman zakelijk. Hij was zo druk in de weer met zijn aantekeningen dat hem van alles ontging.

'Die mannen.' Omar herpakte zich. 'Die mannen stonden in de gang, ja. De ene bij mijn ouders, tussen mijn ouders en mij in, de andere stond voor Aleesha en keek naar haar. Hij hield zijn pistool zo.' Omar liet zijn hand hangen, in een haakse hoek met zijn dij.

Morrow schoof naar voren op haar stoel.

Omar wees met twee vingers naar de grond, met gespreide hand, alsof die niet bij hem hoorde. 'Het pistool rookte. Ik keek naar zijn gezicht en vond dat hij een heel lange kaak had, want hij had een bi-vakmuts op en ik zag hem alleen van opzij. Maar toen deed hij zijn mond dicht...'

'Er waren twee mannen?'

'Twee mannen...'

'Wat deed die andere?'

Bannerman lette niet goed op. Morrow was graag het scherm in gesprongen om hem te dwingen naar de hoek van Omars hand te kijken, naar de bewegingen van zijn kaak. De mond van de schutter had opengehangen van verbazing: door de terugstoot van het schot was zijn hand opzijgeslagen. Hij was er niet op voorbereid geweest, zijn elleboog had niet de goede hoek, zijn spieren waren niet ontspannen. Hij was geschrokken van de kracht van de terugstoot, wat betekende dat het wapen per ongeluk was afgegaan, of dat hij nog nooit een schot had gelost.

Nieuwsgierig keek ze naar haar collega's om te zien wie er net als zij gespannen naar de monitor keken, of er nog meer waren die wilden dat Bannerman zijn mond hield. Drie van de acht. Harris, twee stoelen verderop op de voorste rij, was een van hen: hun ogen ontmoetten elkaar en de O van zijn mond verstrakte.

Op het scherm vervolgde Omar: 'Hij riep: "Rob, waar is Rob?" Hij kwam op Mo af gerend en zei: "Jij bent Rob," en toen hebben ze mijn vader beetgepakt en meegenomen.'

'Hebben ze jou gevraagd of jij Rob was?'

'Mij?' Verbaasd raakte Omar zijn borst aan. 'Mij? Tja, hij keek zo'n beetje om zich heen en vroeg: "Wie is Rob? Een van jullie is Rob."'

'Maar heeft hij ook gezegd: "Jíj bent Rob"?'

'Tegen mij?' Zijn wenkbrauwen schoten verontwaardigd omhoog.

'Ja, tegen jou.'

'Eh, ja, ik geloof van wel, maar mijn moeder zei: "O nee, niet mijn Omar," en toen heeft hij het opgegeven, zeg maar, want toen wist hij natuurlijk dat ik Omar was, en niet Bob.'

Bannerman keek in zijn aantekeningen en zag dus niet dat er een schokje door Omars nek ging en zijn hoofd een beetje naar achteren schoot, maar Morrow zag het wel.

Er was iets gebeurd, al wist Morrow niet wat. Ze keek naar Harris. Hij zat gespannen voorovergebogen, alert, speurend naar wat er nu eigenlijk was voorgevallen.

Ze keken allebei toe hoe Omar zich over de tafel boog en met zijn hand onder Bannermans ogen gebaarde om zijn aandacht te trekken. 'En toen, en toen sloeg die andere, die dikke, zijn hand om mijn vaders hals.' Vervolgens deed Omar iets vreemds: hij sloeg zijn handen om zijn eigen hals om de greep te illustreren, maar op de een of andere manier drukte hij iets te hard, te krachtig, alsof hij zichzelf iets wilde aandoen. 'En ik was bang dat hij hem zou vermoorden!' Hij liet los en moest even op adem komen. 'Echt waar!

En toen zei hij dat hij twee miljoen pond wilde hebben, morgenavond, en dat we de politie niet mochten bellen, anders was mijn vader er geweest. En toen zei hij nog zoiets van: "Dit is vergelding voor Afghanistan."'

Hij zweeg even en sloeg Bannerman gade om te zien of de afleidingsmanoeuvre effect had gehad.

De nieuwe toon en de opwinding waren Bannerman niet ontgaan. Rustig vroeg hij: 'Ken je iemand in Afghanistan?'

Omar was verbijsterd. 'Nee!'

'Ben je er weleens geweest?'

'Nee, nooit.'

'Heeft je vader connecties met Afghanistan, heeft hij er familie of zo?'

Een hand veegde de suggestie van de tafel. 'Geen enkele connectie met Afghanistan.'

'Oké. En toen?'

'Toen pakte hij pappa zo beet.' Hij legde zijn arm dwars onder zijn ribbenkast, als een koningin die een zware handtas draagt. 'En hij tilde hem op' – hij schoof naar achteren op zijn stoel – 'en liep met hem de deur uit.'

Omar zwaaide theatraal met zijn armen naar de deur, wat Morrow deed denken aan een goochelaar die probeert het publiek af te leiden.

'Mo en ik erachteraan, we zagen een witte bestelbus wegrijden, waarschijnlijk zo'n dicht Mercedesbusje. Nou, we zijn naar Mo's auto gehold, ingestapt en ze achternagegaan, maar bij de snelweg zijn we ze uit het oog verloren. Ze reden precies de maximumsnelheid, ze wilden kennelijk niet gepakt worden, en we hadden ze niet mogen kwijtraken maar we waren in paniek en reden hard voor ons doen en volgden de achterlichten in het donker en ze namen niet de route die je zou verwachten, over de hoofdwegen. En toen zagen we een politieauto en zijn we gestopt, en ik zei dat mijn vader was ontvoerd door mannen in een busje en ik vertelde van Afghanistan en zo, maar ze wilden ons arresteren.'

Morrow zag dat de jongen niet meer met zijn handen gebaarde en hoorde aan zijn stem hoe gekwetst hij was. Argwaan, op zó'n moment. Ze wist dat zoiets diep kon steken. Daarom had hij er op straat zo bij gestaan, net als Mo, omdat ze wisten dat ze niet onder vrienden waren, dat zij anders waren.

Ze leunde achterover en monsterde de collega's in het zaaltje. Slimme kerels, de besten in het vak, en ze keken allemaal strak naar het scherm en hoopten vurig dat hij iets met de overval te maken had. Het kon niet anders of hij voelde dat.

Toen ze opstond om weg te gaan werd er geroepen: 'Zitten!' De stem stierf weg toen het tot de spreker doordrong dat zij het was.

De collega die zijn stoel had afgestaan leunde tegen de muur en tikte beleefd tegen zijn slaap. 'Hij is goed, hè?' Hij bedoelde Bannerman, in de verkeerde veronderstelling dat ze vrienden waren.

'Ja.' Ze boog zich naar Harris toe en tikte hem op de schouder. 'Kan ik je even spreken?'

Eenmaal in de gang dempten ze hun stem. 'Wat gebeurde er nou vlak voordat hij zo begon te ratelen?'

Harris haalde zijn schouders op. 'Ik heb ook mijn best gedaan het terug te halen.'

'Wil jij dat schijfje even halen? Zodra…'

Nog steeds fronsend keek Harris het zaaltje in. 'Zijn moeder zei: "Niet mijn Omar."'

Ze zette haar computer aan, moest voor haar gevoel wel tien minuten wachten, logde in en haalde haar e-mail op. De gedigitaliseerde beelden zaten al in haar inbox. Het zou een paar dagen duren voordat de tekst was uitgetypt en zijn weg via allerlei formulieren naar de diverse bureaus had gevonden, maar de camerabeelden waren beschikbaar.

Ze trok haar onderste bureaula open, pakte een brandschone blocnote, een scherp nieuw potlood uit een koker en een plastic doosje met een koptelefoon erin. Die plugde ze in en dubbelklikte op de betreffende bijlage.

Het eerste document had een nummer, dat ze noteerde voordat ze begon te luisteren. Er was iemand aan de lijn, hoorbaar hijgend, en een verveelde telefoniste vroeg: 'Met welke dienst wilt u worden doorverbonden?'

Een door snikken verstikte stem: 'Ambulance! Alstublieft! Zeg dat ze moeten komen, gauw! Ze bloedt, alles zit onder!'

'Wie bloedt er?'

'Mijn dochter is beschoten door... door mannen die ons huis binnen kwamen en dreigden...' De moeder, Sadiqa, had een Engels accent, een goed gearticuleerd jarenvijftigaccent, waarbij vergeleken de telefoniste maar onbeschaafd overkwam.

'Wat is uw adres?'

Sadiqa noemde het, en het vertrouwde ritueel kalmeerde haar, maar toen ze werd onderbroken door een huilend meisje op de achtergrond, begon ze weer te hijgen. 'O hemel, mijn god, ze hebben mijn man meegenomen, mijn Aamir...'

De stem van de telefoniste, nasaal en neutraal, zei dat ze moest kalmeren, de ambulance was uitgereden. Nee, ze kon gerust aan de lijn blijven, want de ambulance was al onderweg. Ze liet Sadiqa haar naam spellen, de naam van haar echtgenoot, en wat voor wapens waren het?

'Ik heb geen idee. Zwart. Groot.'

'Zijn ze nog in huis?'

'Weg! Verdwenen! Dat heb ik toch al gezegd.'

'Zijn ze te voet of met een auto weggegaan?'

'Dat heb ik jammer genoeg niet gezien. Maar mijn zoon, mijn Omar, is naar buiten gehold.'

'Is uw zoon alweer terug? Kan hij misschien aan de telefoon komen om te vertellen of ze te voet of in een voertuig zijn vertrokken?'

Maar Sadiqa luisterde niet meer. 'Aleesha, o Heer, Aleesha blijft maar bloeden... Kom gauw, alstublieft, alstublieft.'

Ze liet de hoorn kletterend vallen en praatte op iemand in. Een bons, alsof er iemand viel. De hoorn werd opgepakt en op het toestel gelegd.

Het gesprek had één minuut en veertien seconden geduurd. Het tweede telefoontje begon tien seconden na dat van Sadiqa.

Billal belde met zijn mobiel, de verbinding was dan ook minder goed. Op de achtergrond hoorde ze Sadiqa's kant van het gesprek dat ze net had beluisterd. Billal schreeuwde, zo geschokt was hij, en hij sprak met uitroeptekens.

'Politie! Politie! En een ambulance!'

'Waar belt u over, meneer?'

'Twee mannen! Twee mannen!'

'"Twee mannen", en verder?'

'Twee mannen zijn ons huis binnen gedrongen! Ze hebben mijn vader meegenomen!'

'Ze zijn dus nu niet meer in huis?'

'Ze hebben op mijn zusje geschoten. In haar hand!'

'Ze hebben haar in haar hand geschoten?'

'Ja! Ja! Ze bloedt verschrikkelijk… God… Vreselijk. Overal… bloed…'

'Hebt u gezien dat ze op haar schoten?'

'Ja, met pistolen! Grote pistolen, echte pistolen.'

De telefoniste probeerde hem zover te krijgen dat hij zijn naam spelde en het adres opgaf, maar Billal was zo in shock dat hij amper luisterde.

'Kom ons helpen, alstublieft, kom ons helpen, alstublieft.'

'We zijn al onderweg, maar…'

'We hebben hier ook een baby, een pasgeboren baby! Ze hebben een baby bedreigd!'

'Hebben ze gezegd waar ze voor kwamen?'

'…ob…'

Billal had zijn hoofd afgewend en zijn kin bevond zich gedeeltelijk voor het spraakgedeelte, waardoor hij niet goed te verstaan was. Met behulp van de muis spoelde Morrow een stukje terug.

'… waar ze voor kwamen?'

'…ob. Ze moesten een zekere Bob hebben.'

De tweede keer dat hij het zei klonk het duidelijker: bij het uitspreken van de b's plofte er een pufje lucht zachtjes van zijn lippen.

Morrow noteerde 'Bob' op haar blocnote en zette er een vraagteken achter.

'Mamma! Ze zakt in elkaar.'

Hij verbrak de verbinding. Het gesprek had nog geen minuut geduurd.

Het laatste telefoontje kwam van een luid snikkende Meeshra, die jammerde over Aamir en Aleesha. Ze klonk weliswaar wat rustiger dan de andere twee, een beetje opgewonden zelfs, maar behoorlijk aangeslagen, zoals een oppervlakkige kennis huilt bij de begrafenis van een kind terwijl de familie zich groothoudt, uit angst dat het verdriet de grond onder hun voeten zal wegslaan.

'Ze hebben m'n schoonvader meegenomen, ze hebben de arme man zomaar beetgepakt en zijn met 'm verdwenen…'

'Wat is uw…'

'Zomaar opgetild…' Ze onderbrak zichzelf om theatraal te snikken en de lieve God te vragen om hen bij te staan.

'Mag ik uw naam en adres, alstublieft? Mevrouw, bent u daar nog? Mag ik uw naam, alstublieft?'

'Meeshra Anwar. Ze hebben 'm meegenomen.'

Ze praatten tegelijk, de telefoniste en Meeshra, hun stemmen kronkelden om elkaar heen.

'Waren op zoek naar…'

'Kunt u dat…'

'Schreeuwen, ze waren op zoek…'

'Spellen?'

'Naar een zekere…'

'Kunt u die naam spellen?'

Beide stemmen zwegen even, een halve seconde doodse stilte, en toen ging Meeshra verder: 'Ja, ze riepen dat ze de een of andere kerel zochten maar ze konden 'm niet vinden en toen hebben ze Aamir zomaar meegenomen…'

Morrow keek naar de blocnote. Meeshra vermeed de naam angstvallig.

Ze bestudeerde haar handschrift: klein en regelmatig, het woordje nog geen halve centimeter breed, maar zo hard in het papier gekerfd dat het randje onder aan het velletje papier ervan opkrulde. Bob? Ze streek er voorzichtig met haar vinger overheen. Bob?

Met tegenzin scheurde ze het velletje uit de blocnote en stond op. Bij de deur bleef ze even staan en schonk zichzelf een tevreden hoofdknikje omdat ze het fatsoen had de informatie meteen prijs te geven. Ze liep de gang in. Daar stond een geüniformeerde agent een praatje te maken met een brigadier in burger, hij liet hem iets zien in de krant. Nachtdienst. Een zwaar onderdeel van het vak, maar het had ook iets gemoedelijks. Alle collega's klaagden erover, maar misten het als ze werden gepromoveerd en alleen nog maar overdag hoefden te werken. Samen slaperig zijn en op de dommelige stad passen bevorderde de saamhorigheid.

MacKechnie was er nog, want er viel licht uit zijn kamer de gang in.

Morrow ging in de deuropening staan en knikte beleefd. 'Inspecteur?'

'Kom erin!' Dat zei hij altijd, zich er niet van bewust dat hij erom uitgelachen werd. Morrow boog zich naar binnen en zag dat hij naar zijn computerscherm zat te turen.

'Ja?'

'Ik heb de telefoontjes naar de alarmcentrale zitten afluisteren...' MacKechnie keek haar fronsend aan, met een wenkbrauw beschuldigend opgetrokken. 'Waarom?'

'Voor het geval er iets op stond...'

MacKechnie zuchtte tegen zijn gevouwen handen en liet zijn tong langs zijn tanden glijden. 'Rechercheur Mórrow.' Hij had er een handje van haar naam zo uit te spreken dat ze ineenkromp. 'Ik heb gevraagd of u in deze zaak met Bannerman wilde samenwerken.'

'Bannerman zei dat ik de bandjes moest afluisteren, inspecteur.'

'Heeft Bánnerman gezegd dat u die bandjes moest afluisteren?'

Ze liep zijn kamer in en stak afwerend haar hand op. 'Oké, daar hebben we het nu niet over... Ze hebben allemaal verklaard dat die gewapende mannen naar "Rob" vroegen. In de gesprekken met de hulpdiensten is te horen dat ze de naam verdoezelen, maar volgens mij heeft de zoon "Bob" gezegd.'

'Ja?' Hij keek niet-begrijpend.

'Bannerman is op dit moment Omar aan het verhoren, zal ik hem een briefje laten brengen? Vragen of hij ernaar wil informeren?'

Onbegrip maakte plaats voor zekerheid. 'Ja.'

Ze liep de kamer uit en bleef in de gang even staan. Ze had een enthousiastere reactie verwacht. Per slot van rekening was het een concrete aanwijzing, en zij had hem ontdekt. Teleurgesteld ging ze terug naar haar kamer. Ze zette de informatie op papier, gaf aan dat het briefje van haar kwam en sprak in de regiekamer een brigadier aan die bij het prikbord stond.

'Brigadier...?'

'Wilder.' Hij ging in de houding staan, en ze waardeerde het dat hij wist wie ze was.

'Wilder, breng dit briefje nú naar Bannerman in drie.'

Hij nam het aan, liep er meteen mee weg en liet de deur hard achter zich dichtvallen. Tenminste iémand die het serieus opvatte.

Terug op haar kamer liet ze haar ogen en haar pen mismoedig over allerlei formulieren gaan. De warme gloed van haar ontdekking verflauwde, werd overspoeld door de vermoeidheid en de routinehandelingen. Een paar keer onderbrak ze haar administratieve werk om de telefoontjes van Meeshra en Billal naar de alarmcentrale nogmaals te beluisteren, en elke keer verbleekte haar zekerheid iets verder.

Ze stond op het punt het nog eens te doen toen Bannerman de deur opendeed en tegen de deurpost leunde als een louche minnaar die uit de badkamer kwam. 'Alles goed, Morrow?'

'Prima.'

'Schiet je lekker op?'

Morrows ogen brandden en ze kneep ze half dicht. 'De normale papierwinkel.' Hij slenterde de kamer in. 'Heb je mijn briefje gekregen?'

Hij moest even nadenken. 'Briefje…? Over Bób. Ja, dat briefje. God, fijn, bedankt. Fijn.' Hij plofte in zijn stoel en deed zijn la van het slot om er een muesilreep uit te pakken. Met zijn tanden scheurde hij de wikkel open.

'En?'

Zonder haar aan te kijken haalde hij zijn schouders op.

Ze kreeg zin om hem een schop tegen zijn schenen te gaan geven. 'Wat zei Omar?'

'Mmm, ik was inmiddels klaar met het verhoor, dus dat vragen we hem de volgende keer wel.'

Ze keken elkaar over hun bureaus heen aan, en Bannerman glimlachte. Hij had Omar niet naar Bob gevraagd omdat de suggestie van haar was gekomen. Hij had zich onprofessioneel opgesteld, en dat zou ze over haar kant kunnen laten gaan, maar het ging niet om haar en Bannerman: ergens zat een kleine man in een koud busje, omringd door gewapende, gewelddadige onbekenden, en de informatie kón belangrijk zijn.

'Heb je hem er niet naar gevraagd?'

Bannerman hernieuwde zijn glimlach.

'Zeg, kom eens hier.' Ze hield de koptelefoon omhoog.

Bannerman keek licht argwanend, kwam niet van zijn stoel maar legde zijn benen met een zwaai op de rand van zijn bureau, sloeg ze over elkaar en ging stug door met het verorberen van zijn muesilreep. Het verhoor was tegengevallen, en het hele team had toegekeken. Ze begreep wel dat hij het als een afgang zou hebben beschouwd als de enige belangrijke vraag op een briefje van haar had gestaan, maar ze was overtuigd van haar gelijk. Ze klikte op het audiodocument van Meeshra's telefoontje, een kleine rechthoek op haar scherm met een grillige visualisering van haar stem. Ze trok de koptelefoon uit de computer, dubbelklikte, en Meeshra's stem galmde de kamer in, boven het geroezemoes van telefonistes op de achtergrond uit.

'Ze ontwijkt de vraag,' zei ze.

Bannerman reageerde niet. Morrow klakte met haar tong en stak haar handen omhoog. 'Nou ja, ik heb het doorgegeven. MacKechnie weet ervan, Wilder is er getuige van dat ik het briefje heb gestuurd, dus als de zaak door jouw toedoen hierop stukloopt, was ik mijn handen in onschuld.'

Hij keek haar met half dichtgeknepen ogen aan.

'Oké?' Ze boog zich over haar bureau naar hem toe. 'Je kunt niet zeggen dat ik informatie heb achtergehouden.'

'Oké,' zei hij langzaam, alsof hij haar probeerde te kalmeren. 'Bedankt.'

'Als jij de zaak wilt verkloten, moet je dat vooral doen.'

Bannerman glimlachte minzaam naar zijn mueslireep, trok de wikkel van het laatste stukje en stopte het in zijn mond. Hij zou haar opmerking doorbrieven aan MacKechnie, hij zou het brengen als een grappige illustratie van wat voor type ze was, wetend dat MacKechnie eruit zou opmaken dat ze inderdaad onmogelijk en gestoord was, geen teamspeelster.

'Die wrijving tussen jou en mij,' mompelde hij, 'die na-ijver in ons werk… Daar kunnen we toch zeker wel mee omgaan?' Hij draaide de zaak om, zodat het om haar en hem ging, niet om de veiligheid van Aamir Anwar.

'Niet als jij zo lullig doet.'

Ze was bijna duizelig van boosheid, en de woorden waren haar ontsnapt voordat ze het wist. Er trok een warme blos langs haar hals omhoog. Ook dat zou MacKechnie ter ore komen.

Een plichtmatig klopje op de deur werd gevolgd door Harris die om het hoekje keek. 'Morrow?'

'Wat nu weer!'

Hij wachtte even, zichtbaar geschrokken, en richtte zich toen tot Bannerman. 'Ik heb de dvd van het verhoor afgekeken. Omar zegt dat ze op zoek waren naar een zekere Bob, niet Rob.'

Zonder een woord te zeggen zwaaide Bannerman zijn voeten op de grond, stond op en liep de kamer uit. Hij deed de deur achter zich dicht, zodat zij alleen achterbleef in de rancuneuze stilte. Ergens in een ander vertrek waren een paar mannen aan het praten, ze lachten ergens om, en ze luisterde gespannen of ze zijn stem hoorde, altijd en eeuwig bang dat anderen meer bondgenoten hadden dan zij.

Tijdens het invullen van de formulieren zakte haar woede af tot een kille boosheid, tot ze commotie in de gang hoorde, een uitroep en haastige voetstappen.

Bannerman gooide de deur open. 'Het busje is gevonden.'

Ze namen een dienstauto, en Bannerman reed. Omdat alle goede wagens in gebruik waren, hadden zij een oude Ford met een motor die zoveel lawaai maakte dat een gesprek over koetjes en kalfjes onmogelijk was. Bannerman concentreerde zich op het verkeer. Hij vond de stilte pijnlijk, maar Morrow was blij dat ze met rust gelaten werd, en haar gezicht ontspande zich bij het warme oranje licht van de straatlantaarns die voorbijflitsten. De lange rit helemaal naar Harthill verliep probleemloos, over een verlaten weg zonder obstakels.

Bannerman kende het gebied waar ze heen gingen niet en maakte een hoop drukte over wegaanduidingen, onverstaanbaar mompelend over afslagen en bestemmingen – hij zat zich op te winden. Morrow zei niets. Ze namen een rotonde, een afslag en ten slotte een onverharde weg langs open akkers omzoomd met eindeloze heggen. De weg was eens geasfalteerd geweest, maar na een jaar of tien met strenge winters en veel tractors zat hij vol kuilen. Ze stopten bij het afzetlint.

Tussen de heggen was blauw-wit lint over de weg gespannen, en ernaast stond een dikke agent van het plaatselijke korps. Hij wreef in zijn handen en stampte met zijn voeten om warm te blijven. Dat deed hij niet voor de show, want hij had een rode neus en een natte bovenlip.

Bannerman zette de motor af. 'Goddomme, ik heb nog nooit in zo'n lawaaierige rotauto gereden,' zei hij tegen zichzelf.

'Maar diezelfde rotauto heeft het ons bespaard dat we drie kwartier een gesprek op gang moesten houden.'

Agressief draaide Bannerman zich naar haar toe, klaar om zijn gram te spuien, maar hij zag dat ze minzaam glimlachte. Hij lachte als een boer die kiespijn heeft en wendde zich gauw af, zodat ze niet kon zien dat hij het met haar eens was. Hij opende het portier en stapte uit. Als hun meerderen niet in de buurt waren, kon ze hem beter pruimen.

Ook zij stapte uit, de bijtende kou in. Harthill lag hoger dan de stad en de lucht was er schoner, de hemel soms akelig helder. Die nacht werd het beschenen door een enorme witte maan. Het asfalt was gespleten als een plak karamel. De snelweg lag onzichtbaar achter de heuvel, maar de verlichting gloeide boven de lage horizon uit. Degene die het busje hier had neergezet, kende de omgeving goed. Onder aan de heuvel zag ze een groepje door de wind vervormde bomen rond een smeulend wit busje, goed aangelicht door het forensisch team van de brandspecialisten.

De plaats-delictunit van de technische recherche zou pas over een paar uur komen, als het licht werd. In het donker werken had geen enkele zin. Dit zou hun eerste klus zijn, behalve als Osama bin Laden de komende uren hoogstpersoonlijk een massaslachting aanrichtte in het centrum van Glasgow. Intussen probeerde een tweekoppig team het smeulende vuur uit te slaan, om de weinige sporen die er nog waren veilig te stellen.

Het viel niet mee om een brandend voertuig te blussen dat nog als bewijsmateriaal moest dienen. Spoot je het busje vol schuim, dan kon je er net zo goed de tuinslang op zetten. En gooide je er water op, dan zouden eventuele brandversnellers zich verspreiden en elders nieuw vuur veroorzaken. Die ochtend zouden ze het terrein uitkammen en het busje bergen zonder het open te maken, om het in een steriele omgeving aan een onderzoek te onderwerpen.

'Harthill,' zei ze. 'Onderweg naar Edinburgh?'

Bannerman haalde een schouder op. 'Ligt niet echt voor de hand.'

'Misschien waren ze hier al eens eerder geweest.'

'Moeilijk uitgangspunt voor een onderzoek, hè?' Bannerman wees naar de grond. 'Geen sporen.'

Ze brandde van nieuwsgierigheid, maar durfde het amper te vragen. 'Wat heeft Omar nog meer gezegd?'

Bannerman keek haar verwonderd aan, verbaasd over haar toon, die hij niet goed kon duiden. 'Niet zoveel. Ik dacht dat we hem moesten hebben, maar...'

Ze haalde haar schouders op en keek naar het busje. 'Dat dacht ik ook.'

Bannerman, die eensgezindheid verwarde met saamhorigheid, boog zich heel dicht naar haar toe en haalde diep adem. Zijn nabijheid maakte haar opeens panisch, en ze liep haastig naar de dikke diender die het afzetlint bewaakte.

Hij had het nog steeds koud en was nog steeds onzeker: hij informeerde naar hun naam en rang en vroeg waar ze vandaan kwamen, en dat alles noteerde hij in zijn boekje alsof hij een examen aflegde. Waarschijnlijk had hij nog niet veel plaats-delictervaring. Hij leek haar van hun eigen leeftijd, begin dertig, maar door zijn blozende gezicht en zijn omvang oogde hij minstens veertig. Op het platteland werden de mensen sneller oud.

Toen Morrow merkte dat Bannerman eraan kwam, dook ze onder het lint door om naar het begin van de akker te lopen, naast de route die iedereen die het veld verliet waarschijnlijk had genomen. Er stond een boer met een politieman te praten, maar naar hen keek ze niet. Ze keek naar de grond.

De maan scheen zo helder dat er op de bevroren grond vage sporen te zien waren: autobanden tekenden zich af op het asfalt, een geparkeerde maar inmiddels weggereden auto had een rechthoek in de rijp achtergelaten. Ze keek de weg af, kneep haar ogen tot spleetjes, ging op haar hurken zitten.

Onduidelijke voetstappen liepen heen en weer van de auto naar de akker, overlapten elkaar: sommige sporen waren van diepe zigzagprofielen, van kistjes misschien, ongeveer maat 42, andere van vlakke zolen, pantoffels bijvoorbeeld, plus nog een stel sportschoenen. Jammer, bevroren aarde was een waardeloze ondergrond voor voetafdrukken.

Bannerman zag haar kijken en riep naar de diender bij het afzetlint: 'Laat de fotograaf hierheen komen, voordat die sporen weg zijn.'

De diender keek geschrokken en gekwetst, alsof hij was berispt, en hij draaide zich om naar zijn portofoon.

Ze keek van de voetafdrukken naar de diepe bandensporen.

Nieuwe banden, duidelijke, diepe patronen – helaas. Het was gemakkelijker om versleten banden te matchen met sporen, want kleine beschadigingen en slijtage in het rubber waren soms even effectief als een vingerafdruk, maar zó uit de fabriek zagen ze er allemaal hetzelfde uit, en veel verschillende merken waren er niet.

Achter haar stond Bannerman instemmend te knikken. Zwijgend volgden ze de loop van de sporen, wijzend, klakkend met hun tong en mompelend, met hun ogen op de grond gericht. Ze konden de voetstappen traceren naar de opening in de heg en keken naar de lange baan omgewoelde modder op de akker. Daar verbrokkelden de voetstappen, de grond was te rul, hoewel sommige details duidelijker waren: een neus, een hak, de zijkant van een zool.

Morrow prentte alles zo goed mogelijk in haar hoofd: drie paar voeten die naar haar toe kwamen, onduidelijk door stappen die er al hadden gestaan, misschien op weg naar andere mensen die hadden staan wachten. Ze keek om en ordende haar indrukken: twee eendere sets voetafdrukken, weliswaar een rommeltje van overlappingen, maar de profielen leken hetzelfde.

Ten slotte vroeg Bannerman: 'Wat zie je?'

Hij was hier goed in, dat wist ze, maar óf hij probeerde aardig te doen, óf hij was van plan haar ideeën in te pikken. Ze hoopte bijna dat het laatste het geval was. 'Twee schutters,' zei ze. 'Dezelfde schoenen. Even dacht ik dat ze hier zijn opgepikt, maar dat is niet waarschijnlijk. Twee forse mannen, een chauffeur en een gijzelaar. Die passen alleen in één auto als ze hier door iemand anders zijn afgehaald. Alleen die kistjes gaan naar de bestuurdersplaats.' Ze wees naar de grote plek die niet berijpt was. 'Ze hebben hier kennelijk een auto neergezet om te kunnen wisselen. We kunnen de camera's in Harthill checken, eens kijken wat voor auto's er eerder deze kant op zijn gereden en die beelden vergelijken met de auto's die later zijn teruggegaan.'

Bannerman keek nog naar de rechthoek. 'Hoe kun je nou weten dat dat de bestuurderskant is?'

Ze streek met haar vinger over de bandensporen. 'Ze zijn immers niet achteruitgereden?'

Bannerman keek aangenaam verrast. 'Hmm.'

Dat ging hij gebruiken alsof hij het zelf had bedacht, daar kon je donder op zeggen. Daar stond hij bij zijn ondergeschikten om bekend. De hoge heren vonden hem geniaal.

'Dat is dit jaar al de derde uitgebrande auto op mijn land.' De boer tegenover haar droeg een Barbour-jas en had een chagrijnige kop, nog dik van de slaap. Zijn accent was bijna ondoorgrondelijk, en Morrow keek als vanzelf naar zijn lippen om er toch nog iets van te kunnen maken.

'Is dit land van u?' vroeg ze.

'Ja, dit land is van mij, jazeker, mijn land, ja.'

'Wilt u zo vriendelijk zijn achter dat lint daar te gaan staan? We hebben bevroren voetafdrukken gevonden en we proberen ze intact te houden tot de fotograaf is geweest.'

'Maar het is míjn land.'

'Maar u begrijpt toch wel waarom ik het vraag?' Ze keek de agent aan en knikte opzij, ten teken dat hij de boer van de plaats delict moest verwijderen.

'Het is mijn land,' mompelde de boer, die niet goed wist of hij nou terecht was gewezen of niet, maar hij was bij voorbaat al geïrriteerd. 'Als ik hier wil blijven, dan blijf ik hier. En waarom zijn jullie die andere keren niet gekomen, waarom maken jullie je zo druk om dit busje? Ze hebben hier al eerder auto's laten uitbranden, en toen hebben jullie niks gedaan. Ik heb ze zelf moeten wegduwen.'

Hij was vrijwel onverstaanbaar. Bannermans ogen bleven te lang op zijn mond rusten, en toen hij zijn blik uiteindelijk afwendde, was het om verbijsterd te knikken en fronsend naar zijn voeten te kijken. Hij richtte zich tot de geüniformeerde agent. 'Agent, was u als eerste ter plekke?'

De agent knikte alsof Bannerman een filmster was en hij een fan. Hij had een rood boerengezicht en een rond lijf, dat zich niet liet pletten door het dubbelrijs kunststof uniformjasje dat om zijn buik spande.

'Iets gevonden? Een paspoort of een adres? Geen brieven met herkenbare foto's op het pad?'

'Tot nu toe niets van dat alles, inspecteur, nee, voor zover ik weet dan.' Hetzelfde accent en een zachte stem omdat hij onder de indruk was van de deskundige uit de stad, maar bijna even moeilijk verstaanbaar als de man voor wie hij tolkte.

Bannerman snoof en keek of Morrow wel met hem meelachte: een moment dat een band smeedt tussen collega's.

'Heb je al met de technische recherche gesproken?' Morrow wees naar het busje.

'Nog niet, nee.'

'Hoe kun je dat dan weten? Zorg dat die man achter het afzetlint gaat staan.' Ze liep de akker op en liet Bannerman achter bij de twee mannen die hij twee tellen geleden nog belachelijk had gemaakt.

Ze begon zich af te vragen of ze inderdaad een kreng was.

11

'Ik ga hier echt nergens zitten.' Pat sloeg zijn armen over elkaar en keek de woonkamer rond. Er was geen plekje op de vloer, de wanden en het plafond of er was wel een verdachte vlek bij in de buurt.

Shugie, die op het minst klamme hoekje van de sleetse bruine ribbank zat, keek naar hem op, met zijn hoofd ver achterover omdat hij zulke dikke ogen had. Hij fluisterde: 'Goed hoor.' Zijn doorrookte stem was nauwelijks meer dan schor gefluister.

'En waarom niet?' Pat boog zich uitdagend naar hem toe. 'Omdat het hier een teringzooi is.'

Shugie knipperde met zijn ogen; met die aantijging kon hij wel leven. 'Oké.'

De wind was Pat uit de zeilen genomen, want hij was ervan overtuigd geweest dat Shugie het net zo erg zou vinden als hij. Hij keek naar de vloer, naar de bank, naar de keukendeur. 'Wat een smeerboel, het is goddomme bij de beesten af.'

Maar Shugie was onverstoorbaar, misschien afgeleid door de intensiteit van zijn kater. Hij sloot zijn tranende ogen om zijn neus op te halen, maar die energieke actie verstoorde het wankele krachtenevenwicht in zijn hoofd en hij kromp ineen van de pijn. 'Oooo.'

'Heb je me verstaan?'

'Ja hoor. Oké.' Hij hield zijn ogen dicht, wachtte op een nieuw evenwicht. 'Je zegt dat het hier een smeerboel is, en dat klopt.'

'Moet je dat zien.'

Met bovennatuurlijke krachtsinspanning trok Shugie een van zijn dikke ogen open om Pats vinger te volgen naar een plek in de verte waar vloer en wand elkaar raakten. Hij keek er ingespannen naar: iets kleins en bruins had een eigen witte bontjas gekregen.

'Wat is dát daar, gadverdamme?'

Shug haalde zijn schouders op. 'Een sinaasappel?'

'Een sínaasappel?'

'Een mandarijn dan?'

'Het is een drol.'

Ze hoorden Eddy, die de wacht had gehouden bij de kamer van de oude man, de trap af klossen.

'Er ligt verdomme een hondendrol in je woonkamer.' Pat zei het nog eens met stemverheffing, zodat Eddy het zou horen.

'Welnee man,' verzuchtte Shug. Het praten kostte hem moeite. 'Er is hier in geen drie maanden een hond in huis geweest.'

'Dan ligt ie er al drie maanden. Kijk dan, de schimmel zit er dik op.'

Shug gehoorzaamde. 'Neu,' zei hij weinig overtuigend. 'Gewoon een rotte mandarijn of zoiets.'

Pat keek beschuldigend naar Eddy maar kreeg geen kans iets te zeggen.

'Jouw beurt,' zei Eddy, en hij gebaarde met zijn duim over zijn schouder naar de trap.

'Dit huis…' Pat had er geen woorden voor. Hij wees naar de harige witte indringer bij de plint.

Shugie hief zijn handen en zei schor en smekend tegen Eddy: 'Hij gaat over de rooie vanwege een rotte sinaasappel of zoiets.'

Uit solidariteit liet Eddy zich op de bank naast Shugie ploffen. Prompt schoot hij overeind, zijn ogen werden groot. Hij sprong op en keek om naar de vochtige achterkant van zijn broek. Bijna had hij al geprobeerd de urine eraf te wrijven, maar hij bedacht zich en wapperde in plaats daarvan wat met zijn hand. 'O, vieze vuile gore klootzak die je bent…'

Pat greep hem bij zijn arm en trok hem ruw de keuken in. 'Kom mee.'

Het raampje boven de gootsteen was kapot, onderaan ontbrak een driehoek, maar op de rest van de ruit waren alle druppels vies water te zien die er ooit op waren gespat: achter de mengkraan rees een dikke laag grijze stippen op. Door de vitrage van vuil heen blonk het puntje van de zilverkleurige motorkap van de Lexus in de zon.

Uit de stapel vuilniszakken die de doorgang naar de achterdeur blokkeerde lekte niet alleen kleverige troep, de onderste stonden bovendien in een witte plas.

'Ik kan hier niet blijven,' zei Pat.

Eddy stond te dicht bij hem en beet op zijn onderlip.

'Dit is…' Pat keek naar de vloer, '… ongezond.'

'Pat…'

Pat wees de woonkamer in. 'Daar ligt een beschimmelde drol.'

Eddy kneep in zijn neus, zweeg en sloot zijn ogen. Toen hij weer iets zei, deed hij dat bestudeerd geduldig. 'De móéite die het me heeft gekost om dit te vinden…'

'Móéite!' riep Pat uit. 'Die lul zit altijd in de pub bij jou om de hoek. Je hoefde alleen maar een biertje te bestellen en je om te draaien.'

Eddy hield zijn ogen dicht. 'Ik heb een paar locaties bekeken of ze geschikt waren…'

'O ja… "Doe mij maar een pilsje!"' schreeuwde Pat, verontwaardigd met zijn handen maaiend. '"Hé, jij daar, volgens mij stink jij naar pis, heb je een huis? Kan ik daar een gijzelaar verbergen? Ligt er toevallig ook stront in de hoek?"'

Pat draaide zich naar Eddy toe om te zien hoe hij reageerde, maar keek regelrecht in de loop van Eddy's pistool. Eddy sprak het wapen rustig toe. 'Patrick,' zei hij ertegen, 'ik heb een hoop moeite gedaan, maar jij weet dat niet naar waarde te schatten.'

Pat keek gebiologeerd naar het diepzwarte rondje.

'Ik heb mijn best gedaan je tot rede te brengen,' fluisterde Eddy. Nu de enormiteit van waar hij mee bezig was tot hem doordrong, trilde zijn stem. Hij keek naar Pats mond, heel aandachtig, alsof hij niet in het oog durfde te kijken waar hij op ging schieten. Ze waren weer vochtig, die ogen, de ogen van die eikel liepen over van paniek.

'Ik heb mijn stinkende best gedaan om…'

'Edward.'

'Ik heb zo ontzettend hard mijn best gedaan.'

'Doe dat pistool weg, anders vermoord ik je.'

'Ja ja, jij gaat mij vermoorden.' Eddy zwaaide met de loop voor Pats gezicht heen en weer, bang om het wapen te laten zakken voor het geval Pat zijn dreigement zou uitvoeren. 'Ik richt op jou, en jij dreigt mij te vermoorden. Wat een lef! Wie ben jij goddomme helemaal dat je zo agressief tegen mij durft te doen?'

Ze wisten allebei precies wie Pat was. Pat was een Tait, en hij hoefde Eddy niet eens openlijk te bedreigen. Het feit dat hij een Tait was, ook al had hij geen contact meer met de familie, maakte hem tot een wandelende bedreiging. De loop wees nu naar Pats oor. 'Richt dat ding op de grond,' zei Pat bestudeerd rustig.

Eddy wist dat er niets anders op zat. Hij liet de loop zakken en snotterde van opluchting.

Kalm en behoedzaam nam Pat het wapen van hem over. Hij richtte het bij Eddy vandaan, zette de veiligheidspal om, haalde diep adem en zei: 'Dit is van begin tot eind een grote puinzooi. Dat weten we allebei donders goed.'

'Ja,' fluisterde Eddy heftig. De tranen rolden over zijn gezicht. 'Ja, ik weet dat het een klerezooi is. Ik weet niet wat ik moet doen... Verdomme, ben ik daarnet in de zeik van die ouwe zak gaan zitten!' Hij wreef met de muis van zijn hand in zijn ogen en veegde de tranen bijna tot in zijn haar.

Pat raakte met zijn vingertoppen Eddy's rug aan. Eddy sloeg als een meisje zijn handen voor zijn gezicht en begon met hoge uithalen onbedaarlijk te snikken. Door de open keukendeur zag Pat dat Shugie zijn benen over elkaar sloeg en dat er verkeerde veters in zijn gympen zaten, bruine veters van nette schoenen. Ik hoor hier niet thuis, zei hij bij zichzelf, terwijl hij eigenlijk bedoelde dat hij hier niet wílde thuishoren.

'Verdomme, man, als ze de kinderen maar niet had meegenomen,' piepte Eddy. 'Als ze me nou maar toestemming had gegeven om m'n kids geregeld te zien...'

Zijn vrouw had er niets mee te maken dat hij zijn kinderen niet zag. Die leugen was langzaam ontstaan, net als heel veel andere leugens in Eddy's leven. Pat was daarin meegegaan, maar opeens keek hij naar Eddy en zag hij een man die van de rechter zijn kinderen niet mocht zien omdat hij een onberekenbare, grillige hufter was. Een man die Shugie bij deze zaak betrokken had, waaruit de mensen in hun stamkroeg konden opmaken dat hij iets belangrijks onder handen had. Een man die in de loop van de dag een andere herinnering aan de afgelopen avond zou krijgen, waarin Pat degene was die van de zenuwen de boel had versjteerd. Hij keek naar Eddy, die overliep van zelfbeklag. Eddy was niet tot eerlijkheid in staat. Ik hoor hier wel, moest Pat toegeven, ik hoor hier wel, maar tegen mijn zin.

Terwijl Eddy stond te snotteren keerde Pat stilletjes terug naar de roze gang van het huis waar het naar geroosterd brood rook. Hij bevond zich niet meer in deze keuken, niet meer in dit huis met een omstreden beschimmelde drol in de woonkamer en overjarige vuilniszakken in de gang. Hij stond weer in de roze gang en zag een streng volmaakt zijdezacht zwart over een jonge schouder glijden. Hij was terug in een schone omgeving, waar met walging op vieze luchtjes werd gereageerd en waar poep op de grond geen kans zou krijgen te beschimmelen. Dát wilde hij.

Voordat zij waren binnengekomen had ze net haar haar geborsteld, fantaseerde hij. Ze had voor de tv gezeten en een borstel door haar lange haren gehaald. Dat beeld ontlokte hem een glimlach, gaf hem een warm gevoel, tot Eddy's gierende uithalen het plaatje verstoorden.

Pat klopte hem op zijn rug om hem te kalmeren. 'Stil nou maar…'

'Die Ier, die klootzak… Ik weet niet wat ik moet doen…'

'Kom, laten we ergens een geroosterde boterham zien te scoren of zo.' Pats stem was uitdrukkingsloos.

'We kunnen die zeikerd, die lul, niet laten oppassen.' Eddy keek de woonkamer in.

'Oké. We moeten actie ondernemen.' Aleesha's hand raakte zijn gezicht aan, de hand die niet meer bestond, maar dat gedeelte schrapte hij. Haar vingertoppen raakten zijn gezicht aan, vanuit zijn ooghoek zag hij haar mooie gouden ringen glinsteren. 'Ik zal Malki bellen, vragen of hij Shugie in de gaten komt houden.'

'Maar hoe krijgen we dat in vredesnaam voor mekaar? Ik bedoel, we kunnen niks doen, die klojo gaat zich bezuipen en vertelt het aan iedereen.'

'Als Malki hierheen komt, zal ik zorgen dat hij drank voor Shug meeneemt, dan zeggen we dat hij moet thuisblijven en dat we zó terug zijn. Dan gaan jij en ik ergens geroosterd brood eten of zoiets…'

'Geroosterd brood? Wat zeur je toch aldoor over geroosterd brood?'

'… en dan bellen we de familie.' Pat zag zich al bij de Anwars arriveren, waar de broers hem inhaalden als een oude vriend die ze lang niet hadden gezien, en waar hem thee werd aangeboden terwijl hij in de roze gang zijn jasje uitdeed. 'Om naar het geld te informeren. Ik regel het wel, man, maak je niet dik.' Hij wees naar Eddy's zak. 'Ik praat wel met de Ier.'

Eddy pakte zijn mobiel, selecteerde een nummer, drukte op 'bellen' en reikte Pat het toestel aan.

Kennelijk had hij de Ier wakker gebeld. Zijn stem klonk als een boze, geschrokken blaf. 'Wátte?'

'We hebben de vader, en we gaan ze straks bellen.'

'Met wie spreek ik?'

'Met de andere.'

Pat hoorde de hersens van Ier kraken. 'Jou ken ik niet.'

'Ik bel je nog wel,' zei Pat, en hij verbrak de verbinding.

Eddy pakte het mobiel weer aan en liet zijn kin zakken, zodat hij als een jonge hond naar hem opkeek. 'Kerel…' Het was bedoeld als bedankje, als blijk van genegenheid, een toespeling op woorden die hij nooit zou uitspreken.

Ook Pat dacht aan woorden die hij nooit zou uitspreken.

Pat dacht namelijk dat de wereld beter af zou zijn als een hufter als Eddy niet bestond.

12

Terwijl de zon opkwam boven de jonge bomen aan Blair Avenue, zat Morrow in haar auto. Het was tot nu toe een zachte, regenachtige herfst, en de tuinen waren nog een en al leven. Kalende takken van goed verzorgde bomen overschaduwden de weg en groene heggen lieten hun glanzende bladeren op het trottoir dwarrelen. Na een lichte regenbui was het opgeklaard en zag de hemel strak hardblauw.

Ze had een houten kont. Drie kwartier zat ze hier nu al, door vermoeidheid en besluiteloosheid aan haar stoel gekluisterd. Elke fractie van een seconde zat ze klaar om de sleutel uit het contact te halen en het portier te openen. De spieren in haar onderarm trilden bij voorbaat, haar gedachten concentreerden zich op het plastic omhulsel van de sleutel, het gekners in het contact als ze hem lostrok, de warme vlekkerige kunststof van de deurkruk – maar toch verroerde ze zich nog niet.

Ze zat er al zo lang dat het bloed was weggetrokken uit haar handen, die op het stuur lagen. Een paar keer had ze overwogen de radio aan te zetten, bij wijze van gezelschap, maar dan zou ze hebben toegegeven dat ze niet van plan was uit te stappen.

Ze zou terug kunnen gaan naar het bureau. Bannerman gaf een briefing, maar ze kon zich verstoppen op haar kamer. Ze had een vrije dag. Ze zou naar haar werk kunnen gaan en zeggen dat ze niet weg kon blijven, dat het er niet toe deed dat ze geen overuren betaald kreeg, ze zou zich hulpvaardig opstellen, in plaats van hier de confrontatie met Brian aan te gaan.

Ze keek naar het gloednieuwe huis. Er brandde nergens licht, in de woonkamer waren de gordijnen nog dicht.

Vroeger, toen ze klein was, was dit haar droom geweest: wonen in een schoon, doodgewoon huis met een schone, doodgewone echtgenoot. Een man die nooit zijn stem verhief of dreigde. Een man die nooit midden in de nacht 'brand' in haar oor schreeuwde, omdat hij dronken was en aandacht nodig had. Een man die nooit om kwart over zes 's morgens door de politie zou worden opgehaald en terwijl hij werd meegezeuld bloederig speeksel over de vloerbedekking in zijn eigen gang zou spugen. Het huis aan Blair Avenue was nieuw, zij waren de eerste bewoners, en ze vond het heerlijk dat het nog geen geschiedenis had. Ze hadden het gekozen omdat het in een rustige, kinderrijke buurt stond.

De voordeur was rood geschilderd, en de gepoetste koperen brievenbus blonk monter in de vroege ochtendzon. Toen ze het huis kochten had ze die deur prachtig gevonden. De meeste nieuwbouwhuizen hadden een witte kunststof deur. Bij de bezichtiging was ze er meteen voor gevallen.

'Kijk eens, Brian...' Ze streek over de gevlamde rode verf en toen ze opkeek zag ze hem glimlachend naar haar hand staren. Ze had naar zijn lippen gekeken en precies geweten welke woorden ze zouden vormen.

'Wat een prachtige kleur, hè?'

Nu keek ze bozig naar die deur, haar mond bewoog geluidloos en vormde nogmaals die woorden: wat een prachtige kleur.

De voorspelbaarheid behoorde tot het verleden, evenals de standvastigheid waar ze verliefd op was geworden. Brian was nu de chaos waar ze voor wegvluchtte.

Opeens blokkeerde de rug van de postbode haar uitzicht. Hij liet het hekje openstaan terwijl hij het pad op liep, een stapel post doorkeek, hun rekeningen en reclamedrukwerk eruit viste en die door de brievenbus duwde. Op de terugweg keek hij niet op, want hij was al bezig de post voor het buurhuis uit te zoeken. Er kwetterden vogels in de bomen. Een forens in een grijs pak en met een aktetas stak de weg over naar zijn auto. De buurt begon wakker te worden. Ze moest naar binnen, anders werd ze erop betrapt dat ze haar eigen huis zat te bespieden.

Opeens verlangde ze naar Danny, ze wilde met hem praten, de gebaande paden bewandelen. Ze kende Danny, ze begreep hem, kon zijn reacties voorspellen. Hij was nooit een rechte lijn met opeens een bocht erin. Danny was altijd hetzelfde, en dat wilde hij zo houden.

Om de een of andere reden raakte de gedachte aan Danny verstrikt met de zaak-Anwar, vanwege de wijk, omdat ze daar allebei op school hadden gezeten. Ze had nog nooit zijn hulp ingeroepen, had hun werelden altijd zoveel mogelijk gescheiden gehouden, maar ze was zo nijdig op Bannerman dat ze nu bereid was het te overwegen.

Daarbinnen was Brian, misschien al wakker, wie weet vroeg hij zich af waar ze was, waarom ze niet thuis was gekomen, waarom haar mobiel uit stond.

Ze stak haar hand uit naar de autosleutel, maar aarzelde nog even. Ze draaide hem om, startte en reed de rijbaan op, terug naar de levendige, lawaaierige stad.

13

Op dit vroege tijdstip was het een rit van maar twintig minuten, en toch lag het gloednieuwe complex luxeappartementen in een andere wereld.

Terwijl ze de handrem aantrok keek Morrow op naar de balkons. Het gebouw was tijdens de opleving van de huizenmarkt uit de grond gestampt, en het verval begon zich al af te tekenen. Sommige appartementen waren gekocht om zwart geld wit te wassen, in een periode dat onroerend goed een goede investering was. De gangsters vertikten het echter om de buitensporig hoge onderhoudskosten te betalen, zodat de flats er verwaarloosd uitzagen.

Ze dumpten vuilniszakken in de liften, zetten verkeerskegels op de beste parkeerplaatsen en betaalden de servicekosten domweg niet. De huismeester onderhield het gebouw niet meer: in alle trapportalen waren lampen stuk, schade aan gemeenschappelijke muren werd niet gerepareerd en er was van alles defect. Er was één lift in het complex die wel altijd goed werd onderhouden, en niemand waagde het erin te pissen of met een aansteker de kunststof knoppen te laten smelten: de lift naar het penthouse van Dan.

Ze reed de ingang van de ondergrondse parkeergarage voorbij en zette de auto aan de kant van de weg. Het was veiliger om naar de parkeergarage te gaan, maar als ze eerst aanbelde, wist Dan dat ze eraan kwam en had hij gelegenheid om eventueel belastend materiaal op te bergen. Daarna zouden ze quasi-argeloos moeten praten over zijn beveiligingsbedrijf en de problemen die de administratie en het leidinggeven met zich meebrachten. Hij balanceerde op het randje van wat nog door de beugel kon: hij runde diverse beveiligingsbedrijven die zich een bepaald territorium toeëigenden en daarbinnen met dreigementen en sabotage contracten afdwongen. Als je Dans firma niet inschakelde, werd je bedrijfsterrein geteisterd door een reeks branden of overvallen op je personeel, tot je bakzeil haalde. Danny had zelfs een keer de krant gehaald, een hele pagina, met als strekking dat dit kwaad een halt toegeroepen moest worden. Dat ze hem op de vroege ochtend overrompelde was weliswaar cru, maar in elk geval eerlijk.

Ze haalde diep adem en keek links en rechts de straat af. Verderop raakte de snelweg al verstopt met de ochtendspits. Achter haar begon het op de weg langs de rivier ook al druk te worden, maar deze brede straat lag er verlaten bij. Geen goed idee om daar te parkeren, besefte ze. Dé plek om een auto te stelen.

Vroeger was dit het havenkwartier geweest, met ruige zeemanskroegen, armoedige logementen en enorme pakhuizen waar uit de hele wereld ingevoerde goederen lagen te wachten om te worden gestolen door havenarbeiders met lange vingers. Verleden tijd. Tientallen jaren was de rivieroever een aaneenschakeling van loodsen geweest, tot de boel was gesaneerd tot industrieterrein: tapijt- en meubelopslagplaatsen hadden er een tijdje een noodlijdend bestaan geleid, tot ze tijdens de recente opleving van de huizenmarkt het veld hadden moeten ruimen voor luxeappartementen met uitzicht op de rivier. Twaalf verdiepingen gipsplaat en overbodige snufjes, bubbelbaden, ingebouwde koffiezetapparaten, alle appartementen voorzien van een balkon met uitzicht op het water, en dat tegenover een van de armste districten van heel Schotland. Er hadden kopers een nacht voor de deur van de makelaar gebivakkeerd om in de eerste fase van het project iets te kunnen bemachtigen. De markt was zo snel omgeslagen dat de aannemers de laatste fase aan de straatstenen niet meer kwijt konden.

Morrow stapte uit, trok haar jas dicht tegen de wind die over de rivier waaide en opende de achterklep. De fles single malt die ze cadeau had gekregen lag daar al twee weken. Ze nam hem als een puppy op de arm, sloot de auto af en liep naar de entree aan de voorkant. De bel van Dan: 12-1.

'Hallo?'

'Danny, ik ben het.'

Ze voelde hem aarzelen, waarna de voordeur klikte en zoemde en ze hem kon openduwen. Terwijl ze naar de stalen liften liep ketste het geklikklak van haar bescheiden hakken tegen de stenen vloer. Ze drukte op het knopje. Aan weerszijden stonden plastic planten, onwaarschijnlijk groene palmen; ze waren stoffig en het grind waar ze in stonden lag bezaaid met sigarettenpeuken. Er waren schilderijen stevig aan de muur geschroefd: vegen groen en rood.

De lift stopte, de deuren schoven open en er stapten twee jongens in capuchontrui en een zakenvrouw in broekpak uit: de jongens stiekem smoezend, de angstig kijkende vrouw keurig gekapt voor haar nieuwe werkdag.

Morrow deed een stap naar achteren om hen te laten passeren, stapte in en drukte op het knopje voor de bovenste verdieping. Het knopje lichtte roze op, maar ze bleef er afwachtend naar kijken. Omdat de lift rechtstreeks in het penthouse uitkwam, trad hij alleen in werking als je een sleutel had of als iemand in de flat op een knopje drukte. Ze vroeg zich altijd af of Dan haar de toegang zou weigeren, niet omdat hij dat ooit had gedaan, maar domweg omdat hij dat zou kunnen doen. De deuren schoven dicht en de metalen cabine ging met een schokje een klein eindje omlaag voordat hij richting dak vertrok.

Bij het idee dat ze hem dadelijk zou zien verstrakte ze vanbinnen.

Soepel kwam de lift tot stilstand, waarna de deuren openschoven en het volle daglicht binnenlieten.

Een meter of vijf verderop stond Crystyl, zwaar opgemaakt, het blonde haar naar achteren geborsteld, in strakke spijkerbroek met naaldhakken eronder en erop een roze T-shirt met lovertjes, strakgespannen over de tennisballen die ze voor veel geld had laten implanteren. In verwarring gebracht door een grimmig kijkende Morrow zwaaide ze op heuphoogte met haar hand en begroette ze haar op een kinderlijk fluistertoontje.

Morrow stapte de stenen vloer op. 'Alles goed, Crystyl?'

'Ja hoor, prima, en hoe'st met jou?'

Alex zag weliswaar kans enkele gemeenplaatsen uit te brengen, maar ze wist dat haar gezicht geërgerd stond als ze met Crystyl praatte. Het ging niet zozeer om Crystyl zelf, als wel om het type: een onnozele, sentimentele glamourgirl, maar onder dat glittervernisje wel zo berekenend om te profiteren van een man die voor zijn brood mensen het ziekenhuis in sloeg. Crystyl deed alsof ze dat niet wist, alsof zijn werk zich in een andere wereld afspeelde, maar ze ge-

bruikte bankbiljetten doortrokken van verdriet, zweet en doodsangst om er attente wenskaarten en sleutelhangers met engeltjes
voor te kopen. Alex dwong zich tot beleefdheden, maar ze kon het
mens wel slaan en had zin om te zeggen dat ze zelf haar handen eens
moest laten wapperen.

'Goed hoor. Is Dan er?'

'Hij komt zo, één heel klein minuutje nog.' Crystyl moest erom
lachen, een zenuwachtig gegiechel dat deed denken aan glas dat
door een hoge hak op een smerig trottoir wordt vertrapt. 'Eh...
Kan 'k soms een kop koffie aan je kwijt?'

Op grond van de afweging dat ze hier moeizaam een gesprek op
gang konden houden, maar ook bedrijvig in de weer konden gaan
met koffiezetten, knikte Alex, en ze liep achter Crystyl aan door de
woonkamer naar de keuken.

De woonruimte van het appartement was schitterend: warmgele
zandsteen over twee verdiepingen, met een glaswand die uitkeek
over de rivier in de richting van de Ierse Zee. Een grote L-vormige
bank stond ernaartoe gekeerd. De hele inrichting was uitgevoerd in
geel of in steen, al het meubilair smaakvol verantwoord als in een
modelflat, en bij de prijs inbegrepen. Alex was jaren geleden een
keer in Crystyls eigen flatje geweest, toen Dan haar pas kende. Ze
had de geheel roze aankleding lichtelijk obsceen gevonden, alsof ze
een educatieve maquette van een vagina binnen stapte.

In de keuken waren in het verlaagde plafond verblindende halo-
geenspotjes aangebracht. Rondom glansden glasachtige zwartgra-
nieten werkbladen, met in het midden een enorme tweedeurskoel-
kast met een houten timpaan erboven, als een voedseltempel.

'Ik zal echte koffie voor je zetten, in het apparaat. Ik ben dól op
echte koffie. En jij?'

Alex haalde haar schouders op.

Crystyl wist niets meer te zeggen over koffie en begon toonloos
te neuriën om de akelig pijnlijke stilte te doorbreken. Zwijgen was
een heel elementaire verhoortechniek, en Alex wist dat de meeste
normale, onschuldige mensen vaak probeerden om een hiaat in het
gesprek te vullen. Een inwoner van Glasgow zou eerder zijn eigen
moeder verlinken dan dat hij met een onbekende ging zitten zwijgen. Ze had liever dat Crystyl haar mond hield, maar ze wist zelf
niets te zeggen.

Crystyl pakte een onaangebroken zilverkleurig blik Illy-koffie uit een kastje, verwijderde het plastic deksel en de metalen lip, en keek verbijsterd in het blik. 'O,' zei ze.

'Wat is er?'

'Fout,' zei Crystyl.

Alex liep naar haar toe en keek in het blik. Bonen. 'Kun je ze niet malen?'

Crystyl keek naar de keukenmachine. 'Daarin?'

'Heb je geen koffiemolen?'

Crystyl keek naar het koffieapparaat aan de wand. 'Zit daar niet zo'n ding in?'

Er zat een knop op om heet water door de gemalen koffie te stuwen, en een pijpje om melk op te schuimen. Crystyl drukte op knopjes, probeerde de symbolen te ontcijferen. Zenuwachtig opende ze een klep in het apparaat en pakte de waterkan eruit: nooit gebruikt en dus vergeeld. 'Moeten de bonen hierin?'

Alex sloeg Crystyl gade, en uit het niets welde een golf mededogen voor het domme wicht op. 'Ach, laat die koffie maar zitten, doe maar thee, als jij ook neemt.'

'Maar ik drink geen thee.' Crystyl keek over Alex' schouder en haar gezicht klaarde op. 'Hai, liever.'

Alex had Dan niet horen binnenkomen. Hij had zijn jack al aan en liet zijn autosleutels nadrukkelijk om zijn wijsvinger slingeren. Het was een warm, met dons gevoerd jack dat hem dikker maakte, alsof hij twee jaar in de gevangenis had gezeten en zich had toegelegd op gewichtheffen. Zijn kaalgeschoren hoofd en het lange litteken op zijn wang weerspraken die indruk niet.

'Wat doe jij hier?' Hij verbeet een glimlach.

'Ik kom bij je langs.' Ze kauwde op haar wang om haar eigen glimlach te verbijten.

'Om halfacht?'

'Nachtdienst gehad, op weg naar huis. Ik wilde je even spreken voordat je aan het werk gaat.'

Hij kneep zijn lippen samen. 'We hadden elkaar makkelijk mis kunnen lopen.'

'Klopt.' Ze knikten allebei een andere kant op en wensten beiden om hun eigen redenen dat het minder stroef ging.

'Baby?' vroeg hij.

'De laatste tijd niet,' antwoordde ze gauw. Ze maakte een grapje om de vraag te ontwijken. Ze glimlachten beiden een andere kant op. 'Het gaat prima met 'm, hoor. Zo. Dit is voor jou.'

Ze zette de fles single malt op het aanrecht. Hij keek er besmuikt lachend naar en legde heel even zijn vinger op de dop. 'Attent.'

Crystyl keek niet-begrijpend van de een naar de ander. Dan dronk geen alcohol.

Alex keek glimlachend bij hem weg. 'Je kent me. Gefeliciteerd, Danny.'

'Ik ben jouw verjaardag vergeten.'

'Geeft niet,' antwoordde ze naar waarheid.

Crystyl slaakte een gesmoord kreetje en schoof langs Alex heen om naast Dan te gaan staan. Met haar armen om zijn middel geslagen drukte ze haar borsten tegen zijn zij. Ze gaf hem speels een por. 'De verjaardag van je zusje! Rotzak – o, pardon – je bent een grote rotzak, Danny,' zei ze lachend. 'Absoluut.'

Dan trok zijn gezicht in de plooi. 'Helemaal gelijk, mop.' Hij sloeg zijn arm om Crystyls smalle middeltje en drukte haar tegen zich aan. 'Ik ga ervandoor, en dan neem ik Alex mee naar beneden.' En tegen Alex: 'Staat je auto aan de voorkant?'

'Ja.'

Hij begreep waarom, en dat zat hem niet lekker, dat zag ze wel.

Crystyl trippelde met zwierende paardenstaart voor hen uit naar de lift. Op dezelfde pek waar ze had gestaan toen de liftdeuren opengingen, stond ze stil om hen te laten passeren. Waarschijnlijk was de belichting daar goed, zodat degene die de lift uit kwam haar op haar best zag en misschien nog met genegenheid aan haar terugdacht als hij later die dag een autoportier op iemands hand dichtsloeg.

'Dag schatje.' Ze blies hem een kushand toe.

Dan, die een tamelijk vermoeide indruk maakte, stak zijn hand op om de kus te vangen. De deuren gingen dicht.

Spiegels aan alle vier de wanden kaatsten hun beeltenis terug: beiden lang, beiden blond, beiden met de kinderlijke kuiltjes in hun wangen die ze van hun vader hadden. Nu hadden die putjes iets aandoenlijks, maar ze hadden ze bij hun vader met het ouder worden zien uitzakken tot diepe groeven. Hun vader zag eruit alsof hij had gevochten met een messentrekker die een dwangmatige hang naar symmetrie had. Verder leken ze niet op elkaar. Alex had de ogen van haar moeders kant, Danny had de mond van zijn eigen moeder: dun, hard.

Drie maanden scheelden ze. In zijn jonge jaren was hun vader een echte charmeur geweest, en hij had er gelijktijdig diverse gezinnen op na gehouden. Alex' moeder was naïef en hield van hem met een hartstocht die stagneerde toen de baby kwam. Danny's moeder was jonger maar al immuun voor teleurstellingen. Danny groeide niet op met schaamte en boosheid, maar wel in een huishouden dat werd geregeerd door een aaneenschakeling van foute kerels en drank.

Alex en Danny hadden elkaar op hun eerste schooldag ontmoet. Ze waren net een tweeling, dat zei iedereen, het was een onschuldig grapje. De eerste maanden op school 'gingen' ze met elkaar, maar daar was abrupt een einde aan gekomen toen de twee moeders elkaar bij het hek troffen. De levendigste herinnering aan haar kleutertijd bewaarde Alex aan die wandeling door een park naar huis, toen er bloed op het grijze pad drupte uit de mond van haar snikkende moeder. Tijdens het gevecht was haar bloes gescheurd, en iedereen kon het bandje van haar beha zien.

Toentertijd ging je niet zomaar naar een andere school. Dan en Alex hadden samen de lagere en de middelbare school doorlopen. En al die tijd hing er de niet-aflatende dreiging dat hun moeders op de vuist zouden gaan, dat er revanche zou worden genomen.

Zij was opgelucht dat Danny's moeder zich had doodgedronken toen ze in de tweede klas zaten, en ongetwijfeld was hij opgelucht dat de hare was overleden toen ze zestien waren, maar daar had ze naar moeten gissen: inmiddels was hij allang van school.

Later besefte ze dat ze gelukkig nooit McGrath had geheten. Haar moeder had daar altijd op aangedrongen, maar haar vader had haar niet willen erkennen. Om de een of andere reden was dat in die tijd belangrijk geweest. Als ze zijn naam had gehad, zou de beoordelingscommissie van de politieacademie haar achtergrond misschien hebben vermoed, doorgehad hebben van wie ze er een was, en zou ze niet tot het korps zijn toegelaten.

Pas drie verdiepingen lager begonnen ze weer te praten.

'Ik wilde je iets vragen over iemand,' zei Alex, en ze haalde haar mobiel tevoorschijn. Ze scrolde door de foto's tot ze bij de opname

kwam die ze de vorige avond op straat had gemaakt. Naast het afzetlint stond Omar Anwar, zo duidelijk als ze hem erop had kunnen
krijgen: hij rookte en maakte een geslagen indruk.

Ze liet Dan de foto zien. 'Ken je hem?'

Dan kneep zijn ogen tot spleetjes. 'Geen idee.' Hij gaf haar het
telefoontje weer terug. 'Nog bekenden gesproken?'

'Nee.'

'Lan Gallagher is vorige maand getrouwd.'

Morrow moest lachen. 'Wie heeft ze in godsnaam zo gek gekregen?'

'Ach, je weet hoe dat gaat,' zei hij schouderophalend. 'Op elk
potje past een dekseltje.'

Ze glimlachte. Charmante kuiltjes die uitzakten tot groeven. Zo
kregen de McGraths je te pakken.

Voordat de deuren goed en wel open waren wurmde Danny zich
er al doorheen; hij liep snel de hal door naar een zijdeur waar PAR-
KEERGARAGE op stond. Alex ging achter hem aan.

De deur gaf toegang tot een kale betonnen gang waar het klam
en koud was en waar schelle tl-verlichting hing. Ze ging de hoek om
en zag dat Dan op haar stond te wachten. Hij was in een hoekje
gaan staan, dicht tegen de muur.

'We hebben ik weet niet hoeveel camera's opgehangen.' Hij wees
het plafond rond. 'Problemen in de gangen. Ik weet waar ze zitten,
dus hou je mond…'

Teleurgesteld omdat ze moest erkennen wie Dan werkelijk was,
liet Alex haar schouders hangen, maar Danny negeerde het verwijt
en trok haar bij de elleboog van haar jas het hoekje in. Hij pakte
haar mobiel, zocht de foto van Omar op en bestudeerde hem.

Alex vond het vreemd om zo dicht bij elkaar te staan zonder elkaar aan te raken. Ze voelde Dans adem in haar hals. Het was of ze
weer samen jong waren, zoals die keer dat hij haar hasj had leren roken, op een feestje in de slaapkamer van Bosco Walker, in een kast,
en ze op zijn nieuwe sportschoenen had gekotst. Ze wist nog dat ze
had gedacht, terwijl ze het speeksel van haar mond veegde, dat ze
daar blij om was, want de schoenen waren gejat. Bosco en Lan en
het hele stel hoorden bij een lang vervlogen verleden, een doolhof
van herinneringen dat ze zelden bezocht, dus áls ze het deed, leek alles heel helder en direct, echter dan het grauwe heden.

Dan hield het mobiel omhoog. 'Die jongen komt uit South Side.'

'Weet ik. Is hij…? Je weet wel wat ik bedoel…' Tegen een collega zou ze 'een bekende van ons' hebben gebruikt, maar dat kon ze tegenover Dan niet maken.

Hij hielp haar een beetje. 'Met iets bezig?'

'Ja.'

'Nee, nee, prima familie. Pa runt een buurtwinkeltje. Twee zoons, hebben op de St. Al gezeten, allebei aan de universiteit gestudeerd, volgens mij.'

'Klopt,' zei ze. 'De een rechten, de ander bedrijfskunde.'

'O ja?'

Ze zag dat hij dat in zijn geheugen prentte en kreeg er spijt van dat ze in detail was getreden. Dan was in staat informatie een eeuwigheid te onthouden voordat hij er gebruik van maakte. 'Waar ken je hem van?'

Hij gaf haar het mobieltje terug. 'Als klein jochie liep ie mee met de Young Shields. Weggegaan, heb hem in geen jaren gezien.'

De meeste Aziatische jongens waren op een gegeven moment wel lid van een bende, gewoonlijk om zich te beschermen tegen andere Aziatische bendes. Dat betekende niet dat Omar deugde of niet deugde, het bevestigde alleen dat hij jong en bang was geweest. Voor zover Alex zich kon herinneren was dat een en hetzelfde.

'Ken je zijn broer nog?'

Dan ging terug in de tijd. 'Bill?'

'Ja.'

'Dikke zachte jongen, hield zich altijd afzijdig.'

Ze hoorden de haldeur opengaan, voetstappen, en er kwam een trendy jongeman de hoek om. Hij schrok even toen hij hen zo dicht bij elkaar zag staan in een verder lege gang, wendde zijn blik af en glipte langs hen heen.

Alex keek boos naar Dan omdat hij aan zijn neus had gekrabd terwijl de jongeman voorbijliep. Hij verborg zich, schermde zijn gezicht af met zijn hand. Dat deed hij altijd als er naar hem werd gekeken. Het was een van de vele dingen waarmee hij zich verried: zo dacht hij bijvoorbeeld altijd eerst na voordat hij erkende dat hij ergens geweest was, en hij bracht de deuren in kaart als hij ergens binnenkwam.

'Ben ik nu een informant?'

'Nee hoor.'

Toen Morrow de banden met haar familie verbrak, had ze dat drastisch gedaan. Het was niets voor haar om hulp te vragen, zeker niet aan Danny, en ze besefte dat hij, nu zijn belangstelling was gewekt, niet zou rusten voordat hij begreep waarom ze bij hem was gekomen. Ze begreep het zelf ook niet.

'Pa is ernstig ziek,' zei hij opeens.

'O ja?'

'Ze hebben hem van het ziekenhuis naar een verpleeghuis gebracht. Kanker. Een paar maanden nog, zeiden ze.'

Ze knikte in de richting van haar voeten. 'O ja?' Ze merkte hoe strak haar lippen opeens waren. 'Heeft hij naar ons gevraagd?'

'Nee. Geen idee.' Ook Dan mompelde. 'Hoezo? Heb jij soms gehoord dat hij naar je heeft gevraagd?'

'Nee.' Ze lachte schamper.

Ook Danny moest lachen. 'Waarom vroeg je het dan?'

'Ik weet niet, gewoon, je moet toch íéts zeggen?'

'Ach ja. Als hij nog maar een paar maanden heeft, heeft hij geen tijd meer voor al zijn kinderen.'

'Met ons hoevelen zijn we volgens jou?'

'Geen idee.'

'Zie je weleens iemand waarvan je denkt: zou dat er een van hem kunnen zijn?'

Hij grijnsde. 'Nee. Jij?'

'Nee.' Hij wist best dat zij ook loog, en ze keken elkaar met een warme glimlach aan.

'Gaat 't goed?' Hij zei het zo snel dat het klonk alsof hij zijn keel schraapte, alsof hij zijn bezorgdheid zo gauw mogelijk kwijt moest.

'Prima!' Ze klonk geschokt terwijl ze het vol bravoure had willen zeggen, en ze verbeterde zichzelf: 'Prima.'

'De jongen…' Er ging een steek door haar heen, tot ze hem naar haar mobiel zag kijken. 'Waarom vroeg je naar 'm?'

Ze haalde haar schouders op en merkte dat ze was vergeten adem te halen. 'Ik dacht dat je me misschien kon helpen, omdat het vlak bij het oude huis is… Bekend terrein…'

Ze kon er niet toe komen hem aan te kijken, uit angst dat hij nog een vleugje verdriet in haar ogen zou zien.

'Ik moet ervandoor,' zei hij, maar hij bleef staan.

'Ik ook,' zei Alex, maar ook zij verroerde zich niet.

Ten slotte konden ze het niet langer rekken. Ze liep weg. 'Nog gefeliciteerd, Danny.'

'Bedankt.' Dan bleef staan en keek haar na tot ze de betonnen hoek om was. Zijn stem kwam achter haar aan. 'Bel me.'

'Nee hoor.' Ze trok een rimpel in haar neus en reikte naar de kruk van de haldeur. 'Ik heb toch niks te zeggen.'

'Om te vertellen hoe het verdergaat met Bob.'

Alex liet haar hand zakken en liep terug naar de hoek. Dan stond nog weggedoken in het krappe hoekje waar ze hem had achtergelaten. 'Bob?'

'Bob.' Dan wees naar het mobiel in haar hand. 'Dat kereltje…'

'Omar?'

'Ja. Bob is zijn straatnaam.'

14

Het was dag. Aamir wist het zeker. Klaarlichte dag buiten.

Door de angstaanjagende avond en nacht was hij tot het uiterste
gespannen, en al piekerend was hij van uitputting in slaap gevallen,
met de hand van zijn moeder in de zijne. Toen hij wakker werd lag
hij te kwijlen in de kussensloop, die aan zijn gezicht geplakt zat. Hij
kwam overeind, trok de kussensloop recht en merkte dat de gebeurtenissen hem niet meer zo helder voor de geest stonden.

Ze hadden een hele tijd gereden, waren van het busje overgestapt
in een auto, hadden weer een heel eind gereden, en hij wist dat hij
uren van huis was. Hij kon in de Highlands zijn, maar ook in Manchester of zelfs in Londen. En daarginds, ergens ver verwijderd van
het goedkope stofje van de kussensloop over zijn hoofd, waren zijn
kinderen en zijn vrouw, zijn prille kleinzoon en Aleesha, die bloedde en misschien wel dood was.

Aleesha. Een lastige dochter, eigengereid, ongehoorzaam. Hij
was dol op haar. Ze had dat allemaal van Sadiqa, en om al die boosheid en energie was hij verliefd geworden op haar moeder. Zijn
mond bad dat het haar goed ging, maar zijn hart stond niet open
voor God.

Omar had hem verraden. Voor Aamir, zelf een tweede zoon, was
Omar altijd zijn oogappel geweest.

Aamir zuchtte, wendde zich tot zijn moeder en vroeg: waarom
had Omar hem dit aangedaan?

Misschien was hij aan de drugs. Van alle drie zijn kinderen kon
Aamir zich van Omar wel voorstellen dat hij verslaafd was. In zijn
winkel kwamen veel junks, ze zochten spullen die ze konden stelen,
kochten snoep. Echte zoetekauwen. Lang geleden was hij tot de

slotsom gekomen dat er net zoveel nette junks waren als nette mensen; de meesten waren best aardig, behalve als ze last hadden van ontwenningsverschijnselen of het niet meer zagen zitten, maar dat gold voor iedereen. Hoe dan ook, aan de overkant zat een slijter en verderop een supermarkt. Veel makkelijker om daar iets te stelen. Aamir had liever junks dan alcoholisten.

Omar had werkeloos toegekeken terwijl zijn vader in zijn plaats werd ontvoerd. Alleen Billal, de enige van zijn kinderen die hij eigenlijk niet mocht, had verzet geboden. Aamir vergoelijkte niet alleen Omars handelwijze, zoals hij altijd deed, nee, hij had er alle begrip voor. Hij had zijn moeder hetzelfde aangedaan: hij had gelaten aangezien dat ze haar meenamen als betaling voor zijn eigen veilige doorgang, en dat had ze niet erg gevonden. Op dit moment vond Aamir het ook niet erg.

Ook zij was bang. Hij gaf een bemoedigend kneepje in zijn moeders hand en zei dat ze zich geen zorgen hoefde te maken. Hij had er nu begrip voor dat ze zich had opgeofferd voor zijn veiligheid. Als jongeman had hij gevonden dat ze zich had moeten verzetten, maar nu begreep hij het.

Het gezinsleven viel Aamir zwaar. Hij ergerde zich vreselijk aan zijn kinderen, hoewel gedurende de afgelopen nacht de alledaagse strubbelingen van het normale gezinsleven helemaal waren vervlogen. Van een afstand, gescheiden door een onoverbrugbare zee van verlangen, zag hij in dat ze best deugden, dat de normen en waarden die hij ze had willen bijbrengen door altijd maar te controleren, te schreeuwen en saamhorigheid te preken – dat zijn normen en waarden ook die van hen waren geworden. Als hij ze nu zou mogen zien, nog één keer in zijn leven, dan zou hij zijn kleinzoon een kus op zijn hoofd geven, zijn neus in het donshaar van de baby duwen, Omar verzekeren dat hij niet echt boos was en lachend tegen Aleesha zeggen dat haar ongebreideldheid iets moois had. Hij zou in het donker naast Sadiqa liggen zonder te bedenken dat ze zo dik was, het hele bed in beslag nam en naar bakolie rook. Hij zou daar liggen genieten van het vredige donker, van de lakens en van het groene lichtje van de wekkerradio dat tegen het plafond knipperde.

Bij de gedachte aan zijn eigen bed welde er een snik in zijn keel op, die echter werd gesmoord door zijn gekneusde ribben.

Er waren twee mannen. De ene praatte met van woede verstikte stem, de andere was eigenlijk niet zo geïnteresseerd en deed soms vriendelijk als zijn vriend de kamer uit was. Die met de verstikte stem was gisteravond teruggekomen en had hem gemeen in zijn zij gepord, en hij had vals gelachen toen Aamir naar adem snakte. Hij had tegen Aamir gezegd dat hij moest blijven zitten waar hij zat en zich niet mocht verroeren, net als bij een kinderspelletje van vroeger, en ook dat hij de kussensloop niet af mocht doen. Aamir gehoorzaamde. Hij had een camera in de winkel en wist hoe goedkoop die waren: misschien hing er hier ook wel een.

Hij zag zichzelf van bovenaf zitten: een kleine grijze man in kleermakerszit op een groot grijs bed. Een kussensloop over zijn hoofd, keurig netjes, en naast hem een dikke vrouw met een bloem van bloed op haar zitvlak. Ze bette haar tranen met haar sari en snikte uit gewoonte, niet omdat ze treurig was.

Hij zag haar om zich heen kijken, ver, ver weg, alsof ze boven in een open dubbeldekker zaten en niets van de bezienswaardigheden wilden missen. Zijn moeder nam zijn hand stevig in de hare, niet uit angst, nee, want hier waren geen gewapende soldaten die op Britse paspoorten uit waren, maar ze kneep in zijn hand van opwinding omdat ze eindelijk samen allerlei dingen aan het bekijken waren, omdat hij eindelijk haar hand had gepakt. Ze wees naar het raam, glimlachte een grijze glimlach, en de camera stopte.

Er was een raam, ze had gelijk. Hij kon het door de stof heen zien. En aan het voeteneinde van het bed was een deur, een dichte deur, daar kwamen de mannen door binnen, herinnerde hij zich nu. Als hij hard hoestte weerkaatste het geluid tegen de muren, waaruit hij opmaakte dat het een klein vertrek was. De slaapkamer van een man. Een vrouw zou het nooit zover laten komen met die lucht van ongewassen haren en voeten. Zij wist dat je het raam open moest zetten, af en toe het bed moest verschonen.

Hij trok de onderrand van de kussensloop een beetje naar voren, zodat hij het beddengoed kon zien. Hij liet de rand gauw weer los, schermde zich af. Walgelijk. Hij wilde het niet zien. Een vergeelde plek waar een mannenlijf had gelegen, scherpe vouwen, een zweem van urine. In geen maanden verschoond.

Van walging raakte hij in paniek, van smerigheid raakte hij in paniek, maar het was van levensbelang om kalm te blijven. Aamir, een intelligente man met een alledaags beroep, had zich aangewend om door middel van wilskracht zijn stemming te beïnvloeden; hij maakte sommen en lijstjes in zijn hoofd om helder te blijven. In gedachten begon hij de vaste klanten door te nemen die op een normale werkdag in de winkel kwamen, vanaf halfzeven, wanneer hij de deur van het slot deed, tot hij naar huis ging, en hij vertelde zijn moeder over hen. Hij dacht aan de luchtjes van die mensen, rangschikte hun geurtjes, hun problemen: drank, drugs, gekte, luiheid, incontinente huisdieren die rondrenden.

Het was halftien, met een speling van een minuut of vijf. Hij droeg geen horloge, maar hij zat al vijfendertig jaar in winkels – eerst in die van zijn oom, daarna in zijn eigen zaak – op klanten te wachten, wat hem een buitengewoon goed tijdsbesef had opgeleverd. Het zou nu wel rustig zijn geworden in de winkel. Meestal zette Johnny op dit tijdstip een kop thee en bereidden ze zich voor op de vele schoolkinderen die chocola en chips zouden komen kopen. Hij kon zich Johnny's gezicht niet voor de geest halen, wel zijn aanwezigheid. Rustig, schouder aan schouder, een man die alles zag en hoorde wat Aamir zag en hoorde, die zijn dag met hem deelde.

Aamir verstrakte. De deur aan het voeteneinde ging zachtjes open en een grijze gestalte boog zich naar binnen.

'Honger?' Niet die verstikte stem, die andere. 'Heb je hon-ger?' herhaalde de jongeman, alsof hij dacht dat Aamir geen Engels sprak.

'Ja,' antwoordde Aamir duidelijk. 'Iets te eten zou heel welkom zijn.' Zijn antwoord had vlot moeten klinken, maar het kwam eruit, besefte hij, alsof Engels zijn tweede taal was. Strikt genomen was het zijn derde taal.

'Oké, vader.' De man reikte hem iets aan. 'Hier heb je, eh, geen geroosterd brood maar wel een paar boterhammen. En een blikje fris.'

Hij kwam naar de rechterkant van het bed, bukte zich om iets op de grond te zetten, waarna hij zich oprichtte met een zacht 'ziezo'. Aamir had de rand van de kussensloop gepakt en tilde die een eindje op.

'Geen geintjes.' Bedaard hield de man zijn hand tegen. 'Sorry, maar zou je dat ding willen ophouden tot ik weg ben?'

'Natuurlijk.'

'Geen geintjes.' Hij richtte zich op en liet zijn stem dalen. 'Goed geslapen?'

Aamir paste zich aan en fluisterde: 'Jawel, jongen, het ging wel.'

'Sorry dat het hier zo stinkt. Sorry. Beetje vies. Maar zodra je familie het geld heeft opgehoest mag je naar huis.'

'Gaat het goed met mijn dochter? Ze hebben haar in haar hand geschoten.'

Hij aarzelde, en Aamir vroeg zich af of die man wel wist dat de overvallers dat hadden gedaan. 'Geen idee,' antwoordde hij ten slotte. 'Maar ik zal het navragen, dan hoor je het nog wel.'

Aamir knikte.

'Drink nou maar wat, goed?'

De man draaide zich om en slofte weg.

Aamir luisterde tot de deur gedecideerd dicht was gedaan en er voetstappen de trap af gingen. Aarzelend tilde hij een puntje van de kussensloop op om over de rand van het bed te kunnen kijken. Een open blikje Irn-Bru en twee sneden witbrood op elkaar, niet doorgesneden, op een stuk krant. Door een man klaargemaakt. Hij voelde aan het blikje. Lauw. Omdat het ramadan was moest hij eigenlijk vasten, maar hij wist niet of ze hem nog iets zouden brengen. Dat kon hij later wel goedmaken, en wie weet redde hij zijn leven ermee. Aamir was trouwens zestig, en mocht dus wel iets eten. Hier was niemand voor wie hij een lichtend voorbeeld moest zijn.

Hij pakte het blikje en trok de kussensloop eroverheen, sloot zich op in zijn witte tentje. Het drankje was zoet en pittig. Lekker. Hij dronk het blikje leeg en reikte naar het brood, met de rand van de kussensloop hoger opgetild dan zijn bedoeling was geweest, zodat hij de muur naast het bed kon zien. Vanaf de plint was het behang eraf getrokken, maar halverwege had men het opgegeven: de flarden hingen erbij en de onderlaag was zichtbaar.

Zijn moeder knielde achter hem en tilde de kussensloop met twee handen voorzichtig op, tot de stof op zijn voorhoofd lag. Een vieze boel. Er lagen verfomfaaide tijdschriften op de grond, *Loaded*, FHM en ook pornoblaadjes, *Escort, Fiesta*. Heel oude nummers, zag Aamir aan de omslagen. Hij had ze ook in de winkel, maar tegenwoordig minder omdat ze amper nog verkochten nu iedereen internet had. Er hingen gordijnen voor het raam, maar ze oogden smoezelig en waren slordig dichtgetrokken, met bovenaan een spleet waar het witte daglicht doorheen stroomde: een schijnwerper waar stof in dwarrelde.

Zijn moeders hand raakte zijn rug aan, haar vingertoppen deden een van haar onweerstaanbare voorstellen: toe dan Ammy, zei ze, ga eens voor me kijken waar we zijn.

Aamir keek van de deur naar het raam en weer terug. Hij trok de kussensloop af maar bleef doodstil zitten, bang dat ze binnen kwamen rennen om hem in elkaar te slaan. Als ze hier een camera hadden opgehangen zouden ze het kunnen zien. Hij wachtte even, maar er kwam niemand.

Toe dan, Ammy.

Hij keek naar haar, naar de slappe huid van haar onderkin, de ongelooflijk zijdezachte huid van haar onderarmen, haar lange wimpers. Aleesha had haar wimpers van niemand vreemd.

Met zijn blik op de deur gericht zwaaide hij zijn benen links van het bed op de grond, waarna hij snel overeind kwam en met zijn neus bijna tegen het grijze gordijn stond. Zijn hart bonkte, zijn nek was verstijfd van angst, maar hij kon de straat in kijken.

'Een straat,' zei hij tegen haar.

Om de verwaarloosde, overwoekerde tuin stonden enorme heggen, eens goed verzorgd maar nu naar alle kanten uitgegroeid over een brokkelig betonpad en door de wind platgeslagen gras. De tuin, van een gemeentewoning waarschijnlijk, was ondiep en steil. Het donkergroene gras lag vol rommel: stukken plastic, verbleekte bierblikjes, kartonnen dozen die door de regen half waren vergaan. Aan de overkant stonden huizen die er, vermoedde hij, net zo uitzagen als dit huis, gemeentewoningen met donkere leisteen daken en op de benedenverdieping een groot raam. Zo'n nieuwbouwwijk als ze in Glasgow wel hadden, op sterven na dood.

Tot zijn verbazing zag hij heuvels achter de daken van de wijk. Manchester had niet zoveel heuvels. Londen had niet zulke hoge, trotse heuvels. Dit waren Schotse heuvels, en hij herkende ze. Hij knipperde met zijn ogen en keek nog eens goed. Castlemilk. De hoge flats, de watertoren, Cathkin Brae. Hij sloot zijn ogen en zocht in zijn geheugen, opende ze weer en zag dat hij gelijk had. Hij bevond zich in het zuiden van Glasgow, nog geen kilometer van zijn huis. Zijn oom had hier ergens gewoond toen ze hier pas waren, in een prefabhuis in Prospecthill. Hij had er vaak in de keuken naar dit uitzicht staan kijken. Met bonkend hart besefte Aamir dat hij naar huis zou kunnen lopen, of bus 90 zou kunnen nemen. Als het moest kon hij vanhier zelfs te voet naar zijn winkel.

'Vlakbij!' zei hij triomfantelijk.

Zijn moeder op het bed sloeg haar hand voor haar mond en begon zachtjes te lachen, blij omdat hij blij was.

Aamir glimlachte. Als ze nu binnenkwamen en hem doodschoten, als ze allebei binnenkwamen en hem in elkaar sloegen, zou hem dat minder kunnen schelen, zou hij minder bang zijn en minder pijn hebben, want alles was dichtbij: de winkel, de schappen met de artikelen die hij zelf had uitgezocht, geprijsd en gerangschikt, het bidhoekje in de achterkamer, de stickers op de deur, het rek met snoep dat hij had gevuld, de ordelijke wereld die hij in de loop van tientallen jaren had geschapen en verfijnd, en waar hij zoveel genoegen aan had beleefd.

'Daarginds is mijn winkel,' zei hij tegen zijn moeder.

Het was rustig buiten, maar ze zaten waarschijnlijk dicht bij de hoofdweg, want hij hoorde wel verkeer. Er kwamen bussen voorbij, vermoedelijk lijn 90, die passagiers naar de stad brachten, naar Langside, naar Rutherglen en Asda, de supermarkt.

Activiteit op straat: een magere figuur in een wit trainingspak en met een petje op kwam haastig om de heg het steile pad op. Hij klemde een zware blauwe plastic tas tegen zich aan. Aan de omtrek meende Aamir te kunnen zien dat er blikjes bier in zaten. Door de klep aan zijn petje kon de man niet omhoogkijken, maar toch deed Aamir een stap naar achteren terwijl de man het huis naderde. Hij spitste zijn oren, maar hoorde de voordeur niet opengaan. De man was kennelijk achterom gelopen.

Een eindje bij het raam vandaan bleef Aamir naar de geluiden in huis staan luisteren. Als ze zich volgoten met het bier uit die tas, werden ze misschien wel slaperig en kon hij stilletjes vertrekken en naar de winkel lopen.

Terwijl hij stond te peinzen, drong het geleidelijk tot hem door dat hij een motor hoorde brommen. De weg was verlaten, en heel even meende hij dat de wind geluiden uit een andere hoek aanvoerde, maar toen zag hij de auto onder aan het pad stoppen.

'Maman!' fluisterde hij dringend. 'Maman!'

Ze keek over zijn schouder mee, dicht achter hem zonder hem aan te raken, en ook zij zag de politieauto.

'Geweldig, Ammy,' zei ze, en opeens zat ze weer op het bed.

Aamir zag een schokje door de auto gaan toen de handrem werd aangetrokken. Het rechterportier ging open en een been stapte uit.

Aamir draaide zich om en kroop gauw weer naast zijn moeder op het bed. Hij schoof de kussensloop over hun hoofden, trok zijn knieën tegen zijn borst en hield zijn adem in: de politie kwam hen redden.

Ze hoefden alleen nog maar te wachten.

15

Op het parkeerterrein bij bureau London Road zat Morrow in de langzaam afkoelende auto naar de blinde muur te staren. Ze kon niet zeggen dat ze de informatie van Danny had. Niemand mocht weten dat hij haar halfbroer was. Bij de politie hield men zich graag aan 'zij' tegenover 'wij', en Danny en zij leken zo sprekend op elkaar dat de geringste argwaan de verwantschap zou bevestigen. Maar Bannerman was niet van plan om iets met de aanwijzing te doen, en zelfs al leverde die uiteindelijk toch iets op, dan nog zou hij haar de eer niet gunnen. Ze moest het aan MacKechnie vertellen zonder achterbaks over te komen.

Ze stapte uit, sloot de auto af en liep de hellingbaan naar de beveiligde deur op. Toen ze haar pasje pakte vertraagde haar hartslag merkbaar. Ze werd altijd rustig als ze het bureau binnen ging: de balsem van de orde. Ze wist welke bureaus achter die deur bemand zouden zijn, wie voor welke taak verantwoordelijk was en naar wie je moest opkijken en op wie je kon neerkijken. Als ze in bed lag en niet kon slapen verplaatste ze zich in gedachten hierheen, naar deze deur.

Ze toetste haar code in, en de deur zwaaide zoemend open. Terwijl ze door de hal en langs de balie liep, hield ze zich voor dat Danny haar belangrijke informatie had verschaft en dat ze het niet ver zou schoppen als ze de concurrentie een kontje gaf. Ze had even rust nodig om een plan uit te stippelen.

Het invalidentoilet in de hal was vrij. Ze glipte ongemerkt naar binnen, deed de deur op slot en de wc-klep naar beneden en ging zitten. Ze moest de informatie doorgeven op een zodanig moment en op een zodanige manier dat zij met de eer ging strijken. Danny's naam mocht niet vallen, maar de informatie moest in bijzijn van

Bannerman aan MacKechnie worden doorgespeeld. Ze moest zien dat ze hen samen trof.

Als ze haar ogen sloot zag ze de rode voordeur in Blair Avenue weer voor zich. Gauw opende ze haar ogen, stond op, ging naar de lage wasbak en keek zichzelf boos aan in de spiegel. Rode ogen, donkere kringen eronder, een bitter trekje om haar mond. Ze begon iets zuurs te krijgen, net als haar moeder.

Zonder weer oogcontact met zichzelf te maken knapte ze zich een beetje op, streek haar haren naar achteren. Handen wassen. Bij het opendraaien van de kraan werd ze overvallen door het beeld van mollige vingertjes onder helder stromend water, vingers die verwonderd wriemelden, genietend van de nieuwe sensatie. Ze sloot haar ogen, gooide haar hoofd in de nek, deed ze weer open. Naast de spiegel had iemand met een balpen in kleine lettertjes gekalkt: HKS.

Morrow snoof woedend, schepte water op onder de nog lopende kraan en gooide het tegen de muur. Ze griste zo ruw groene papieren handdoekjes uit de houder dat er ook een paar op de grond vielen en begon de letters weg te boenen.

De woede zakte af en ze trok haar hand terug. De letters waren vager geworden, maar niet veel. HKS. Een kreet die wel werd gebezigd om aan te geven dat het slecht gesteld was met de normen en waarden in het korps, dat men er met de pet naar gooide en dingen afschoof. HKS: het korps is shit.

Ze kneep vloeibare zeep uit de houder en wreef ermee over de letters, boende nog eens, ditmaal met behulp van natte handdoekjes. Iets vager. Ze veegde de blauwe zeep van de muur en spoelde haar handen af onder de kraan. Haar ogen lieten de letters niet los: al haar boosheid en aandacht richtten zich daarop.

Ze raapte de rondslingerende groene handdoekjes op, droogde haar handen af, deed de deur van het slot en zwaaide hem zo hard open dat hij tegen de muur bonkte, waarna ze door de hal naar de bezoekersbalie liep. Ze drukte op de bel die op de balie was bevestigd en staarde naar zichzelf in de spiegelwand, wetend dat ze daarachter naar haar keken.

Hij was kennelijk gestuurd door de brigadier van dienst: er verscheen een jong agentje met een lijdelijke uitdrukking op zijn gezicht. Ze wees naar het toilet.

'Ben je daar pas nog geweest?'

Omdat hij had zitten niksen, had hij even tijd nodig om zijn stemming aan te passen. 'Pardon?'

Morrow keek hem streng aan.

'Sorry, wat bedoelt u?'

'Het invalidentoilet. Op de muur.'

Hij keek fronsend in de richting van het toilet. 'De muur?'

'In het toilet. Graffiti op de muur. Jouw werk?'

Hij keek alsof ze het persoonlijk op hem gemunt had, en volgens Morrow was dat nu juist het probleem met het werk tegenwoordig, niet dat het shit was, maar dat niemand iets van een ander pikte, alsof het zomaar een baantje was, alsof je computerspullen of iets dergelijks verkocht en iedereen wel rechten maar geen plichten had.

'Waarom zou ik?' vroeg hij eenvoudig.

Daar had ze geen weerwoord op. Natuurlijk had hij het niet gedaan, hij was misschien jong, dom en groen, maar hij zou heus geen toilet bekladden als hij de eerste was die daarop zou worden aangesproken.

'Bespottelijk,' zei ze, en ze nam hem van top tot teen op, terwijl ze wist dat ze onredelijk deed. Ze wendde zich abrupt af, toetste ruw de code in op de deur naar haar afdeling, draaide zich om en duwde met haar rug de deur open, zodat ze weer naar de balie keek. Ze wees naar het toilet. 'Zorg dat het schoongemaakt wordt.'

De agent achter de balie knikte en mompelde nog: 'Komt voor elkaar.'

De deur sloeg achter haar dicht, en ze keek de gang van de rechercheafdeling in. Achterin bij MacKechnie brandde geen licht, de deur was dicht. Hij was niet op zijn kamer, misschien niet eens in het pand. Rechts zag ze dat er in haar eigen kamer wel licht brandde, de deur stond op een kier. Shit. Ze boog haar hoofd en liep erheen.

Daar zat hij, achter zijn bureau, zijn haar bestudeerd warrig in de wax, keurig in het pak, vermoeid maar professioneel. Zijn Elvismok stond op zijn bureau, naast hem lag een lege wikkel van een mueslireep met appel – snoep verstandig, eet een appel.

'Bannerman,' zei ze, om aan te geven dat ze er was.

Wrevelig kneep hij zijn ogen tot spleetjes. 'Morrow. Je was niet op mijn briefing.'

'Eh, tja…' zei ze onzeker. 'Ik moest…'

'Als ik de leiding heb van een zaak, blijf je niet weg van een briefing. We moeten vanmorgen tig telefoontjes plegen. Je kunt niet naar believen komen en gaan.'

Het was een bevel, ze werd tot de orde geroepen, wat niet te pas kwam, want ze hadden dezelfde rang. 'Bannerman, ik heb eigenlijk een vrije dag.'

Hij legde haar met een handgebaar het zwijgen op, sloot zijn ogen en wendde zijn hoofd af. 'MacKechnie heeft alle vrije dagen ingetrokken. Je hebt er een e-mail over gekregen.'

Verbluft keek ze toe terwijl hij opstond en wegliep naar de regiekamer, nog steeds met dat afwerende handgebaar. Het waren altijd de zachtmoedigen die streng waren, bedacht ze, en de hufters die de hiërarchie in het vage lieten om het gevoel te krijgen dat ze erbij hoorden. En dan moesten ze weer op hun strepen gaan staan door je te vernederen. HKS.

In de regiekamer stonden de bureaus in U-vorm opgesteld. Er zaten vijf rechercheurs te telefoneren en dossiers te lezen, ieder met een eigen laptop. Drie van hen behoorden niet eens tot dit district en waren kennelijk elders weggeplukt, wat betekende dat er geld tegen de zaak aan werd gegooid. Er werd aan de weg getimmerd, de middelen waren er – de droom van iedere rechercheur.

Het duurde even voordat ze MacKechnie ontdekte. Hij stond haar vanuit de gang strak aan te kijken. Morrow fleurde op toen ze hem zag, maar hij beantwoordde haar glimlach niet. Met gebogen hoofd, alsof hij door de striemende hagel liep, kwam hij hun kamer binnen, met Grant in zijn kielzog.

Grant deed de deur behoedzaam achter zich dicht. Ze kon zich voorstellen dat er in de regiekamer opgewonden gegniffeld werd, dat de rechercheurs blikken van verstandhouding wisselden en onhoorbaar haar naam uitspraken tegen degenen die haar niet hadden zien aankomen. En allemaal zouden ze gissen waarom MacKechnie, Mister Openheid himself, haar zo nodig achter een dichte deur moest spreken.

Bannerman bleef bij zijn stoel staan, zodat MacKechnie kon gaan zitten. Ze bewogen zich als één dier: ze hadden het samen over haar gehad, elkaar opgenaaid over haar afwezigheid, waar ze dingen achter hadden gezocht die nergens op sloegen.

MacKechnie zeeg neer in Bannermans stoel, tuitte zijn lippen en slaakte een gekwelde zucht. Het zou wel niet meevallen, kon ze zich voorstellen, om zijn passieve managementstijl te rijmen met eerlijke agressie. Ze maakte op de plaats rust voor het bureau, met haar hoofd brutaal een beetje scheef.

'Morrow, ik weet best dat je niet blij bent met degene die ik heb aangewezen als leider van deze zaak.' MacKechnie kneep zijn ogen tot spleetjes om zijn woorden kracht bij te zetten. 'Maar ik had niet verwacht dat je zou proberen de leiding over zijn onderzoek naar je toe te trekken.'

'Inspecteur, ik heb…'

'Als je domweg uit tegendraadsheid de voortgang belemmert…'

Hij overrompelde haar. Ze had verwacht dat hij zou zeggen dat ze gemeen was, een stomkop, een idioot, maar niet dit, niet dat hij haar ervan zou beschuldigen dat ze de slachtofferrol aannam. 'Inspecteur…'

'Ik wil je eraan herinneren dat er een mensenleven op het spel staat.'

'Ik werk wel degelijk mee,' zei ze. 'Ik heb bij mijn weten niets verkeerds gedaan. Het was niet mijn bedoeling die briefing te laten schieten.'

MacKechnie deed zijn ogen dicht en wreef over zijn neusbrug. Hij was te oud om de hele nacht op te blijven, vond ze, hij zou alleen nog achter zijn bureau moeten zitten. Hij kon beter opdonderen naar de administratie, waar hij de echte dienders niet meer voor de voeten kon lopen. Door die kleine, onuitgesproken beledigingen zag ze kans haar hoofd hoog te houden zonder met haar ogen te knipperen.

'Ik heb die e-mail over het intrekken van de vrije dagen niet ontvangen, of als ik hem wel…'

'Bannerman!' Hij kapte haar af. 'Rechercheur Bannerman heeft zijn úíterste best gedaan je het gevoel te geven dat je welkom bent, ja toch?'

Ze hield haar gezicht in de plooi.

'Of niet soms?'

'Ja, inspecteur.' Ze sliste een beetje. 'Zeker.'

'Zullen we afspreken dat je met hem samenwerkt aan de oplossing van deze uitermate dringende zaak? Vergeet niet: er is iemand uit ónze gemeenschap gegijzeld.'

Weer hield ze haar gezicht in de plooi, ze verblikte noch verbloosde om de nadruk waarmee de leugen werd gedebiteerd. Zijn mondhoek trilde een beetje, zag ze, een miniem teken waaruit bleek wat hij werkelijk dacht: wat aardig van hem dat hij een kleine Aziatische man met een baard onder zijn definitie van 'de gemeenschap' onderbracht.

'Inspecteur,' zei ze tegen de muur achter hem, 'ik heb vannacht mijn bed niet gezien. Ik ben de hele nacht op geweest, ik heb met informele contacten gesproken en informatie boven tafel gekregen die rechtstreeks betrekking heeft op ons onderzoek.'

MacKechnie schraapte zijn keel en liet zijn stem dalen alsof hij teleurgesteld was. 'Ga door.'

'De familie heeft verklaard dat de overvallers hebben gevraagd naar "Rob", maar dat klopt niet. In het telefoontje naar het alarmnummer heeft Billal het over "Bob", Meeshra heeft de vraag van de telefoniste omzeild en Omar heeft tijdens het verhoor van Grant "Bob" gezegd. Het staat op de dvd. Het is Harris ook opgevallen.'

'Harris?'

'Inderdaad, Harris. En vanmorgen heb ik uit betrouwbare bron gehoord dat Omar Anwar bij de Young Shields heeft gezeten en dat hij daar Bob heette.'

In de stilte die volgde voelde ze dat ieder voor zich inschatte hoe waarschijnlijk het was dat ze die informatie had verzonnen. Zou ze een mystery-informant bedenken om het vermoeden omtrent Bob te bevestigen, om haar gelijk te halen, was ze gek genoeg voor zo'n onbezonnen zet? Achter in de gang begon iemand hard te lachen en er knalde een deur dicht. Ze vroeg MacKechnie om tussen hen te scheidsrechteren en ze wist dat hij, ook als zij het pleit won, daardoor de pest aan haar zou hebben.

MacKechnie probeerde het initiatief weer naar zich toe te trekken. 'En, Bannerman, wat had Omar daarover te zeggen?'

Bannerman werd zenuwachtig. 'We... eh... Ik heb het briefje niet gekregen.'

MacKechnie keek hem aan. Toen hij weer het woord nam klonk zijn stem onheilspellend zacht. 'Heeft Wilder je dat briefje niet gegeven?'

Als Bannerman zou suggereren dat haar briefje hem niet had bereikt, zou Wilder een douw krijgen. 'Nee, inspecteur.' Zo te horen had Bannerman een droge mond. 'Wilder heeft me het briefje wel gegeven…'

'Tussen het moment dat Wilder het briefje bracht en het einde van het verhoor,' mengde Morrow zich in het gesprek, 'zat maar een paar minuten. We hebben de vraag er niet meer in kunnen krijgen…'

Een gesloten front. MacKechnie kon het zich niet veroorloven om hun tijdens een lopend onderzoek beiden een berisping te geven. Hij schraapte zijn keel. 'Kunnen we bevestigen dat hij zich bedient van de naam "Bob"? Is die informant een bekende van ons?'

'Nee, het is een informeel contact.'

Dat klonk slap. MacKechnie kneep zijn ogen tot spleetjes en vroeg haar ronduit: 'Hoe ver wil je hierin gaan?'

'Ik kan de geluidsbandjes nú voor u afdraaien, dan kunt u horen dat er "Bob" is gezegd. De rest kan ik hier op dit moment niet bevestigen.'

MacKechnie keek Bannerman beschuldigend aan. 'Wanneer heb je dat briefje van Wilder gekregen? Bedenk dat ik dat op de dvd kan checken.'

Bannerman kuchte. 'Ik heb het briefje wel gekregen, maar heb niet doorgevraagd.'

'Waarom niet?'

Bannerman was in het nauw gedreven. Morrow schoot hem te hulp: 'Er is gisteravond en vannacht heel veel gebeurd, maar zo is het beter, want nu kunnen we hem er onverwachts mee confronteren.'

'Ja,' zei Bannerman met een bevestigend knikje. 'Eerst nader onderzoek doen.'

'Ja, het goed natrekken.'

MacKechnie verlegde met een duizelingwekkende ommezwaai zijn loyaliteit en was opeens woedend op hen allebei. 'Jullie zijn… Bannerman, nog iets anders: hoe kom je erbij om bij zo'n belangrijke zaak een rechercheur in te zetten voor het afluisteren van de tapes van de alarmcentrale…'

Bannerman kreeg een kleur. 'In alle oprechtheid, inspecteur, ik dacht dat er weleens iets belangrijks op kon staan.' Hij keek Morrow smekend aan.

'Dat klopt, Bannerman had gelijk,' zei ze. 'Zijn instinct heeft hem niet in de steek gelaten, er stond iets belangrijks op.'

Bannerman knikte. 'Het gaat om de verschillende namen. Als ze hebben afgesproken om Rob te zeggen in plaats van Bob, hebben ze dat waarschijnlijk gedaan na die telefoontjes en toen Aleesha al buiten bewustzijn was. We moesten haar vanmorgen maar eens verhoren.'

'Ja,' zei Morrow, en ze moest een lach verbijten. 'Ja, dat moesten we maar eens doen.'

MacKechnie wendde zijn blik af. 'Rechercheur Morrow, hoe verklaar je je afwezigheid van vanmorgen?'

Morrow wierp een schuinse blik op Grant. 'Het spijt me, maar ik heb mijn e-mail niet gecheckt voordat ik wegging.'

'Je móét je e-mail checken.'

'Dat zal ik voortaan doen, inspecteur. Neemt u me niet kwalijk, inspecteur. Is er iets bijzonders met die familie?'

'Dat weet ik niet.' Bannerman wilde graag verder met het gesprek. 'Als ze heel erg veel geld hebben, of gewoon goed in de slappe was zitten, waar blijft het geld dan? Kennen we iemand in die gemeenschap bij wie we naar de familie kunnen informeren?'

'Mahmood Khan?' opperde MacKechnie.

'Nee,' zei Morrow. 'Die vertelt alleen het officiële verhaal.'

'Ja,' zei Bannerman. 'Die controleert eerder de kas dan dat hij iets loslaat over die familie.'

Twintig jaar lang had ze afstand bewaard, maar nu, net als eerder bij Danny, was ze tot haar eigen verbazing bereid in haar oude omgeving hulp te zoeken, en ongewild ontsnapte haar zijn naam: 'Ibby Ibrahim.'

Ze keken haar beiden verwonderd aan.

'Ibby Ibrahim?' herhaalde MacKechnie. 'Hoe kom je er in vredesnaam bij dat hij met ons zal willen praten?'

Ze schraapte haar keel. 'Ik ken… Ibby. Maar ik zou onder vier ogen met hem moeten praten.'

Geïmponeerd keken de mannen elkaar aan, daarna keken ze weer naar haar.

'Waar ken je hem dan van?'

Ze zag de tienjarige Ibby snikkend op de speelplaats staan, met de pestkoppen (waar zij ook bij hoorde) vol ontzag in een kring om hem heen. 'Van een oude zaak,' jokte ze. 'Een paar jaar geleden.'

'Welke zaak?' MacKechnie was onder de indruk.

'Ach,' zei ze, 'moeilijk te zeggen eigenlijk…'

Als ze ook maar iets van een band met haar hadden gehad, enige intimiteit, dan zouden ze hebben aangedrongen het hun officieus te vertellen. Dan zouden ze dichterbij zijn gekomen, plagerig een beetje druk hebben uitgeoefend en net zo lang hebben geraden tot ze enig idee hadden. Maar nu keken ze elkaar over het bureau heen veelbetekenend aan, zinspelend op een gesprek dat elders was gevoerd, zonder dat zij erbij was.

'Goed dan.' MacKechnie bracht het gesprek terug op veiliger terrein en stond op. Hij liep om het bureau heen naar haar toe en was volkomen vergeten hoe kwaad hij daarnet nog op haar was geweest. 'Verzamel eerst gegevens over de achtergrond voordat we hem iets vragen. Er zijn dienders bezig met het buurtonderzoek, maar ik wil dat jullie samen een kijkje gaan nemen in de winkel en bij die assistent, probeer uit te vissen of daar iets gaande is, weddenschappen, drugs, alles wat veel geld zou kunnen opbrengen. Bannerman, richt je aandacht vooral op de kwestie-Rob/Bob, begrepen?'

'Ik wil Morrow graag een lift geven naar Ibrahim,' zei Bannerman rustig. 'Dan kan ik haar onderweg bijpraten.'

'Maar ik moet onder vier ogen met Ibby praten.' Ze had helemaal geen zin om langer dan nodig was in Bannermans gezelschap door te brengen.

'Natuurlijk, maar ik wil hem graag in levenden lijve zien. Je weet maar nooit of…'

Wat hij precies bedoelde, zei hij niet. Op die manier werden er twee rechercheurs niet bepaald efficiënt ingezet, maar MacKechnie knikte. 'Goed voor de collegialiteit. Agenten zijn druk bezig?'

'Alstublieft.' Bannerman gaf hem een werkschema. 'We zijn de camera's van de M8 aan het checken op auto's die naar en van de plek van het uitgebrande busje zijn gereden. Labverslagen zijn onderweg. Vingerafdrukken ook. De hele familie wordt nagetrokken op visa voor Afghanistan. Twee agenten doen buurtgesprekken en verwerken de getuigenverklaringen. Morrow en ik kunnen nog een bezoekje aan het ziekenhuis afleggen én een kijkje in de winkel gaan nemen.'

'Oké,' zei MacKechnie, en hij wendde zich tot Morrow. 'Check voortaan je e-mail.'

Ze knikte en hoopte maar dat ze schuldbewust genoeg keek.

Hij ging met zijn rug naar de deur staan als om zijn manschappen toe te spreken. 'Als dit klopt, hebben de overvallers zich dus niet in het adres vergist. Dan hadden ze het op de Anwars voorzien, op Omar in het bijzonder. We moeten aan de weet zien te komen hoe iemand erbij komt dat ze twee miljoen te vergeven hebben.' Hij pakte de deurkruk maar bleef nog even staan. 'Goed gedaan, Morrow,' zei hij, waarna hij de deur opende en vertrok.

Grants wangen zagen een beetje rood. 'Ja, goed gedaan,' zei hij, goedgunstiger dan zij zelf zou hebben opgebracht.

16

In de woonkamer zat Shugie quasi nonchalant op de zeiknatte bank een maanden oude krant te lezen.

In de keuken zat Eddy op een hoge kruk, Pat op een gammel kistje met in sjabloonletters BREEKBAAR op de zijkant. Ze hadden zich van elkaar afgewend, ieder als in zijn eigen bootje dobberend op een windstille zee. Duf van vermoeidheid, vechtend tegen de slaap. De verbijsterend smerige keuken was nog steeds de schoonste plek in huis, zonder verschaalde urinelucht, vrij van uitwerpselen.

Er stond geen tafel, de vloer werd niet in beslag genomen door boodschappentassen of bezems, waardoor de indruk ontstond van een lege, vieze vlakte. Iemand – niet Shugie – had er laminaat gelegd, maar de stroken waren kromgetrokken door een lekkage van lang geleden. Door het vuil heen kon Pat nog zien dat elk plankje een foto was van het volgende, dezelfde knoest in het hout kwam terug als een onsmakelijke afhaalmaaltijd.

Eddy had een in vetvrij papier verpakt brood in zijn hand, opengevouwen als een zak snoep. Hij at al de hele avond droog brood, want dat was het enige eetbare dat Shugie had gekocht van de veertig pond die Eddy hem had gegeven. De rest had hij geïnvesteerd in grote blikken bier.

Pat snoof nadrukkelijk door zijn neus omdat hij iets wilde zeggen, maar Eddy keek de andere kant op.

Toch zei Pat: 'Man, we móéten hier weg.'

'Bemoei je d'r niet mee,' waarschuwde Eddy met opeengeklemde tanden.

'We moeten hem ergens anders heen brengen.'

Eddy reageerde niet. Hij stak Pat de zak met brood toe alsof dat de oplossing was. Pat schudde van nee. Hij kon hier geen hap door zijn keel krijgen, want hij had het idee dat er deeltjes van Shugies pis in zijn mond en in zijn maag zouden komen als hij iets at. Dat kon niet anders. Geur bestond immers uit deeltjes?

Hij trok zijn ellebogen en knieën nog dichter tegen zich aan, huiverde licht bij de gedachte aan huidschilfers. Toen moest hij aan het meisje denken, en hij was benieuwd hoe het met haar ging. Maar Shugie had geen radio, laat staan een tv. Ze wisten niet of ze in het nieuws waren of niet. Als het de krant had gehaald, stond er misschien een foto van haar bij. Alle kans dat ze naar het Victoria-ziekenhuis was gebracht, anderhalve kilometer verderop, en dat ze in een schoon bed lag.

Omdat hij dolgraag die warme gloed van zijn eerste aanblik nog eens wilde beleven, fantaseerde Pat dat ze in een ziekenhuisbed lag, met haar haren uitgewaaierd over het kussen, dat ze lekker rook, naar perziken of bloemen, schoon, en misschien wel aan hem dacht. Pat schudde zachtjes zijn hoofd. Nee. Hij had haar hand eraf geschoten, verdomme. Als ze al aan hem dacht, was het niet met genegenheid.

Zo'n meisje wilde vast niet omgaan met iemand als hij. De vader had zich eraan geërgerd dat er 's avonds was aangebeld. Het huis was schoon, roze en mooi. Ze kwam uit een goed nest. Zelfs al had hij niet per ongeluk op haar geschoten, dan nog zou ze nooit met hem willen omgaan. Haar vader zou het niet goedvinden.

In zijn verbeelding liep hij de ziekenzaal op met een grote bos bloemen, keurig gekleed, vlot, maar toen ze hem terugzag keek ze ontzet. Ze had een smal middeltje, de band van haar spijkerbroek zakte net niet van haar heupen. Opeens schoot hem te binnen dat zijn neus warm had aangevoeld daar in de gang. Toen hij naar haar middel had gekeken, had hij de zwartwollen rand van de oogopening gezien. Hij had een bivakmuts opgehad.

Ze wist niet hoe hij eruitzag.

Pat ging rechtop zitten, glimlachte, lachte bijna hardop. Ze had geen idee hoe hij eruitzag.

Weer in het Victoria-ziekenhuis liep Pat een niet-bestaande zaal op en lachte hij naar een meisje dat niet wist wie hij was. Verlegen wendde ze haar blik af, maar hij gaf haar een waanzinnig schitterende bos bloemen, en opeens beantwoordde ze zijn liefde.

Hij was één keer in het Vicky geweest, vermoedelijk bij iemand op bezoek, een nichtje bij wie de amandelen geknipt waren of zoiets. Glimlachend naar het vieze laminaat liep hij door de hal, nam een lift, kuierde de zaal binnen. Hij kon doen alsof hij bij iemand anders op bezoek ging en alleen maar even naar haar kijken. Roekeloos, dom.

Als hij ging, maar dat was hij niet van plan, zou hij haar van een afstand gadeslaan. Uiteindelijk zou hij naar haar toe gaan en iets aardigs zeggen, je hebt mooie ogen of iets dergelijks, iets waar ze vrolijk van werd ook al moest ze een hand missen.

Pat zat in de smerige keuken, omringd door ronddansende urinedeeltjes van Shugie, maar zijn gedachten gingen hun eigen weg, naar een romantisch, woordloos gesprek tussen hem en Aleesha aan haar bed, bij kopjes thee met boterkoek in de cafetaria van het ziekenhuis, glimlachend naar elkaar. Hij haalde haar op in een auto die hij niet had, ging oorden bezoeken waar hij nog nooit was geweest, ergens buiten de grote stad waar de zon scheen.

Zo'n meisje, een meisje dat rook naar geborgenheid en geroosterd brood, dat wilde natuurlijk niet omgaan met iemand zoals hij. Dat zou haar vader nooit goedvinden. Ze zou alleen met hem omgaan als ze niet meer bij haar vader woonde, als die dood was bijvoorbeeld.

Ze schoten allebei overeind toen er op de ruit boven het aanrecht werd getikt. Malki's magere kop keek hen lachend aan, en Pat lachte breed terug. Malki verdween even, toen ging de deur open. Hij bleef in de deuropening staan, gekleed in een gloednieuw wit trainingspak met een dubbele streep langs de pijpen en met een petje op.

'Proletarisch wezen winkelen?' Eddy vond kleren kopen meer iets voor vrouwen.

Malki gaf geen antwoord, maar keek met opgetrokken bovenlip naar de stapels vuilniszakken bij de deur. 'Getver.' Terwijl hij zijwaarts naar binnen schuifelde, zorgde hij er angstvallig voor dat de knieën van zijn smetteloze trainingsbroek de zakken niet raakten. ''k Ben in veel gribussen geweest, man…'

Pat stond op, onverklaarbaar blij dat Malki er was. 'Fijn dat je er bent.'

Malki hield een tasje van dun blauw plastic omhoog. 'Eén telefoontje en ik bén er al, als het geld oplevert.' Hij wierp een schuinse blik op de vuilnis. 'Alleen, eh, ik hoef de troep die daarin zit toch zeker niet aan te raken?'

Pat keek in het tasje met blikjes bier. 'Vier is niet genoeg om Shugie de hele dag binnen te houden.'

Eddy stond op en keek er ook in. 'Hij zal 't ermee moeten doen.'

'Hij gaat vast de deur uit om bij te halen. En dan is hij al aangeschoten. Grote kans dat hij alles aan iemand vertelt.'

Eddy keek hem aan. 'Wat wil je dan? Moeten we hem vastbinden of zo?'

Pat en Malki keken elkaar aan.

'Hmm.' Malki glimlachte een beetje, deed alsof hij echt hard nadacht. 'Er is wel iets op te bedenken…'

Maar Eddy liep dreigend naar hem toe. 'Je haalt geen rotgeintjes uit, kutjunk die je bent.'

Malki deinsde achteruit. 'Wat doe je opgefokt.'

'Eddy, volgens mij bedoelt Malki dat we gewoon nog meer drank voor Shugie moeten gaan kopen.' Pat de vredestichter.

'Oké.'

Malki geneerde zich. 'Trouwens, voor jou ben ik menéér Kutjunk.'

Niemand lachte. Het was een grap met een baard. Eddy had het idee dat hij weer de overhand had en reikte Malki een pistool aan. 'Hier, ga bij de deur van de slaapkamer staan.'

Malki hield het pistool tussen duim en wijsvinger en keek ernaar alsof het een gebruikt condoom was. 'Eh, Eddy, hoor 's, geen wapens, man.'

'Hoe wil je hem anders bedreigen als hij probeert te ontsnappen?'

Malki reikte Pat het pistool aan. 'Is het die ouwe baas van gisteravond?'

Eddy nam het wapen terug. 'Ja.'

'Die probeert toch zeker niet te ontsnappen?'

'Ach, dat weet je maar nooit,' zei Eddy uitdagend. 'Dat is de reden dat we wapens hebben, toch?'

'Nee.' Malki hield voet bij stuk. 'Geen wapens, man.'

'Pak aan, verdomme.' Eddy duwde het pistool tegen zijn hand.

Malki ontweek hem. 'Man, ik ben tegen geweld.'

Eddy werd razend. 'Stel dat hij probeert te ontsnappen? Wat doe je dan? Weer opsluiten en 'm neuken?'

'Hou je geld maar, man.'

Eddy en Pat keken naar Malki. Hij liet zich niet ompraten. Toen hij aanstalten maakte om te vertrekken blokkeerde Pat hem de aftocht, en hij keek naar Eddy. 'Kom op.'

Eddy wist niet wat hij doen moest, hij kon er niet bij dat je je de kans liet ontgaan om iemand met een pistool te bedreigen.

'We moeten bellen,' zei Pat op overredende toon.

Eddy lachte zijn lach die de naam niet verdiende, keerde hun de rug toe en stak het pistool in zijn broekzak.

Pat gaf Malki met een hoofdknikje te kennen dat hij naar de woonkamer moest gaan, waar hem de aanblik wachtte van Shugie die op de rand van de bank de uitslag van de paardenrennen van lang geleden zat te bekijken. Shugie bekeek de jonge junk van top tot teen en lachte schamper om de zichtbare tekortkomingen van zijn vervanger. Maar Malki toonde dat hij manieren had. 'Alles kits?'

Shugie gaf geen antwoord.

Pat liep met Malki naar de trap. 'Ga naar boven en hou de deur in de gaten tot wij terug zijn, oké?'

'Het is die ouwe kerel, hè?'

'Ja,' antwoordde Pat, die popelde om weg te gaan.

'Heeft hij iets te eten gehad?'

'Brood, blikje fris.'

Malki viste een reuzenverpakking winegums uit de zak van zijn trainingsjasje. 'Om hem zoet te houden!'

'Mooi, goed zo,' zei Pat lachend, blij dat Malki de stemming wat opfleurde, blij dat die het hier net zo walgelijk vond als hij zelf. 'Hijs je luie kont naar boven.'

Op de tweede tree bleef Malki staan en draaide zich om. 'Zelfde tarief als gisteravond?'

Pat knikte. 'Ja.'

Malki grijnsde en rende vijf treden op.

Er werd op de voordeur geklopt. Ze verstarden allebei. Ze keken elkaar aan. In een wirwar van geruisloze bewegingen rende Malki naar boven en vloog Pat door de woonkamer naar de keukendeur, waar hij met zijn rug tegenaan ging staan. Eddy was hem gevolgd en dook weg naast de stapel vuilniszakken.

'Kut!' fluisterde Pat.

'Waar's Malki?' siste Eddy.

Pat knikte en wees naar het plafond, terwijl Shugie de keuken in keek. Weer werd er geklopt, drie ritmische tikken op de voordeur. Shugie trok zijn wenkbrauwen op.

'Ga opendoen en zorg dat ze opdonderen,' beval Eddy.

Shugie keek verward. 'Stel dat er iemand binnen wil komen?'

'Waag het niet dat je iemand binnenlaat.'

Shugie knikte en schuifelde naar het halletje.

Met ingehouden adem luisterden ze naar de voordeur die knerpend in de onwennige scharnieren openging. Een zacht gebrom richtte een vraag tot Shugie, die hij bevestigend beantwoordde. De stem, een officiële stem, deed een mededeling. Na een korte stilte zei Shugie: 'Nee.'

De deur kraakte luid, en Eddy en Pat ademden allebei uit, maar beseften te laat dat de deur niet was dichtgedaan maar verder was geopend, dat er door de gang voetstappen naderden.

Eddy opende de keukendeur, en ze scharrelden halsoverkop de tuin in, hurkten onder het keukenraam en deden een schietgebedje: hopelijk was de Lexus zo laag dat hij door het raam heen niet te zien was. Ze trokken hun knieën dicht tegen zich aan, luisterden naar het lange gras dat hatelijk ruiste en hoorden door het kapotte ruitje voetstappen de keuken in komen. Drie paar voetstappen.

'En woont hier behalve u nog iemand, meneer Parry?'

Eddy en Pat keken elkaar aan. Politie. Shugie had goddomme de politie in zijn keuken. Pat legde zijn hoofd op zijn knieën en keek naar het geplette gras onder zich. Hij sloot zijn ogen en zag het zonlicht op het meisje in het ziekenhuisbed wegsterven, haar haren gleden van het kussen en veranderden in as.

Het was een jonge agent, met een hoge stem, een groentje. '... in verband met een voorval in Brian's Bar in het weekend van de vierde?'

'Nee, nee,' klonk Shugies schorre rokersstem. 'Niks mee te maken, en eh, 'k kan 't me niet goed meer herinneren.'

'Meneer Parry,' zei de agent, 'te oordelen naar de overweldigende, doordringende urinestank in uw woning, ben ik ervan overtuigd dat u zich dat incident inderdaad niet kunt herinneren.' De tweede agent lachte zachtjes en herhaalde het sleutelwoord: 'Urinestank.'

'En daarom, meneer Parry, vertrekken wij met gezwinde spoed uit deze stuitende woning.' Hij zweeg even omdat hij zelf moest lachen. 'We danken u, maar we slaan de thee met koekjes af.'

'Met koekjes!' echode de tweede agent gniffelend.

Shugie zei niets. Hij incasseerde de beledigingen, tot er plotseling op het keukenplafond gebonkt werd.

De agenten draaiden zich om. 'Is er nog iemand in huis?' De vraag kwam van de andere agent. Shugie gaf geen antwoord.

'Meneer Parry?'

Shugie mompelde: 'Het gore lef, verdomme...'

De gniffelaar werd opeens streng. 'Is er nog iemand in deze gore tent, Parry?'

'... geen enkel respect, gezeur over stank en zo, in wat voor paleis wonen jullie dan?'

'Kom, we gaan even kijken, Paul.' Dat was de eerste agent weer, de komiek.

'Dat is me maat,' zei Shugie opeens. 'Hij... ligt z'n roes uit te slapen.'

'Geef dan antwoord, verdomme, als we je wat vragen.'

'Kom op, we gaan pleite, voordat we iets oplopen.'

'Groot gelijk... walgelijke...'

Ze liepen weg, gevolgd door een mopperende Shugie. Eindelijk sloeg de voordeur dicht.

Pat tilde zijn hoofd op en fluisterde: 'Ik trek dit niet... M'n zenuwen gaan eraan kapot,' beweerde hij. 'Eddy, ik weet dat jij de contactpersoon bent, maar ik draai net zo lang de bak in als jij, en dat trek ik verdomme niet.'

Eddy hief zijn hand, en Pat verwachtte dat hij boos zou worden, maar ook hij keek angstig. 'Laten we eerst gaan opbellen, dan brengen we hem daarna ergens anders heen.'

'Waar naartoe?'

'Jij mag het zeggen,' zei Eddy, nu toch weer hatelijk. 'Als jij zoveel slimmer bent dan ik, verzin jij dan verdomme iets beters.'

'Breslin, de machinefabriek.'

Eddy knipperde met zijn ogen en bewoog zenuwachtig met zijn onderlip, terwijl hij diep nadacht. Hij likte zijn lippen, teleurgesteld dat Pat iets had bedacht dat zoveel beter was. 'Kom, we gaan bellen.'

De broodjeszaak was klein, nauwelijks meer dan een groezelige deur en een schoolbord met de mededeling dat je er thee kon krijgen, en broodjes met ei, spek, worstjes, witte bonen in tomatensaus en friet. Pat liet Eddy daar stoppen omdat hij wist dat ze er ook kranten verkochten.

Hij liep over het trottoir, zinderend van de onbedwingbare tederheid van een minnaar die een 'toevallige' ontmoeting in scène zet. Bij de counter stonden werklui in bestofte spijkerbroek. In de krappe ruimte hing de vettige walm van spetterende olie. Pat probeerde kalm te blijven en draaide zich naar het rek met kranten toe. Ze keek hem aan.

Een slechte, korrelige foto, hoofd en schouders, genomen met een mobieltje, maar voor hem duidelijk genoeg. Hij zag wat hij wilde zien: lang donker haar met middenscheiding, een grote neus, gekromd als een wenkende vinger, gave witte glimlach en halfgeloken ogen die alleen hem aankeken. Ze was gewond maar niet dood. In de eerste alinea stond dat het om een keurige familie ging. Zo zie je maar, ze weten van niks, dacht Pat.

Op de foto zette ze net een gek gezicht: ze bolde haar wangen en pruilde een beetje, niet ordinair, wel lief. Pat pakte een krant, voelde het ruwe papier zijn vingertoppen kussen en vond het hete vet verrukkelijk ruiken, en intussen sprankelde de zon op de vettige muur. Dat zij bestond maakte het smakeloze hier en nu verteerbaar.

Hij stak de krant dubbelgevouwen onder zijn arm, met een gelukzalige glimlach alsof het haar arm was, en bestelde twee broodjes met ei en bacon en twee blikjes fris. Hij rekende af met de eigenaar, die een pracht van een kater had.

Terwijl de broodjes werden klaargemaakt las hij verder. Ze heette Aleesha, was zestien, zat op de Shawlands Academy en al haar klasgenootjes waren dol op haar. Pat had al zo'n vermoeden gehad dat ze populair was. Ze was een paar vingers kwijt en lag op de intensive care van het Victoria-ziekenhuis. Langzaam liet hij de krant zakken, zijn mond viel open van ontzag. Hij wist het wel, dat ze in het Vicky zou liggen. Hij wist het gewoon. Het was alsof ze op de een of andere manier met elkaar verbonden waren, alsof hij de plaats van hun volgende ontmoeting had uitgezocht.

Hij las over de verschrikkelijke verwonding aan haar hand en voelde mee met de pijn en de nare verminking waarmee ze zou moeten leven. Diep in zijn hart was hij echter blij dat hij op haar had geschoten, want nu was ze niet langer volmaakt en mijlen ver boven hem verheven, en nu stond haar foto op de voorpagina van de krant. Zo vaak hij maar wilde kon hij naar haar kijken.

De broodjes waren klaar, en hij liep ermee naar de auto; er drupte vet uit de papieren zak waar ook de blikjes koude frisdrank in zaten. Eddy zei dat hij moest uitkijken dat niet alles onder kwam te zitten, want het was een huurauto en als er vlekken op de stoelen kwamen zouden ze extra moeten dokken. Leg die krant maar op schoot, zei hij.

Maar Pat vouwde de krant netjes op, stak hem in het bergvak in de deur en morste prompt vet op zijn spijkerbroek.

'Wat staat erin?' Eddy knikte naar de krant.

Pat zocht naar de feiten in het verhaal. 'Haar toestand is stabiel,' zei hij. 'In het ziekenhuis. Intensive care.'

Eddy hield op met kauwen en staarde hem aan. 'Wie is stabiel?'

'Het meisje.'

'O, dat grietje waar je op geschoten hebt?'

Het stak Pat dat Eddy dat zo achteloos zei, alsof het een bijkomstigheid was. Pat keek uit het raam. 'Ze hebben al aanwijzingen.'

Eddy nam weer een hap en vroeg met volle mond: 'Mag ik even kijken?' Hij stak zijn hand uit, maar Pat aarzelde. Hij wilde niet dat Eddy zijn krant aanraakte, maar hij vermande zich en reikte hem nonchalant aan.

Zwijgend verorberden ze hun broodjes, terwijl Pat in stilte over de krant waakte tot Eddy hem teruggaf. Eerst likte hij zijn vingers af, toen pas nam hij hem aan. Hij vouwde hem netjes op zodat haar gezicht goed te zien was en stak haar in het bergvak in de deur.

Ze zetten de rit voort en gingen op zoek naar een telefooncel waar geen camera bij in de buurt hing. De stad was vergeven van de camera's, net een rattenplaag.

Ten slotte zette Eddy de auto in een rustige straat, enkele parkeerplekken bij de telefooncel vandaan, voor het geval ze in de gaten werden gehouden. Ze keken om zich heen, vooral naar boven, speurend naar camera's aan gevels en straatlantaarns. Het was een rustige woonwijk, met hoge bomen en struiken voor de flatgebouwen.

'Oké.' Eddy zette de auto op de handrem en klikte zijn gordel los.

'Nee.' Pat legde zijn hand op zijn arm om hem tegen te houden. 'Nee, ik bel wel.'

Eddy keek hem aan. 'Waarom?'

'Omdat jij al zo lang onder grote druk staat…'

Die omschrijving beviel Eddy wel. Hij knikte naar de voorruit. 'Oké, als je maar flink dreigt. En je moet zeggen: twee miljoen, vanavond nog.'

'En dan bellen we nog een keer over de plek waar ze het geld heen moeten brengen?' Pat wist dat het zo hoorde, ze hadden het er vaak genoeg over gehad, maar hij wilde Eddy het gevoel geven dat híj de beslissing nam.

'Ja, precies… Een plek waar ze het geld heen moeten brengen. We bellen nog een keer.'

'Als ze het geld bij elkaar hebben?'

Eddy knikte nogmaals. 'Als ze het geld bij elkaar hebben.'

Pat stapte uit, maar hij nam de krant mee.

17

Het was een straat met hoge, smalle flatgebouwen, maar elke flat was omringd door veel groen, als een eenzame passagier die weggedoken staat in het hoekje van een lege lift. De roze zandsteen was in de loop der jaren bloedrood verkleurd door de zwarte walmen die werden uitgebraakt door de auto's en de bussen die door het stenen dal reden. De straat bevond zich in een gesaneerd stadsdeel: de gebouwen omzoomden een weg die eens door andere hoge, smalle straten had gekronkeld. Alle aangrenzende straten waren gesloopt voordat ze vanzelf waren ingestort, en de gezinnen van mijn-, haven- en fabrieksarbeiders waren overgeheveld naar de gerenoveerde wijken en de nieuwe steden.

Een kooplustige voorbijganger zou geen belangstelling tonen voor de zaak van Anwar. Het was een armzalig buurtwinkeltje. De gevel was beschilderd met een soort marineblauwe grondverf, nu dof en stoffig van de straat; boven de ruit was met de hand KRANTEN EN TIJDSCHRIFTEN geschilderd, in tot roze verschoten rood. Een met viezigheid aangeslagen ruit, het glas naast de toonbank was onzichtbaar door allerlei reclame voor kranten, tijdschriften en strips. In de etalage hing een plastic kaart met afbeeldingen van ijsjes, scheef, en te ver naar binnen om leesbaar te zijn, te oud om nog geldig te zijn.

Ertegenover lag een wooncomplex, en de buitendeur was niet bepaald een visitekaartje voor de buurt. Gewapend glas ontsierd door knullige viltstiftgraffiti. De namen bij de intercom waren een rommeltje: soms met balpen op stickers gekrabbeld, soms over het plastic heen geplakt. Op de rode tegels was iets donkergeels gemorst, verf misschien, en in de voegen geschrobd.

Midden tussen het rommeltje namen stond 'J. Lander', getypt in een ouderwetse letter; het plastic over de naam was schoon, alsof Lander het al die jaren goed had verzorgd. Morrow drukte op het knopje.

'Hallo?'

'Meneer Lander?'

'Inderdaad, ja.' De stem was hoog maar vast, keurig, net als zijn naamplaatje. 'Wie is daar?'

'Meneer Lander, wij zijn van de recherche, district Strathclyde. We willen even met u praten in verband met de heer Anwar.'

'Dat kan.' De deur klikte voor hen open, en Lander meldde nog door de intercom: 'Derde verdieping, eerste links.'

Morrow bedankte hem, daarna hing hij op.

Binnen was het netjes, geen opgestapelde vuilniszakken of afgedankt meubilair, en goed schoongehouden. Het gebouw verkeerde echter in slechte staat: een witte plastic stang voor invaliden was aan een kant losgeraakt en stond verloren op de grond, even krachteloos als de huurder die de voorziening had aangevraagd. Op de brokkelige muren boven de plint zaten vochtblaasjes, maar ze werden bijeengehouden door een dikke laag bordeauxrode glansverf. Een van de blazen vertoonde de afdruk van een hak en was gebarsten; wit gruis was de traptreden op en af gelopen.

Bannerman liep voor haar uit de trap op. Boven in het galmende trappenhuis ging een deur open. Voetstappen klepperden de overloop op en een mannenstem riep over de balustrade: 'Hallo?'

'Hallo?' Morrow liep om Bannerman heen. 'Meneer Lander?'

'Aha, daar zijn jullie, kom verder.' Hij loodste hen naar boven alsof ze er konden verdwalen. 'Deze kant op.'

Morrow keek op en zag een kleine zestiger over de balustrade leunen, grote handen omklemden de reling. Bruin vest, grijze pantalon met ingeperste vouwen, een keurig wit snorretje ter breedte van zijn mond, grijs haar dat met een natte kam in het gareel was gebracht.

'Goedemorgen, mevrouw, meneer,' zei hij, maar zodra hij zich ervan had vergewist dat ze hem hadden gezien en de weg kenden, trok hij zich terug.

Morrow was als eerste boven en volgde hem door de bruine voordeur. Zijn stoepje was stofvrij, de *welcome*-mat was schoon en lag recht voor de deur.

Ze kwam in een mosgroene hal en zag Lander geduldig bij de deur naar de woonkamer staan, waar hij wachtte tot Bannerman achter haar verscheen. Toen Grant de hal in kwam en de deur dichtdeed, knikte Lander, en hij mompelde voor de vorm 'goed zo' bij zichzelf en liep de woonkamer in om hen te ontvangen.

Boven de radiator in de hal was een plank aangebracht, met daarop een kommetje voor de sleutels. Achter op de deur zat één haakje voor een sjaal. Er slingerden geen jassen op stoelen, geen tassen op de grond, en er hing geen supermarkttasje met afval aan de deurkruk klaar om te worden weggegooid als iemand eraan dacht.

Morrow en Bannerman liepen de woonkamer in.

Een ouderwets televisietoestel op een lage tafel. Een kleine bank, bekleed met oranje velours, bijpassende leunstoel, beide oud maar nog in goede staat. Aan de armleuning van de stoel een stoffen zakje met daarin de afstandsbediening en een tv-gids. Alles in de woonkamer was functioneel of essentieel: geen vitrine met min of meer dierbare siervoorwerpen of aandenkens uit betere tijden, geen ongelezen kranten. Dit was meer dan de ordelijkheid van een vrijgezel. Dit was institutionele netheid. Morrow nam zich voor te checken of de man weleens in de gevangenis had gezeten.

In een gelijkzijdige driehoek stonden ze voor de bank. Bannerman keek verwachtingsvol naar Morrow. Dat was zijn manier om haar aan te sporen de vragen te stellen, alsof hij zijn eigen zetten voor de belangrijker verhoren bewaarde.

Lander nam het initiatief en wees uitnodigend naar de bank. 'Gaat u zitten.'

Tegen zijn instructie in koos Morrow voor de leunstoel, en ze zag Lander even met zijn ogen knipperen. Nu moest hij wel naast Bannerman op de bank gaan zitten, tussen hen in. Met een geïrriteerd polsgebaar trok hij zijn broekspijpen bij de knieën op en nam plaats.

Morrow keek om zich heen. Boven de elektrische kachel hingen allerlei ingelijste foto's. Ze verwachtte een echtgenote te zien, kleinkinderen, misschien een portret van een moeder, maar in plaats daarvan zag ze foto's van Lander in legeruniform tussen vrienden in uniform.

'U bent militair geweest?' begon ze in het wilde weg. Bannerman keek op, zijn belangstelling was plotseling gewekt.

'Ja,' antwoordde Lander op afgemeten toon. 'Twintig jaar bij de

Argyl and Sutherland Highlanders. Tien jaar bij het First Battalion en nog eens tien jaar bij de E-company.' Alsof hij haar reserve aanvoelde, vervolgde hij: 'De E-company is het Territorial Army.'

Ook zij kende de grote aantrekkingskracht van de geordende militaire wereld. Ooit had ze zelf overwogen bij het leger te gaan. 'Toegewijd,' zei ze.

'Ja,' zei hij, en na enig nadenken nog eens: 'Ja.' Hij sloeg met zijn vlakke handen op zijn knieën en wendde zich tot Bannerman. 'En, hoe staat het met meneer Anwar? Weet u door wie hij is ontvoerd?'

Het was niet de bedoeling dat ze informatie prijsgaven, maar een ontwijkende houding droeg niet bij aan de bereidwilligheid van degene die werd verhoord, en Bannerman koos zijn woorden dan ook met zorg. 'Kijk, meneer Lander, u zult de krant wel hebben gelezen. Wij kunnen echt niet meer zeggen dan wat daarin staat…'

'Hij is meegenomen door gewapende overvallers die een losprijs eisen?'

'Ja…'

'En Aleesha is in haar hand geschoten?'

'Het enige wat ik u kan vertellen is dat meneer Anwar gisteravond is ontvoerd en dat er losgeld is geëist. Weet u daar iets van?'

'Alleen wat er op de radio is gezegd.' Lander ademde hoorbaar door zijn neus, alsof hij een heftige emotie probeerde te bedwingen. 'Ik weet alleen dat ik vanmorgen ben gebeld door zijn nééf' – op laatdunkende toon – 'die zei dat ik vanmorgen niet hoefde te komen omdat meneer Anwar gisteravond onwel was geworden. Ik moest de informatie eruit trekken. Hij is nu aan de overkant,' zei hij met een knikje naar buiten, 'en neemt voor hem waar.'

Bannerman ging door. 'Is meneer Anwar geliefd? Bij de buurtbewoners?'

'Geliefd?' Landers ogen speurden het tapijt af. 'Ach, er komen veel mensen in de winkel.'

'Steeds dezelfde mensen?'

Hij knikte. 'Vaak dezelfde mensen. Pal voor de zaak is een bushalte, dus mensen die naar de stad gaan komen vaak een krant kopen, maar na de ochtendspits en na de avondspits zijn onze klanten voornamelijk buurtbewoners, ja.'

'Hoe lang werkt u daar al?'

'Een jaar of veertien. Bijna veertien jaar.'

'En wat zijn uw werktijden?'

'Ooo.' Hij sloeg zijn ogen ten hemel. 'Ik begin om halfzeven 's ochtends en werk tot halfeen. Maar ik blijf vaak langer, of ik kom terug om te helpen met de drukte tussen de middag en met vakken vullen. Soms ga ik terug om samen met meneer Anwar naar het cricket te luisteren.'

Morrow mengde zich in het gesprek: 'Dus hij is een vriend van u?'

'Jazeker,' antwoordde Lander ernstig. 'Een heel goede vriend.'

'Wordt u betaald voor die overuren?'

Hij vond het idee kennelijk beledigend. ''s Middags?'

'Ja.'

Hij lachte kort en vreugdeloos. 'Of ik betaald word om naar cricketverslagen te luisteren?'

Morrow kneep langzaam haar ogen tot spleetjes. 'Als u extra uren werkt, krijgt u die dan betaald?'

Landers gezichtsuitdrukking werd nog harder. 'Nee. Ik word betaald voor de ochtenden dat ik werk. Wat ik verder voor meneer Anwar kan doen is een blijk van mijn vriendschap.'

'U doet het uit loyaliteit?' Ze bedoelde dat als compliment, maar ze had het kennelijk bij hem verbruid.

De lip onder zijn snor verstrakte. 'En uit vriendschap.'

'Ik stel u alleen maar vragen, meneer Lander,' zei ze vriendelijk. 'Het is mijn taak om meneer Anwar op te sporen en hem veilig en wel terug te brengen. Ik vat mijn werk heel serieus op.'

'Mooi,' zei hij, en hij knipperde met zijn ogen. Opeens besefte ze dat hij doodsbang was dat zijn vriend iets was overkomen.

'Hoeveel krijgt u per uur?'

Lander reageerde een beetje gegeneerd. 'Ik krijg een vast bedrag, tweehonderd pond per week, onafhankelijk van het aantal uren.'

'Aha.' Ze noteerde dat. 'Niet bepaald veel voor een dertigurige werkweek.'

'Zesendertig uur. Ook weleens tweeënveertig, als ik de hele week werk, maar ik ben er tevreden mee,' zei hij eenvoudig.

'In welk opzicht?'

'De werktijden, de plek en het gezelschap.'

'U kunt het dus goed samen vinden?'

Hij antwoordde alsof hij een speech afstak die hij had voorbereid, en hij keek over haar schouder naar andere toehoorders. 'Meneer Anwar en ik zijn al veertien jaar bevriend. In die tijd zijn we als het ware broers geworden.' Hij gebaarde abrupt met zijn hand om zijn woorden kracht bij te zetten. 'Hij is als een broer voor mij.'

Toen hij was uitgesproken kuchte hij verlegen. Morrow herkende zijn onbehagen, zijn onvermogen om op commando Oprah-gesnik te produceren. Net als hij vond ze dat oprechtheid niet gepaard hoefde te gaan met een stroom van emotionele ontboezemingen. Ze verlangde naar een tijd dat het voldoende zou zijn om op je trouwdag tegen een man te zeggen dat je van hem hield, en dat je van hem mocht verwachten dat hij dat tien jaar later nog zou weten.

Lander was een beheerst man die moeilijk uit de plooi te krijgen zou zijn. Ze zakte onderuit in haar stoel en klakte sarcastisch met haar tong. 'Ja ja, ik begin 't wel zo'n beetje te snappen.'

'O ja?' Opeens werd hij boos. 'U begrijpt het?'

'En óf ik 't snap.'

'Wat begrijpt u dan?' Hij leek woedend, zowel vanwege haar neerbuigende toon als vanwege haar slordige manier van spreken.

Ze maakte een achteloos handgebaar. 'Jullie werken samen, jullie hebben allebei iets met cricket?'

'Klopt.' Hij wees naar haar neus, en zijn boosheid ebde weg. 'Klopt.'

Morrow keek hem strak aan, liet hem even in het onzekere. 'Hebt u in de dagen en weken voor de ontvoering iemand bij de winkel zien rondhangen?'

'Er hangen zoveel mensen rond bij de zaak.'

'Iemand die u is opgevallen? Iemand die bijzondere belangstelling toonde?'

'Belangstelling waarvoor?'

'Voor meneer Anwar? Voor de inkomsten van de zaak, heeft er bijvoorbeeld iemand naar de omzet geïnformeerd?'

Hij dacht even na. 'Nee,' zei hij ten slotte. 'Nee, niet dat ik me kan herinneren. Er komen heel veel ongewone types. Alcoholisten, junks, vreemde vogels, maar ze wonen allemaal in de buurt. Zelfs als je niet precies weet wie iemand is, weet je wel waar hij of zij bij hoort.'

'Wat bedoelt u precies?' vroeg Bannerman.

'Wie hun familie is, hoe hun moeder of hun grootmoeder heet.'

'Geen ongewone telefoontjes?' vroeg Morrow.

'Nee.'

'Is meneer Anwar iemand geld schuldig, voor zover u weet?'

'Nee.'

Het antwoord kwam iets te snel, hij had niet over de vraag nagedacht. Ook al waren er zulke telefoontjes geweest, dan nog zou Johnny Lander het haar niet vertellen, daar was Morrow van overtuigd. Hij zou nooit iets in het nadeel van Aamir zeggen. Daar was hij veel te trouw voor.

'Wat is er volgens u gebeurd?'

'Ze hebben zich in het huis vergist,' zei hij stellig.

'Hoezo?'

'Het is een bescheiden gezin. Godsdienstig. Ze geven veel geld aan goede doelen, zonder ophef, zoals het hoort.'

'Wat voor goede doelen?'

'Acties voor slachtoffers van aardbevingen, belangrijke dingen.'

'Op het vlak van de hulpverlening?'

'Ja.'

'Afghanistan?'

'Dat is nooit specifiek ter sprake gekomen. Pakistan misschien…'

'Hebben ze een band met Afghanistan? Woont er familie?'

'Niet dat ik weet. Ze komen allebei uit Oeganda.'

'En u, hebt u daar ooit gediend?'

'Nee. Dat is van na mijn tijd.'

Ze gooide het over een andere boeg. 'Zou u zichzelf omschrijven als trouw?'

'Ja.' Geen zweem van aarzeling, geen moment van twijfel, geen sprankje gêne.

'Maar u hebt zelf geen gezin?'

'Nee.'

'Bent u bevriend met het gezin van meneer Anwar?'

'Nee, alleen met meneer Anwar zelf.'

'Maar u kent het gezin toch zeker wel?'

'Een beetje. Toen Billal en Omar nog op school zaten hielpen ze op zaterdag allebei in de zaak, maar ik ken ze niet echt goed.'

'U hebt jarenlang elke zaterdag met hen samengewerkt, maar u kent ze niet goed?'

'Nee. Ik heb niet met ze samengewerkt. Hun vader heeft met ze samengewerkt. Als zij er waren, was ik er niet. Achter de toonbank is eigenlijk niet genoeg plaats voor drie man, en ik ging graag vissen, dus…' Een licht schouderophalen. 'Het kwam me wel goed uit.'

'Maar u hoort vast veel over ze, u bent vast aardig op de hoogte.'

'Nee. Meneer Anwar heeft het zelden over zijn gezin.'

'Vindt u dat vreemd?'

'Nee. Hoezo?'

'De meeste ouders praten graag over hun kinderen. Maar meneer Anwar dus niet?'

'Hij praat over niets anders dan de zaak.'

'Wordt dat niet saai?'

'En cricket. We praten ook over cricket.'

'Nee maar.' Ze boog zich naar voren. 'Dát wordt pas saai.'

Omdat Lander zich daar wel een beetje in kon vinden, veroorloofde hij zich een vluchtig lachje.

Bannerman mengde zich in het gesprek. 'Bent u nog betrokken bij het Territorial Army?'

'Nee.'

'Kunt u zeggen wanneer u ontslag hebt genomen uit het TA?'

'Jazeker. In april 1993.'

'Een hele tijd geleden dus?'

'Ja.'

'Hebt u nog contact met mensen uit het TA?'

Morrow begreep wel waar hij op aanstuurde: de militaire connectie, want de wapens en uitrusting van de overvallers hadden op contacten met het TA kunnen duiden. Maar de overvallers waren ongetraind en hadden grove fouten gemaakt, die iemand met een militaire opleiding nooit zou hebben gemaakt.

'Nee. Ik ken wel mensen die tegelijk met mij in het TA zaten, maar ik onderhoud niet geregeld contact met ze.'

'Ook niet ongeregeld? Heeft een van hen u weleens in de winkel gezien?'

Hij dacht diep na. 'Nee, nooit.'

'Er is nooit iemand uit het TA in de winkel geweest?'

'Waarom zouden ze? De meesten wonen in Stirling. Als u me niet gelooft, kunt u bij het hoofdkwartier hun adressen opvragen. Ik zal u het nummer geven.'

Hij was heel precies, zijn militaire instelling stelde hem in staat antwoord te geven zonder hun autoriteit in twijfel te trekken. De meeste mensen die verhoord werden konden de redenering achter een reeks vragen maar moeilijk doorgronden en probeerden contact op te bouwen met hun ondervrager. Dit was weer eens iets anders.

Morrow nam het over. 'Wordt er in het TA vuurwapentraining gegeven?'

Bannerman keek haar even indringend aan bij wijze van waarschuwing, alsof ze te veel prijsgaf.

Toen ze weer naar Johnny Lander keek, hield hij zijn rug nog rechter dan eerst. 'Natuurlijk. Wat heeft een leger voor zin als er geen vuurwapens gebruikt mogen worden?'

Het kwaad was nu geschied, en dus vervolgde ze: 'Handvuurwapens?'

'Jazeker. Maar als u denkt dat ik ook maar iets te maken heb met de ontvoering van meneer Anwar, dan hebt u het faliekant mis. Hij is een goede vriend van me, en ik zou beslist nooit iets doen waar hij ook maar enige schade van zou kunnen ondervinden.'

Toen hij was uitgesproken hijgde hij een beetje, en hij keek ontdaan. Morrow boog zich naar hem toe en raakte zijn knie nét niet aan. 'Dat willen we ook allerminst suggereren, meneer Lander, maar die mannen hebben vuurwapens gebruikt, en wij moeten alle mogelijke connecties met de heer Anwar onderzoeken.'

'Dat begrijp ik.' Hij keek nog steeds onzeker.

'Het is onze taak om hem op te sporen, en daar doen we ons uiterste best voor.'

'Mooi.' Hij klemde zijn lippen even stijf op elkaar. 'Mooi. Hij is… een goed mens. Als ik iets kan doen…' Hij maakte aanstalten om op te staan omdat hij dacht dat ze gingen vertrekken, maar Morrow hield hem met een handgebaar tegen.

'Het TA. Wat voor soort lieden komt daarop af?'

Hij ging weer achteroverzitten. 'Oud-strijders die het niet kunnen laten.' Er gleed een lachje over zijn lippen, en hij wees op zichzelf. 'Arme mannen met een gezin, voor het geld. Anderen…' Hij haalde nadenkend zijn schouders op. 'Anderen hebben te veel actiefilms gezien. Die houden het niet lang uit.'

'Hoe komt dat?'

'Ze willen de held uithangen. En daar gaat het niet om. Wel om discipline. Daar kunnen ze niet tegen. Het gaat niet om populariteit. Je hoeft niet aardig gevonden te worden.' Hij wierp Morrow glimlachend een blik van verstandhouding toe.

'Hoe gaat het dan verder met ze?' wilde Bannerman weten.

'Ze nemen ontslag of worden ontslagen. Het is moeilijk om het goed te doen.' Hij knikte Morrow toe en liet zijn stem dalen. 'U had het daarnet ook moeilijk, hè? U probeerde me te overbluffen, me uit mijn tent te lokken.'

Ze glimlachte, en hij boog zich naar voren tot zijn gezicht dicht bij het hare was. 'Naarmate je ouder wordt,' fluisterde hij zachtjes, 'zijn er steeds minder mensen met wie je door één deur kunt.'

Morrow fluisterde terug: 'Daar heb ik nu al last van.'

Glimlachend ging hij achteroverzitten. 'Denkt u dat hij levend en wel wordt teruggevonden?' Zijn stem brak een beetje.

Ze haalde argeloos haar schouders op. 'De overvallers vroegen naar een zekere Bob.' Ze keek hoe hij reageerde.

'Zie je wel,' zei Johnny Lander vol overtuiging. 'Dan was het dus toch het verkeerde adres.'

Hij ging hen voor naar de hal, opende de deur om hen formeel uit te laten; hij gaf hun een hand, met alle plichtplegingen van een echte heer: prettig u ontmoet te hebben, als ik iets voor u kan doen…

Hij keek hen na terwijl ze de trap af liepen, boog zich nog eens over de balustrade en wuifde toen zij opkeken of te zien of hij er nog stond.

Morrow betrapte zich erop dat ze de geordende wereld van Lander met tegenzin verliet: met lood in de schoenen liep ze achter Bannerman aan naar de vochtblazen en het straatrumoer. Lander was een echte militair, bezat dat bijzondere vermogen om sterke, onvoorwaardelijke banden te vormen, leefde in een wereld met onwrikbare normen en waarden. Daar benijdde ze hem om. Waarschijnlijk was er nooit aanleiding geweest om aan het leger te twijfelen, het had hem kennelijk goed behandeld. Toen zij bij de politie was gegaan hadden haar vader en de rest van de familie zich van haar afgekeerd, omdat ze zich verraden voelden. Het was twaalf jaar geleden, maar ze vroeg zich nog steeds af of ze het had gedaan om van hen af te zijn. Ze zag zichzelf als oude vrouw in een onpersoonlijk huis zitten, in een troosteloze stilte, terwijl er een bus langs het raam denderde.

Buiten bleek er inmiddels een kille motregen neer te dalen.

'Dat had je niet moeten zeggen, van die vuurwapens.' Bannerman tuurde met half dichtgeknepen ogen de straat af.

Morrow trok haar jas dicht. 'Die kerels van gisteravond hadden geen ervaring met vuurwapens.'

'Hoe weet je dat?'

'Omar deed immers zo?' Ze liet haar arm hangen, met haar hand onder een hoek van negentig graden, net als Omar de vorige avond tijdens het verhoor had gedaan. 'Ik heb het nog eens teruggekeken.'

'Ja ja.'

'Zou dat niet komen door de terugstoot?'

Bannerman keek naar haar hand, maar had geen zin om toe te geven dat ze gelijk had.

'En hij zei dat die man onder de bivakmuts een lang gezicht had. Dat zei hij, "een lang gezicht", totdat hij zijn mond dichtdeed.' Ze liet haar mond openvallen alsof ze schrok en klapte haar kaken weer op elkaar. 'Vlak nadat hij het schot had afgevuurd.'

Bannerman haalde zijn schouders op. 'Zou kunnen.'

'Bovendien, denk eens aan de volgorde van de gebeurtenissen: op een onlogisch moment tijdens de onderhandelingen is er op het meisje geschoten. Het was geen truc om meer geld los te krijgen, om de bedreiging kracht bij te zetten. Het was een stomme fout.'

Bannerman vertikte het haar aan te kijken.

'Nou ja, het is maar een ideetje.' Ze haalde haar schouders op. 'Ik vergis me niet graag, jij?'

Ze liep gauw het stoepje af naar het trottoir. Vlak voor haar denderden bussen voorbij. Auto's reden er ongeduldig omheen en weken uit voor de stroom tegenliggers.

Bannerman kwam naast haar staan. 'Nee, maar het is... Als ze niet gewend zijn met vuurwapens om te gaan, zou dat de zaak een stuk ernstiger maken, toch? Dan kunnen ze elk moment iemand neerschieten.'

Er stopte een bus om passagiers te laten uitstappen, het verkeer kwam tot stilstand en het verkeerslicht aan de overkant versprong.

'Als het meezit' – ze stapte tussen de achterkant van de bus en een auto de weg op – 'schieten ze elkaar neer.'

De deur van de winkel kleefde en klemde. Er rinkelde een belletje toen Bannerman hem openduwde en naar binnen ging. In de kleine ruimte rook het naar stof en ongewassen lijven. Rechts was de wand met schappen vol kranten en tijdschriften, de porno bovenaan en de strips voor kinderen op de juiste hoogte voor grijpgrage handjes. Bijna achterin stond een rek met glazen flesjes frisdrank, als wijn horizontaal gelegd, met een kratje lege statiegeldflesjes ernaast.

In het midden stond een kast met de eerste huishoudelijke benodigdheden: shampoo naast theezakjes, waspoeder en luiers. Dure artikelen zoals pindakaas waren zo uitgestald dat de eigenaar er een oogje op kon houden, zo dichtbij dat hij zich voorover kon buigen om eventuele winkeldieven op de vingers te tikken. De toonbank besloeg de halve lengte van de winkel en was dus niet erg lang. Erachter stonden sigaretten, goedkope drank en koffie, buiten graaiafstand.

De witte formica toonbank was door twintig jaar wisselgeld uitgesleten tot op de onderlaag van bruine spaanplaat. Erachter stonden twee hoge krukken, nog naar elkaar toe gekeerd alsof de duettisten zojuist het podium hadden verlaten. Op een lage plank zag ze een zilverkleurig langegolfradiootje staan. Vast een prettig plekje om de wereld in ogenschouw te nemen.

De winkel werd nu beheerd door een man die te jong leek voor zijn baard en ouderwetse manieren, alsof hij een rol speelde. Hij keek haar verwachtingsvol aan maar zei niets.

'Hallo. Bent u de neef van meneer Anwar?'

'Ja.' Hij knikte gelaten.

'Rechercheur Morrow.' Ze stak haar hand naar hem uit. 'Ik behoor tot het team dat onderzoek doet naar de ontvoering van uw oom.'

Hij negeerde haar hand. 'Ja,' zei hij nogmaals. Volgens haar moest hij zijn best doen om haar woorden stuk voor stuk te verwerken.

'Dit is rechercheur Bannerman.' Ze wees achter zich. 'En u bent...?'

'Ahmed Johany,' zei hij met een zwaar accent. Toen hij haar verward zag kijken voegde hij er vriendelijk aan toe: 'John.'

'John?' Ze schoot in de lach.

'Zeg maar... John.' Maar hij glimlachte niet meer, althans zijn ogen deden niet mee, ze stonden droevig, alsof hij treurde om Ahmed Johany, die hij graag een plaatsje in de winkel had gegund.

Bannerman boog zich over haar schouder. 'Meneer Johany?' Hij wees naar een hoekje hoog achter de toonbank. Ze keken alle drie mee. Een videocamera, met een rood lichtje ernaast. 'Is dat…?'

'Camera, ja.'

'Worden de tapes bewaard?'

Hij schudde zijn hoofd. 'Een week maar, twee weken…'

'En dan…?

'Hergebruik.' Hij glimlachte verontschuldigend en liet zijn onderarmen om elkaar rollen. 'Zuinig met tapes.'

'Mogen wij de tapes van vorige week hebben?'

Dat mocht, maar het was duidelijk dat hij hen niet graag alleen liet terwijl hij naar achteren ging. Bannerman haalde zijn legitimatie tevoorschijn, maar Ahmed schudde zijn hoofd, want hij schaamde zich voor zijn argwaan. Hij maakte zich snel uit de voeten en keek op weg naar de deur achterin nog een paar keer om. Het kostte hem amper twintig tellen om een stapeltje stoffige cassettes te pakken. Haastig liep hij naar zijn plek achter de toonbank en hij was pas gerust toen hij daar weer stond. Hij pakte een tasje van dun blauw plastic en probeerde onder hun toeziend oog alle tapes in dat ene tasje te doen, wat niet lukte, waarna hij er nog een onder de toonbank vandaan haalde.

Morrow keek toe terwijl hij ze er voorzichtig in stopte, alsof het eieren waren, om het dunne plastic van de tasjes heel te houden. 'Werk je hier al lang?'

'Hmm.' De vraag verontrustte hem. Hij reikte Bannerman de tasjes bij de handvatten aan. 'Ik pas hier… nú,' om er snel aan toe te voegen: 'Niet pas in Schotland. Hier al veel jaar, maar in winkel ik pas nu.'

Het wantrouwen, het passieve glimlachje, dat alles zei niet veel goeds over deze buurt, of over de buurt waar Johany vandaan kwam. Beschaamd dacht ze aan de racistische graffiti op een winkelpui toen ze nog klein was, en aan een winkel in Partick met een in viltstift geschreven bordje in de etalage: 'Deze zaak wordt gerund door Schotten'.

Achter hen ging de deur open: een wolk lawaai en stof van de straat. In de deuropening stond een oudere vouw met een wit kroespermanentje.

Ze keek van Bannerman naar Johany.

'Waar is ie?' vroeg ze verontwaardigd.

Omdat Johany zijn mond hield, vroeg Morrow: 'Wie?'

'Die kleine man.' Ze wees naar de toonbank. 'Is ie ziek of zo?'

'Hoezo?' vroeg Morrow op scherpe toon.

De vrouw keek haar nijdig aan. 'Wie zijn jullie? Hebben jullie de winkel soms overgenomen?'

'Nee. En wie bent u?'

'Wie ik ben?' Ze kon er met haar verstand niet bij dat haar die vraag werd gesteld. 'Ik kom hier elke dag. Ik ben hier elke dag. Waar is de kleine man?'

'Welke kleine man?'

'Die vent, dat donkere mannetje.'

'Meneer Anwar?' verbeterde Morrow.

'Heet hij zo?' De vrouw keek om de deur of haar bus er al aankwam, maar dook weer naar binnen om te vragen: 'Is hij ziek dan? Ligt hij in het ziekenhuis?'

'Meneer Anwar kan vandaag niet naar zijn werk komen. Hoe lang komt u hier al?'

'Een jaar of twintig. Hoezo?'

'En u weet niet eens hoe hij heet?'

'Hij weet ook niet hoe ik heet.' Ze keek Morrow boos aan. 'Zeg toch maar tegen 'm dat die mevrouw van het pakje Kensitas en de vier broodjes hoopt dat hij gauw opknapt. En dat mijn kleindochter weer uit het ziekenhuis is. Ze heeft een zoon.' Ze keek onzeker. 'Nou ja, dat zeg ik maar omdat... eh... Dat wil hij vast graag weten.'

En weg was ze.

18

In de perzikkleurige woonkamer zat een angstige Omar Anwar te kijken naar de regen die tegen het raam tikkelde, toen de telefoon in de gang ging: een zacht, onbekend gerinkel. Hij hoorde de slaapkamerdeur van Billal openvliegen, gevolgd door snelle, zware stappen.

'Omar! Kom als de sodemieter hier!'

Omar sprong overeind en haastte zich naar de gang.

De broers stonden tegenover elkaar naar de vreemde groene telefoon te staren.

Het was niet hun eigen toestel, maar eentje dat de politie hier had neergezet. Het was oud en een tikje beduimeld, en op het rubberachtige snoer zat een laagje grijs dat je eraf kon krabben. Het geluid stond zo hard dat ze de hoorn een eindje van hun oor moesten houden. Als ze er iets in zeiden hoorden ze een echo van hun eigen stem. Achter in het toestel was een cassetterecorder geplugd. Ze hadden iets geavanceerders verwacht, en het primitieve van de apparatuur gaf hun het gevoel dat ze achtergesteld werden, alsof de politie zich niet echt om hun vader bekommerde.

Billal boog zich abrupt naar voren, drukte op de opnameknop van de cassetterecorder, controleerde of het apparaat werkte en nam op. Hij hield de hoorn behoedzaam bij zijn oor, alsof hij nooit eerder had getelefoneerd en niet goed wist hoe het moest. Hij luisterde even, knikte en gaf de hoorn aan Omar, met gestrekte arm en een gezicht alsof hij bang was voor het ding.

Omar pakte hem aan en luisterde.

'Met wie?' De stem kwam hem bekend voor van de vorige avond.

'Ik ben het, eh, Omar. Met wie spreek ik? Was jij hier gisteravond?'

'Ik wil Bob spreken.'

Omar keek ongemakkelijk naar de cassetterecorder. 'Ik ben het, eh, Omar.'

'Wij hebben je vader.'

'Echt waar? Zeg, was jij hier gisteravond ook?'

'Wij hebben hem. We willen twee miljoen, in gebruikte biljetten, vandaag nog.'

'Dat weet ik. Zeg, dit kunnen we snel afhandelen, hè? Hoe gaat het met mijn vader, is alles goed met hem?' Omar stond er zelf versteld van dat hij zo netjes bleef, zo beleefd tegen iemand die zijn familie had bedreigd, zijn zusje had beschoten en zijn vader had ontvoerd, maar Sadiqa had de goede manieren er ingehamerd en in een onbekende situatie als deze viel hij terug op zijn standaardinstelling.

'Met je vader gaat het prima, prima. Maak je geen zorgen.' Ook de andere partij was beleefd. Op de achtergrond hoorde Omar een bus of een auto passeren: hij belde ergens op straat. 'Maakt je zus het goed?'

'Mijn zus?' vroeg Omar.

'Aleesha, die met de schotwond, gaat het goed met haar?'

'Prima, ze ligt in het ziekenhuis.'

'Gaat het goed met haar hand?'

Verbijsterd keek Omar op, zag dat Billal woedend naar hem keek, en opeens zaten de tranen hoog. 'Nee, eerlijk gezegd is het hartstikke rot.' Hij moest even op adem komen. 'Ze is haar duim en wijsvinger kwijt, plus een stukje van haar middelvinger. Ze kunnen haar grote teen als duim aanzetten, zeggen ze. Volgens mijn moeder staat dat raar. Maar om je hand goed te kunnen gebruiken, moet je een opponeerbare vinger hebben, snap je…?'

'Ja ja, goed, oké. Maak je geen zorgen.'

'Het staat vast heel raar.'

'Eh… Misschien kan ze handschoenen dragen?'

Omar keek fronsend naar de telefoon: wat een vreemde opmerking. 'Misschien…'

'Mooie handschoenen, bedoel ik, verschillende kleuren aan elke hand…?'

'Verschillende kleuren?'

'Nou ja, het was maar een ideetje. Eh… Zeg maar… Zeg maar

dat we het heel erg voor haar vinden.'

Billal zag Omars verwarring en gaf hem een por tegen zijn arm, schudde zijn hoofd, wilde weten wat er gaande was. Omar besteedde geen aandacht aan hem.

'We zullen het overbrengen,' zei hij. 'Dat je er spijt van hebt.'

'Oké. Nou goed…' De stem van de ontvoerder klonk alsof hij bij de telefoon wegging, en Omar kreeg het gevoel dat het gesprek was afgelopen maar dat de man het losgeld was vergeten.

'Zeg, je had toch zeker nog een verzoek?'

'O ja, luister goed: we willen twee miljoen in gebruikte bankbiljetten, vandaag nog.'

'Hoor eens, ik zal kijken wat ik kan doen, goed? Ik wil je helpen, zorgen dat alles goed komt, dat we mijn vader veilig en wel terugkrijgen. Maar de kwestie is…' Hij haalde diep adem, wat hoognodig was. 'Eh… Ben je daar nog?'

'Ja, ik ben er nog.'

'De kwestie is, zoveel geld hebben we bijlange na niet.'

'Jullie hebben niet zoveel…?'

'Nee. Maar moet je luisteren, ik ga nu meteen naar de bank, goed? Ik zal opnemen zoveel ik kan en het vanavond aan jullie geven, graag zelfs. Ik geef jullie alles wat we kunnen krijgen, goed? In ruil voor mijn vader.'

'Hmm… Over hoeveel heb je het dan?'

'Geen idee, echt niet. Ik kan een lening afsluiten… Maar ik kan beslist wel aan zo'n veertig mille komen.' Zo zei hij dat, veertig mille, in plaats van veertigduizend, want dan klonk het alsof het een beetje meer was, vond hij. 'Maar wat ik ook kan krijgen, ik geef het graag aan jullie, oké? Bel je nog een keer terug? Laten we zeggen om een uur of drie, om iets af te spreken?'

'Veertig mille is niet genoeg.' Hij ademde hoorbaar in de hoorn, die bijna-vriend, hield de hoorn dicht bij zijn mond, zodat het geluid hijgerig en vervormd klonk. 'Oké, luister goed: we kennen je.'

Omar keek naar de bandrecorder. 'Wat?'

'We kénnen je,' werd er nadrukkelijk gezegd. 'Begrijp je wat ik bedoel? We kénnen je.'

Omar keek naar het draaiende bandje. 'Ik snap echt niet waar je het over hebt. Echt niet. Maar luister goed. Als je terugbelt, dan ben ik intussen naar de bank geweest. Ik ga kijken wat ik voor jullie kan doen, goed?'

'We kennen je heel goed.' En de verbinding werd verbroken.

Pat zag Eddy in de Lexus zitten: hij streelde het met leer beklede stuur en glimlachte zelfgenoegzaam.

Toen Pat weer instapte vroeg hij op uiterst ontspannen toon: 'En, wat had hij te zeggen?' Zijn ogen knepen zich te graag tot spleetjes, zijn glimlach was te star om echt te zijn, en Pat begreep dat Eddy weer op de gangstertoer was, zich verbeeldde dat hij meer was dan een dikke gescheiden man in een huurauto.

'Nou,' Pat trok de gordel voor zich langs, 'ik heb Bob gesproken, en die zei dat ie zoveel mogelijk geld gaat opnemen. Hij heeft al veertig mille, maar het zal nog wel meer worden. We moeten om drie uur terugbellen om een plek af te spreken waar we het ophalen. Volgens mij is alles binnen de kortste keren geregeld.'

Eddy knikte langzaam en met half toegeknepen ogen. Hij ging zo op in zijn rol dat hij wel dronken leek. 'Goed zo, man, goed gedaan.' Alsof Pat voor hem werkte en naar tevredenheid een klus had geklaard. 'Heeft hij nog geprobeerd je een mohammedanenkunstje te flikken?'

Pat kromp ineen. 'Wat?'

'Een mohammedanenkunstje, je weet wel, pingelen.' Eddy startte, trok soepeltjes op en reed naar het eind van de straat.

Pat wist niet wat hij moest zeggen en reageerde dus maar niet, want hij wilde niets te maken hebben met deze domme gekte. Hij wou dat Malki ook in de auto zat, zodat die er iets van kon zeggen. 'Hij zegt dat ie niet weet hoeveel hij kan krijgen, maar hij gaat z'n best doen.'

'*Yeah*.' Godallemachtig, nu had hij zich zelfs een Amerikaans accent aangemeten. 'Ja precies, een mohammedanenkunstje.'

Dat woord bestaat niet eens, wilde Pat zeggen. Hij streek met zijn tong over zijn lippen, haalde diep adem, maar toen hij moed had verzameld was de gelegenheid voorbij. Hij drukte zijn krant met twee handen tegen zijn borst, zoals een vrouw in een donker steegje haar avondtasje omklemt.

'Nou, wacht maar af, die klootzakken komen heus wel over de brug, zeker weten…' Eddy kletste maar door, nog steeds met dat accent, weer vol zelfvertrouwen nu er een afspraak was gemaakt. Pat bromde af en toe iets terug, hield zich op de vlakte, maar probeerde Eddy aan de praat te houden zodat hij hem kon bestuderen.

Het besef daagde langzaam maar glashelder: welk bedrag de familie vanavond ook zou bieden, Pat zou het accepteren om zich uit Eddy's greep te bevrijden. Het was voorbij, al die jaren dat hij hem had aangehoord, hem naar de mond had gepraat, creatief met de feiten was omgesprongen om hem ter wille te zijn, met afgewend gezicht om hem had gelachen. Pat had nu andere dingen te doen, andere zorgen aan zijn hoofd.

Nadat ze een paar minuten door rustige straten hadden gereden, kwamen ze bij de doorgaande weg. Halverwege de ochtend begon het verkeer aardig druk te worden, en ze sloten aan bij een rij auto's die wilden invoegen. Eddy zag de verkeerslichten in de verte op rood springen en remde tot de grote wagen tot stilstand was gekomen.

Naast hem stond een gloednieuwe, glanzend blauwe Mini. De bestuurster zag de zilverkleurige motorkap van de Lexus en keek hun auto in. Haar ogen werden aan het zicht onttrokken door het dak van de Mini. Het enige wat wel zichtbaar was, was een glanzend rood aangezette mond die openviel. Ze lachte, en Eddy genoot zichtbaar, keek glimlachend naar zijn stuur.

'Zie je die griet naar me kijken?'

Pat zweeg.

'Pat, man, zie je die griet naar de auto kijken?'

Pat keek hem niet aan.

'Man…'

Eddy volgde Pats blik, over het dashboard, over de motorkap, voorbij de stoplichten, naar een groen met wit betegeld rond gebouwtje op een verkeerseiland. Het was een vreemd bouwsel, een soort tuinhuisje maar dan midden in een zee van verkeer. Op een handbeschilderd bord op het raam stond THE BATTLEFIELD REST. Eddy keek terug naar Pat.

'Heb je daar weleens gegeten?' vroeg hij.

Maar Pat gaf geen antwoord. Achter hen werd getoeterd: het licht stond op groen. Eddy vloekte de bestuurder uit en reed op.

Pat keek helemaal niet naar het ronde eethuisje, hij keek naar de straat erachter, naar een lage muur om een parkeerterrein bij een hoog victoriaans gebouw. Het kromde zich in de vorm van een komma om de auto's: het Victoria-ziekenhuis.

'Pat, man, je zit mijlenver met je gedachten.'

Eddy had gelijk. Pat staarde naar het gebouw, maar zijn gedachten voerden hem mee de auto uit, weg van de racistisch getinte opmerkingen, het slechte rollenspel en de zweem van Shugies pislucht die in Eddy's broek hing.

Pat stond met zijn dierbare krant in de lift van het Victoria-ziekenhuis. Pat had een bos bloemen bij zich, gele bloemen, hij voelde de kou van de vochtige stengels door het vloeipapier in zijn handen dringen. En hij had een net pak aan.

19

Misschien omdat Bannerman haar had geloofd toen ze deed alsof ze hem steunde in de kwestie van het telefoontje naar de alarmcentrale, of omdat ze allebei moe en het kiften beu waren – tijdens de autorit naar het Victoria-ziekenhuis brak in elk geval onverwacht de vrede uit. Bannerman reed op zijn gemak en zei niet veel, behalve om af en toe een hiaat in de briefing aan te vullen als hem iets te binnen schoot. Hij sprak bedachtzaam, en Morrow merkte een paar keer dat hij sneller conclusies trok dan zij. Slimmer dan ze gedacht had.

'De vraag is waarom ze het busje in Harthill hebben laten uitbranden. Of ze zijn naar Edinburgh gegaan, of ze komen er geregeld langs, kenden de plek en vermoedden dat ze ons daarmee op een dwaalspoor zouden zetten.'

'Was het serienummer van het busje te achterhalen?'

'Gestolen van een dealer in Cathcart. Niets bijzonders.' Hij minderde vaart voor de verkeerslichten bij Gorbals Cross.

'Als een van hen een ervaren autodief is, verklaart dat misschien waarom ze hem daar in brand hebben gezet. De boer zei dat hij eerder gestolen auto's op zijn land had gehad.'

'Klopt. Het zou best een bekende plek kunnen zijn om auto's te dumpen. Een beproefde methode, dan wisten ze dat het uren kon duren voordat hij werd gevonden.'

'Hoe zag het uitgebrande busje eruit?'

'Professioneel. Je kent dat vuurbaleffect dat je soms krijgt?' Hij gebaarde met zijn hand boven zijn hoofd langs het dak van de auto.

Dat kende ze. 'Als de tank nog vol zit, of als ze plassen benzine laten staan, dan ontploft de boel en brandt uit?'

'Precies,' zei hij met een tevreden glimlachje omdat ze begreep waar hij het over had. 'Nou, daar was hier geen sprake van. Ze hadden het interieur degelijk doordrenkt, en het busje is mooi gelijkmatig uitgebrand, zodat er niets over is, geen vezels of haarsporen, helemaal niets.'

'Had de familie visa voor Afghanistan?'

'Nee, er is geen verband. Ze schijnen er geen contacten te hebben. Pa en ma zijn vluchtelingen uit Oeganda. De rest van de familie komt daar ook vandaan. Een paar neven en nichten uit Pakistan, verre familie, Oegandese emigranten.'

'Ik denk dat Mo en Omar gelijk hadden: zoiets zegt de eerste de beste gek tegen Aziaten. Als ze zo amateuristisch zijn om een wapen te gebruiken zonder dat ze het hebben uitgeprobeerd... Je zou toch denken dat ze eerst even oefenen.'

'Mijn idee.' Het licht sprong op groen, en hij reed soepel de kruising over, de Vicky Road op. 'Ze hebben één grote fout gemaakt: er is aluminiumfolie onder de bomen gevonden.'

'Nee!' Ze keek hem breed lachend aan. 'Nee!'

'Toch wel.' Ook hij lachte. 'Heroïne. Maar we laten ons niet blij maken met een dooie mus, want stel dat het aluminiumfolie van de ontvoerders is en niet van de dieven van het busje, dan nog valt het niet mee om uit een stukje folie iets af te leiden.'

'De overvallers waren niet onder invloed.'

'Nou ja, het is maar één stukje folie, met scag aan de binnenkant.'

'Misschien hebben de anderen niet gemerkt dat hij had gerookt. Hoogfunctionerend, zeg maar.'

'Langdurige gebruiker dan?'

'Bijvoorbeeld, iemand die niet alles door elkaar gebruikt maar zichzelf onder controle heeft.'

'Ja, je zou weleens gelijk kunnen hebben.'

'Ja.'

'Ja.'

Bannerman beet op zijn lip. Hij had het idee dat het beter ging tussen hen. 'Niet meer kwaad op me?'

Morrow schraapte haar keel en haalde haar schouders op. 'Sorry dat ik je voor lul heb uitgemaakt. Ik was moe.'

Hij kromp even in elkaar. 'Dat heb je niet gedaan. Je zei dat het niet goed zou gaan tussen ons als ik lullig deed, je hebt me niet met zoveel woorden uitgemaakt voor lul.'

Hoe ze het precies had ingekleed was kennelijk belangrijk voor hem. 'Tja…' zei ze. 'Nee, dat klopt.'

'Ze hebben ons in een lastig parket gebracht, vind je ook niet? Alsof we elkaars concurrenten zijn, terwijl we juist zouden kunnen samenwerken. Slecht management.'

De bedekte kritiek op MacKechnie was bedoeld om een band te scheppen, of het was een valstrik. Ze wist zich niet goed raad, ze was het spuugzat om te raden naar wat Bannerman bewoog. Achter haar ogen groeide de boosheid. 'Grant, ik heb het idee dat je heel erg bezig bent met je carrière…' Ze maakte haar zin niet af, haalde diep adem, bedacht zich. Hij wachtte tot ze haar gedachten had geordend. 'En minder met het werk, zeg maar.' Ze maakte een machteloos gebaar met haar handen, alsof ze een boek opensloeg. 'Ik heb het idee dat ik meer met de zaak bezig ben… Er meer energie in steek, snap je?'

Bannerman vatte het goedmoedig op. 'Mijn vader was ook diender, dat weet je.'

'Hmm.'

'Ik ben met dit werk opgegroeid.'

'Ja.' Morrow krabde over haar gezicht, net iets te hard. Dat zijn vader bij het korps had gezeten, betekende nog niet dat haar inzet minder groot was.

'Als je ermee opgroeit,' zei hij, fronsend naar de voorruit, 'dan besef je het allemaal misschien iets meer. Je weet hoe het werkelijk is, hoe een carrière soms kan eindigen. Nieuwelingen zijn wel idealistisch, maar verliezen sneller hun geloof in het vak.'

Hij had het over haar.

'Ik ben geen nieuweling,' zei Morrow.

'Nee, maar je komt immers niet uit een familie die al generaties bij de politie is? In zekere zin bof je dan, volgens mij, want je zult al die dingen zelf moeten uitdokteren. Alleen schrik je soms van je conclusie.'

'HKS,' zei ze chagrijnig.

Hij knikte. 'HKS. Maar ík weet wat ik op me moet nemen en wanneer ik in actie moet komen, ik ken de beperkingen van het vak. Die killersmentaliteit heb jij niet.'

Opeens snapte ze er niets meer van. 'Killersmentaliteit?'

'Hoe je het systeem moet bespelen om een zaak tot een goed einde te brengen.'

Ze begreep hem niet goed, maar kreeg het onbehaaglijke gevoel dat het gesprek de verkeerde kant op ging.

'Maar goed,' zei hij, alsof nu alles duidelijk was. 'Als Omar Bob is, hoe komt iemand er dan bij dat hij ergens twee miljoen heeft slingeren? Hij is pakweg eenentwintig, is na de middelbare school gaan studeren, heeft geen werk. Hoe komen ze erbij dat hij over miljoenen kan beschikken?'

'Hm, geen idee.'

Ze zag dat Bannerman zijn aandacht bij het verkeer had en besefte dat het gesprek hem helemaal niets deed. Killersmentaliteit. Ergens had ze het idee dat hij haar duidelijk maakte dat hij, zoals ze al vermoedde, inderdaad een ontzettend kloterige egotripper was.

Hij keek naar de kruising. 'Wat is dit toch een kloterig kruispunt…'

'Rechtsaf,' zei ze vlug. Ze was erop gebrand de vaart in het gesprek te houden. 'Rij er maar langs en dan daar naar links.'

Bannerman volgde haar aanwijzingen op naar het parkeerterrein voor bezoekers van het ziekenhuis en vond nog een plekje achterin. Hij haalde de sleutel uit het contact en stapte uit, de wind in die van de kale kruising voor hen kwam.

Nog steeds vol argwaan opende ze haar portier. Ze stapte uit en sloot de deur, terwijl ze hem over het dak van de auto heen aandachtig opnam. Hij tuurde naar het Battlefield Rest, een restaurant in een verbouwd tramwachthuisje uit 1915. 'Het lijkt wel een ijssalon of zoiets in een kustplaatsje. Waarom heet die tent het Battlefield Rest?' vroeg hij.

'Ken je deze buurt niet?'

'Nee.'

'Maria Stuart, koningin van de Schotten, heeft hier haar laatste slag geleverd. Tegen het leger van haar zoon. Zij heeft verloren.'

'Waar vochten ze om?'

'Godsdienst.' Ze bleef even staan en fronste haar wenkbrauwen. 'Geloof ik.'

Hij wees naar het ronde gebouwtje. 'En daar heeft ze even rust genomen?'

Het wachthuisje was tijdens de Eerste Wereldoorlog gebouwd, ruim driehonderd jaar na de terechtstelling van koningin Maria. Morrow keek of hij het als grapje bedoelde, maar niets wees daarop. 'Nee,' antwoordde ze. 'Ze heeft er een portie lasagne besteld.' Bannerman reageerde niet. Hij draaide zich om en liep het ziekenhuis in. Morrow wou dat ze een goede collega had aan wie ze dit verhaal kwijt kon.

Het was druk in de hal, maar de liften waren efficiënt: ze verslonden de drommen die zich ervoor verzamelden en voerden ze ongezien af naar de diverse verdiepingen. Terwijl ze in de lift stapten, raadpleegde Bannerman zijn aantekeningen. Ze stonden dicht opeengepakt, samen met een vrouw en haar te dikke peuter in een wandelwagen. Het blonde meisje was een jaar of drie en zat te knikkebollen. Haar kleren waren te krap, zodat haar buik onder haar T-shirtje uit puilde. Morrow zag dat de wandelwagen vol lag met snoeppapiertjes en lege sapflesjes.

De moeder zelf zag er opgefokt uit, een mager vat vol onrust en ergernis; ze droeg haar haren in een strakke, hoge paardenstaart en rook naar verschaalde sigarettenwalm en parfum.

Morrow zag Bannerman naar de snoeppapiertjes kijken en vervolgens verwijtend fronsen naar de moeder. Toen de deuren op de eerste verdieping openschoven, duwde de vrouw het wandelwagentje naar buiten, ongeduldig over de metalen strips bonkend zodat het dikke slapende kind heen en weer schudde.

Toen de deuren dichtgingen maakte Bannerman afkeurende geluiden en hij mompelde: 'Als je je kinderen zulke troep te eten geeft...'

Morrow deed niet mee aan die zelfgenoegzame schijnheiligheid. Bannerman had geen kinderen. Hij had er de ballen verstand van. 'Heb je de verklaring van Aleesha bij je?'

Bannerman sloeg de map open en haalde er drie velletjes uit. Een ervan bevatte de verklaring van Aleesha. Ze was van de kaart geweest en had niets gezegd. Op het tweede stond die van Sadiqa, afgelegd in het ziekenhuis, waarschijnlijk terwijl Aleesha onder het mes was. Sadiqa was in de keuken geweest, had rumoer gehoord en was gaan kijken wat er aan de hand was. De liftdeuren openden zich op de vierde verdieping, en Morrow liep al lezend de hal in. Terwijl ze de aantekeningen snel doornam, deed ze een stap opzij. Ze waren bedreigd door gewapende mannen, Sadiqa was de gang in getrokken. Er was op Aleesha geschoten. Toen was Omar binnengekomen en zij had gegild en toen hadden ze Aamir meegenomen.

Morrow keek glimlachend op. 'Zij zegt dat ze naar Bob vroegen.'

Bannerman zuchtte en gaf toe: 'Ik weet het. Ik heb dit vanmorgen pas gekregen. Ik ben ontzettend stom bezig geweest.'

Onderweg naar de afdeling gaf ze hem de verklaringen terug, en ze bleef een pas achter hem, een bestudeerd gebaar van collegialiteit. Ze wilde dat hij haar vertrouwde. Toen ze zich naar voren boog om op de knop van de beveiligde deur te drukken, zag ze een lichte glimlach om zijn lippen. Dat zat haar niet lekker. Ze werd overspoeld door een dodelijke vermoeidheid; de overgang van nacht- naar dagdienst was altijd een moeizame zaak.

Haar gedachtegang werd onderbroken door een stem over de intercom. 'Ja?' Vanuit een kantoortje helemaal achter in de gang werden ze gemonsterd door een jonge verpleegkundige met bril.

'Rechercheur Bannerman en rechercheur Morrow, district Strathclyde. We komen voor een gesprek met Aleesha Anwar.'

'Oké.' De verpleegkundige reikte naar een knop, waarna de deur openklikte en ze hun tegemoetliep.

Bij de kamer van Aleesha waren twee agenten op de gang geposteerd. De ene zat op een stoel, de andere leunde tegen de muur tegenover haar kamerdeur en keek naar de billen van de verpleegster die langskwam.

Morrow en Bannerman liepen de gang in en toonden hun legitimatie. De verpleegkundige wierp er een vluchtige blik op. 'Anwar ligt op de IC.' Zonder verdere tekst en uitleg draaide ze zich abrupt om en ging hen voor naar de kamer tegenover de zusterspost.

Vanuit de gang kon je door een groot raam het vertrek in kijken. Door een gat in de wand stak een wirwar van draden, die naar een kastje leidden waarop de verpleegkundigen de gegevens in de gaten konden houden. De agenten bij de deur gingen in de houding staan toen ze hen zagen naderen. Bannerman zei dat ze tien minuten pauze konden nemen. Na een bedankje slenterden ze weg.

Door de ruit zagen ze dat Aleesha sliep, ondersteund door opgeschudde kussens. Haar linkerhand zat weliswaar dik in het verband, maar toch was duidelijk te zien dat hij misvormd was: duim en wijsvinger ontbraken, alleen de contouren van de andere drie vingers waren goed te onderscheiden. Het verbandgaas om de stompjes van middel- en ringvinger was doortrokken van een lichtgele vloeistof.

Ze was beeldschoon, vond Morrow, jong en kwetsbaar, met de gave huid en de moeiteloze gratie die je pas waardeert als het te laat is.

Ze gingen de kamer binnen. De lampen waren rustgevend gedimd, maar door de felle tl-balken op de gang heerste er een kil licht. Aan de gangkant van het bed, tussen het raam en Aleesha, zat Sadiqa te dommelen in een grote paarse ligstoel, tot haar kin bedekt door een roze *non-woven* deken. Ze was heel omvangrijk, haar onderkin vormde een zware kwab en haar enorme ronde buik hing aan weerszijden omlaag.

De met plastic beklede stoel was zo versteld dat de voetensteun hoger stond dan de hoofdsteun. Morrow wist uit ervaring hoe vreselijk ongemakkelijk ze lagen.

Sadiqa opende haar ogen een beetje, zag hun voeten, besefte dat die niet van ziekenhuispersoneel waren en keek op.

'Mevrouw Anwar, ik ben rechercheur Bannerman, en dit is rechercheur Morrow, van de CID. We zijn gisteravond bij u thuis geweest.'

De nog doezelige Sadiqa bracht onder de deken een hand naar haar borst. Morrow deed een stap naar voren om haar te begroeten. 'Ik geloof niet dat ik u gisteravond heb ontmoet, mevrouw Anwar. Ik ben Alex Morrow.'

Sadiqa stak haar hand onder de deken uit. Ze was nog in haar nachthemd. 'Prettig met u kennis te maken…' zei Sadiqa, die niet goed wist hoe ze haar onder deze vreemde omstandigheden moest aanspreken.

'Kunnen we misschien even met u praten?'

Ze probeerde opeens om overeind te komen, alsof haar iets te binnen schoot. 'Aamir?'

'Nee.' Alex stak haar hand op. 'We hebben nog geen nieuws. We wilden u alleen nog een paar vragen stellen die ons kunnen helpen bij de opsporing van uw man.'

'Oké, ik zal…' Sadiqa had moeite om overeind te komen. Ze zette zich met haar hielen af tegen de voetensteun, maar door haar gewicht moest ze haar armen gebruiken om haar zitvlak van de stoel te krijgen en de stoel rechtop te zetten.

Gegeneerd wees ze naar haar buik, alsof ze dat aanhangsel er de schuld van gaf. 'Te dik,' zei ze, en ze stond op.

De deken gleed op de grond, zodat de rest van haar roze nachthemd zichtbaar werd, waar de gedroogde bloedspatten nog op zaten. Ze schoof haar voeten in haar schoenen.

'Wilt u misschien even iets anders aantrekken, mevrouw Anwar?' vroeg Morrow.

'Wat dan?' Sadiqa was daar niet blij mee. 'Ik heb niets anders bij me.'

'Kunnen uw zoons niet iets brengen?'

Het kwam niet te pas, een verwijt aan het adres van degenen wie alleen Sadiqa verwijten mocht maken. Ze wierp Morrow een ijzige blik toe en mompelde iets over de baby.

'U bent natuurlijk allemaal vreselijk geschrokken,' zei Bannerman om het goed te maken.

'Ja.' Ze keek hem aan. 'Jazeker.'

Ze keek naar haar slapende dochter, schoof hen beiden voor zich uit naar de gang en trok de deur achter zich dicht. Ze bleven bij het raam staan, en Sadiqa pakte hen bij hun elleboog en zette hen zo neer dat zij met hun rug naar het glas stonden en zijzelf een oogje op haar dochter kon houden.

Bannerman keek om zich heen of hij ergens stoelen zag. 'Kunnen we niet ergens gaan zitten?'

'Nee.' Ze sloeg haar armen over elkaar. 'Ik ga niet weg. We blijven zo staan dat ik haar kan zien. U kunt me hier toch ook wel vragen stellen?' Dezelfde stem als van het telefoontje naar de alarmcentrale: keurig en correct, als een diva uit een jarenvijftigfilm.

'Nou…' Bannerman keek om naar de slapende Aleesha. 'We spreken liever ergens met u waar u zich goed kunt concentreren, ergens waar het rustiger is. We kunnen de verpleegkundigen vragen…'

'Nee.' Sadiqa stak vermanend haar hand naar hem op, alsof ze tegen een kind zei dat het weer moest gaan zitten. Ze zag de uitdrukking op hun gezicht en haar knieën knikten van ontzetting. 'Neemt u me niet kwalijk, alstublieft, mijn goede manieren laten me in de steek.' Ze sloeg haar hand voor haar mond, haalde bevend adem en knikte gedecideerd. 'Oké, oké.' Ze liet haar hand zakken, rechtte haar rug en keek hen aan. 'Sorry. Ik zal mijn aandacht erbij houden. Vraagt u maar wat u wilt.'

Bannerman keek in zijn aantekenboekje. 'Om nog even terug te komen op wat u gisteravond hebt gezegd... Naar wie vroegen die mannen precies?'

Ze knikte, als om een eerder genomen besluit kracht bij te zetten. 'Ja. Ze vroegen naar Bob.'

Daar keek Morrow van op. 'Weet u dat zeker?'

'Ja.' Ze kreeg het haast niet over de lippen, en ze knipperde erbij met haar ogen. 'Bob,' zei ze met een nadrukkelijk knikje.

Morrow was onder de indruk. Sadiqa doorzag kennelijk het belang van wat ze had gezegd, besefte dat ze ook had kunnen liegen en haar zoon erbuiten had kunnen houden, maar toch deed ze haar plicht. Ze vouwde haar handen over haar bolle buik en knikte ten teken dat ze klaar was voor de volgende vraag.

'Oké.' Morrow keek naar Bannerman, maar hij deed alsof hij de verklaring weer bestudeerde. 'Kunt u ons iets vertellen over de toedracht?'

Sadiqa aarzelde en bleef naar haar dochter staren. 'In chronologische volgorde?'

'Ja.'

Sadiqa haalde diep adem en deed een stapje naar achteren. 'We waren thuis, ik was in de keuken. Ik hoorde geschreeuw en ging naar de gang om te kijken wat er aan de hand was. Er stonden twee mannen, ik heb niet... Ik heb een leesbril, ik zat in de keuken te lezen, en ik zette mijn leesbril af, had mijn andere bril niet bij de hand, dus toen ik de gang in kwam kon ik niet goed zien, alleen vage figuren bij de deur. Die ene,' ze pakte verontwaardigd haar eigen pols, 'greep me beet en sleurde me de gang in. Ze vroegen waar Bob was. Schreeuwden. Er klonk een schot...' Ze keek naar de plek waar de muur zou zijn geweest, beleefde de schrik opnieuw. 'Toen kwam Omar binnen, een van de twee zei, schreeuwde: "Jij bent Bob" en tegen Mohammed: "Jij bent Bob".' Sadiqa kwam bij uit haar trance en keek nu echt naar hen. 'Toen greep hij Aamir beet en vertrok. Die andere figuur liep met hem mee.'

'Wat zat u te lezen?' vroeg Morrow.

De vraag bracht haar in verwarring.

'In de keuken,' zei Morrow. 'U zei dat u zat te lezen. Welk boek?'

'Ah, een examen. Een bloemlezing gedichten. *The Rattle Bag.*'

Morrow kon haar eerlijkheid wel waarderen. 'Wie van jullie heet er Bob?'

Sadiqa wendde haar ogen af. 'Niemand. Billal, Omar en Aleesha.'

'Nee, Sadiqa,' zei Morrow zachtjes. 'Ik vroeg niet wie van je kinderen Bob heet, ik vroeg "wie".'

Sadiqa knikte treurig naar de grond, want ze begreep dat ze het al wisten. 'Dwing me niet...' Het conflict was ondraaglijk. Sadiqa's ogen schoten vol tranen, haar dikke wangen begonnen te trillen.

Morrow gaf haar onbeholpen een klopje op haar arm. 'Laat maar...'

Sadiqa knikte naar haar arm en mompelde: 'Dank je.'

'Laat maar,' herhaalde Morrow, en ze stapte naar achteren. Vervelend om het in bijzijn van Bannerman bakzeil te moeten halen.

Sadiqa wreef over haar neus en keek op. 'Maar waar is mijn Aamir?'

'Dat weten we niet.' Bannerman nam het over.

'Denkt u dat hij nog leeft?'

'Ook dat weten we niet. We doen ons uiterste best hem op te sporen, maar we hebben uw hulp nodig,' zei Bannerman, die niet scheen te beseffen hoezeer ze hen al had geholpen en hoezeer haar dat verscheurde. Zij en wij. Een echte diender. 'Omar wordt weleens Bob genoemd, dat klopt toch?'

Ze beet op haar lip, ontweek hun blik. 'Niet door mij. Ik zeg altijd Omar. Die naam hebben we gekozen...'

Als ze haar zoon zomaar had uitgeleverd, zou Morrow minder waardering voor haar hebben gehad. 'Sadiqa, hoe lang ben je getrouwd?'

Daar moest ze even over nadenken, haar lippen bewogen tijdens het rekenen. Aamir was er kennelijk de man niet naar om hun trouwdag groots te vieren. 'Achtentwintig jaar.'

'Hoe oud ben je?'

'Achtenveertig.' Daar hoefde ze niet over na te denken.

'Is Aamir ouder dan jij?'

'Twaalf jaar ouder. Ik heb hem leren kennen toen ik zestien was.' Ze wierp een blik op Aleesha. 'Net zo oud als zij nu.'

'Ben je uitgehuwelijkt?'

'Lieve hemel, nee. Ik ben voor hem gevallen. Mijn ouders wilden graag dat ik wachtte tot ik was afgestudeerd. Eerlijk gezegd hechten we niet zo aan tradities.'

'Maar Billal en Meeshra...'

'Ja... Billal heeft gevraagd of wij een vrouw voor hem wilden zoeken. Het was zijn idee. Hij wilde dat ze bij ons kwam inwonen en al dat... gedoe. Zo'n soort regeling. De jongelui van tegenwoordig zijn een beetje ontgoocheld. Verlangen terug naar een verleden dat wij niet eens goed kennen, begrijpt u wel? Ze vinden onze generatie een beetje te gemakkelijk.' Ze trok rimpels in haar neus. 'Beetje te multicultureel.'

'Hoe is de verhouding met Meeshra?'

Sadiqa schraapte haar keel, keek strak naar Aleesha. 'Goed en slecht. Meesh is best aardig, maar ze is een vreemde eend in de bijt. Lastig soms. Maar goed, de baby woont ook bij ons in huis, dus we kunnen hem zien zo vaak we willen. En hun kamer ligt zo ver van de onze dat hij ons niet eens uit de slaap houdt.' Ze lachte om haar eigen grapje, en Morrow deed mee.

'Wat heb je gestudeerd?'

'Engelse letterkunde. Maar ik heb er nooit wat mee gedaan. Wilde liever trouwen...' Ze beet op haar wangen, een minieme reactie die Morrow niet kon plaatsen. Frustratie misschien. Geen positieve emotie in elk geval.

'Eigenzinnig,' zei Morrow.

'Heel erg eigenzinnig. Dat begrijp je pas goed als je zelf kinderen hebt. Je probeert streng te zijn, maar ach... Mijn ouders vonden hem niet goed genoeg voor mij, en dat maakte hem des te aantrekkelijker.' Ze keek naar Aleesha. 'Meisjes zijn koppig. Zit in de familie.'

'Heb je aan haar ook je handen vol?'

'Aan Aleesha?' Sadiqa keek vol aanbidding naar haar slapende dochter. 'Ze denkt dat ze alles al weet.'

'Problemen met jongens?'

'O nee, dat geloof ik niet...' Ze keek verbijsterd en leek in haar wiek geschoten. 'Haar grootste probleem is dat ik een debiel ben.'

'Draagt Aleesha geen traditionele kleding?'

'Nee,' antwoordde Sadiqa met een trots glimlachje. 'Nee, zij is... Nee, dat wil ze niet. Ze is atheïst.'

'Wat vindt haar vader daarvan?'

'Hij reageert geschokt waar ze bij is. Ze is de kamer nog niet uit of hij vindt het prachtig.'

'Hij is dus geen strenge vader?'

'Aamir?' Ze giechelde bijna bij het idee, maar toen ze bedacht dat hij in levensgevaar verkeerde, sprongen de tranen haar weer in de ogen. 'Lieve hemel nee, hij... kan erg zeuren en tobben, maar hij is niet hard. Hij is...' Even zag het ernaar uit dat ze in snikken zou uitbarsten, maar ze vermande zich, sloeg een hand voor haar gezicht en verborg zich even. 'Sorry.'

Morrow stak haar hand uit naar Sadiqa's arm, maar raakte haar niet aan. 'Je hoeft je niet te verontschuldigen, het is vreselijk...'

Bannerman vond dat hij nu lang genoeg was buitengesloten door de vrouwen en vroeg abrupt: 'Waarom was Aamir niet goed genoeg voor je?'

Ze haalde diep adem en rechtte haar rug. 'Arme Oegandese vluchteling. Het enige wat hij bezat was een sterk arbeidsethos.'

'En achtentwintig jaar later...' Morrow maakte haar zin niet af.

Een gelukkige vrouw zou vrolijk hebben geknikt om zelfgenoegzaam te laten merken dat ze een goede keuze had gemaakt. Sadiqa glimlachte flauwtjes. 'Tja, het is inderdaad een hele tijd.' Verstrooid dwaalde haar hand naar het opgedroogde bloed op de voorkant van haar nachthemd, en opeens keek ze ontdaan omlaag, haalde haar hand weg en keek ernaar.

'Zijn de jongens nog niet op bezoek geweest?'

'Nee,' antwoordde ze. 'Nee, ze mogen niet komen vanwege de baby. Maar ik heb ze opgebeld, in de telefooncel beneden, want je mag hier niet eens een mobiel gebruiken. Anders ontstaat er storing in de apparatuur of zoiets.'

De jongens hadden natuurlijk best naar de afdeling kunnen bellen en hun moeder aan de telefoon kunnen vragen, wist Morrow.

'Ach, misschien is het ook maar beter als ze niet komen.' Morrow legde even haar hand op Sadiqa's arm. 'Het is vast erg bedreigend.'

Ze had haar een uitvlucht geboden, en Sadiqa was daar dankbaar voor. 'Ja.' Ze keek om zich heen. 'Het is bedreigend. Erg bedreigend. Ik heb eigenlijk liever niet dat ze...'

'Zullen wij wat kleren voor je ophalen thuis?'

'Nee, nee.' Sadiqa ontspande een beetje. 'Nee, ik ga straks wel met een taxi naar huis om iets te eten te halen. Het eten hier is walgelijk. De groente wordt wel een uur gekookt…'

'Hoe gaat het met Aleesha?' informeerde Bannerman. Toen hij zag dat de verpleegkundige de agenten weer binnenliet, klapte hij zijn aantekenboekje dicht.

'Ze is niet in levensgevaar.' Ze sloeg haar ogen ten hemel, een zwijgend dankgebedje. 'Stabiel. Waarschijnlijk mag ze vandaag nog van de intensive care af. Een klein eindje meer naar links en ze was…'

'Dat is heel goed nieuws,' onderbrak hij haar. 'Luister, we laten u hier met onze agenten, en wij gaan beneden even bellen. Als we dadelijk terugkomen zullen we kijken of ze aanspreekbaar is.'

Ze waren helemaal niet van plan om terug te komen. Hij wilde Sadiqa alleen maar bij de les houden.

'Oké,' zei Sadiqa instemmend. Bannerman slenterde weg om met een van de agenten te gaan praten. Ze keek hem onzeker na en wendde zich daarna tot Morrow.

'Hartelijk dank voor de medewerking.' Morrow knikte haar toe, om te laten merken dat ze begreep hoe moeilijk het voor haar was geweest.

'Alstublieft,' zei Sadiqa radeloos. 'Zorg dat jullie hem vinden, alstublíéft.'

'We zullen ons best doen.'

Sadiqa ging terug naar de kamer van haar dochter en nam weer plaats op haar paarse stoel. Terwijl ze haar roze deken beschermend over haar borst trok, hield ze hen angstvallig in de gaten.

Bannerman gaf de agenten op gedempte toon instructies. 'Ze mag pas bellen als ik toestemming heb gegeven. Niet via de telefoon op de afdeling, niet met een mobiel op de wc, niet even naar beneden om koekjes te kopen. Begrepen?'

Door het raam van de intensive care zag Morrow dat Sadiqa gespannen naar haar dochter staarde en op haar duimnagel beet.

20

Toen ze de deur van Shugies slaapkamer opendeden, zat de kleine man nog rechtop op het bed, zoals ze hem hadden achtergelaten. Toch klopte er iets niet: de punten van de kussensloop hingen keurig over zijn schouders. Het zag er te netjes uit. Hij had de sloop afgedaan en weer opgezet, en dat was op zich al vervelend, maar zijn houding verontrustte hen nog meer: zelfverzekerd, met rechte schouders en opgeheven hoofd wachtte hij zonder ineen te krimpen hun komst af. Door de stof heen keek hij van de een naar de ander, en hij hield zijn rug zo fier recht dat ze er om onverklaarbare redenen allebei bang van werden, alsof hij repeteerde voor een ontmoeting in de rechtszaal. Het was griezelig, want hij kreeg er iets menselijks door.

Eddy keek naar Pat, ontdekte de spleet in de gordijnen en keek weer naar de zelfverzekerde man.

Kussensloop wist dat de politie was geweest. Hij had aan het raam gestaan, had de agenten gezien of gehoord en had gedacht dat ze hem kwamen redden. Met opzet had hij op de vloer gebonkt om de boel te verlinken.

Pat voelde Eddy's woede opwellen als een schreeuw op een toonhoogte buiten bereik van het menselijk oor.

Eddy ging door het lint, deed een stap naar het bed toe, met ontblote tanden, en greep de man bij zijn onderarm. Hij schudde hem hardhandig door elkaar, legde hem voorover op de matras en draaide zijn arm ruw op zijn rug, zoals de politie dat wel deed. De oude man jammerde 'nee' of 'au', in elk geval een hoog, verschrikt geluid, want dit had hij niet verwacht. Eddy duwde hem stevig op het bed, hief zijn andere elleboog hoog op en verkocht hem een por in zijn nierstreek.

De oude man kromp kreunend in elkaar, zijn ademstoot werd gesmoord in de matras. Eddy stootte keer op keer op hem in, met opzet naast de ribben, want hij had het gemunt op het zachte weefsel.

Op een gegeven moment wendde Pat zijn blik af, maar toen hij bedacht dat Eddy dat zou zien dwong hij zich weer naar de kussensloop te kijken. Bij elke klap schokte de oude man krampachtig.

Eddy stond wankelend over het lichaam op het bed gebogen, er zaten spatjes speeksel op zijn kin en hij hijgde als een kind op een trampoline. Hij moest een glimlach verbijten. Pat zag dat hij die met de rug van zijn hand wegveegde. Raar om daar zo van te genieten. Beetje sadistisch. Op die manier kon je iemand doodslaan.

Hij keek neer op de kussensloop, met vage gedachten aan inwendige bloedingen en de geheimen van het menselijk lichaam. Als Eddy hem vermoordde, zou hij het lijk moeten zien te dumpen. Pat wilde daar niets mee te maken hebben, hij had de oude man met geen vinger aangeraakt. Eddy zou Shugie of een andere stomkop wel met een lijk opzadelen, zodat die er de bak voor in draaide.

De oude man bewoog toch nog weer even: hij tilde zijn billen op in een vergeefse poging om weg te komen, daarna zakte hij weer voorover.

Opeens wees Eddy gebiedend naar de andere kant van het bed. Pat slofte erheen, en ze namen de kussensloop ieder bij een arm en zeulden hem van het bed. Ze probeerden hem op zijn slappe benen te zetten, maar hij zakte in elkaar. Nog twee keer deden ze een poging, en beide keren draaiden de knieën krachteloos naar buiten. Het zag er niet best uit. Bij de laatste poging wist hij overeind te blijven en zakte er maar één knie door, die even wegdraaide maar werd bijgetrokken. Eddy knikte in de richting van de deur.

Ze sleurden hem als een ledenpop op zijn tenen naar de overloop, door de wolk schimmellucht bij de badkamerdeur; ze trokken ruw aan hem, gaven hem tegenstrijdige signalen over welke kant hij op moest gaan. Eenmaal boven aan de trap huilde de kussensloop, en tussen twee snikken in mompelde en sputterde hij, snakte naar adem.

Eddy stond stil, keek van het halletje bij de voordeur naar Pat.

Door de mouw heen voelde Pat warmte, menselijke warmte, maar hij keek naar het kleed in de hal en dacht aan Aleesha: ze zou intens verdrietig zijn om haar vader, hij zou zijn arm om haar schouders slaan en haar zijdezachte haar zou over zijn blote arm glijden. Zijn hand zou haar schouder omvatten, zijn vingertoppen zouden niet alleen elk haartje in zijn geheugen opslaan, maar ook haar puntige schouderbladen, rugwervels, haar poederzachte huid. In dat geval zou ze hem nodig hebben. Zijn verlangen was zo groot dat hij de arm losliet, maar hij had dat nog niet gedaan of hij voelde zich klein en beschaamd.

Eddy hield de arm nog steeds beet, deed een stap naar voren en gaf een harde ruk. Maar de kussensloop bleef stug staan, keek boos zijn kant op. Hij trok verontwaardigd zijn arm terug: hij wist best dat daar een trap was.

Toen er voetstappen klonken keken ze naar beneden: Malki kwam lachend de trap op rennen, hij tilde zijn knieën hoog op. 'Ik heb de auto achter het huis gezet.' Hijgend bleef hij twee treden onder hen staan, met zijn hand aan de leuning, en hij danste weer een tree omlaag.

Eddy keek hem nijdig aan.

'Hij heeft mijn stem toch al een keer gehoord,' verklaarde Malki. Hij had een hand aan de leuning en steunde met de andere tegen de muur, zodat hij de weg versperde. 'Ik heb al met hem gesproken toen ik hem het snoep bracht. Hij mag het niet hebben, want het is niet halal.'

Nu was het te laat. Ze konden het niet doen waar Malki bij was, want dan zou er veel heen en weer gepraat en geruzied worden over goed en fout. Hij zou willen weten wat hun motieven waren, hij zou de kussensloop als een mens beschouwen. Verijdeld. Pat was trots op zijn verslaafde neefje.

Eddy gebaarde dat Pat voor hem uit de trap af moest lopen en volgde hem. Met zijn hand stevig om de elleboog van de oude man loodste hij hem hardhandig de steile treden af.

Shugie zat op de klamme bank te dommelen. Naast hem stond een nieuw blauw plastic tasje, met drie volle blikjes erin. Het vorige tasje lag op de grond, met de lege blikjes eromheen.

'Geen idee of drie genoeg is,' zei Malki, 'maar meer hadden ze d'r niet meer in de winkel.'

Pat haalde zijn schouders op. Hij wilde niet te veel zeggen waar de kussensloop bij was. Behoedzaam viste hij zijn portemonnee uit zijn achterzak en haalde er een briefje van twintig pond uit. Hij keek ernaar, rekende uit dat het wel genoeg zou zijn om een alcoholist van drank te voorzien, maar waarschijnlijk niet genoeg om een stevige drinker een lange avond in een drukke pub te bezorgen. Hij legde het briefje op de blikjes in het tasje.

Het was een vreemde stoet die door de woonkamer via de keuken naar buiten ging: Malki met zijn rappe junkloopje voorop, gevolgd Pat, en achter hem de kussensloop, hijgend en struikelend omdat hij werd gepord en geduwd door Eddy, die de achterhoede vormde. Bij de keukendeur aarzelde Malki even, hij wachtte op een teken van Eddy. Toen Eddy knikte, deed Malki de deur open, zodat er frisse lucht binnenstroomde langs de rottende barricade van vuilniszakken.

Omdat ze bijna tien uur in het huis waren geweest en alle geurschakeringen hadden ingeademd die een mens kan produceren zonder dood te gaan, leek de achtertuin ongelooflijk fris en zuiver. Ieder op zijn beurt bleef even op het stoepje staan om dankbaar zijn longen vol te zuigen.

Het was een wildernis: het donkere gras was hoog opgeschoten, en de diepgroene, glanzende heggen verhieven zich als een beklemmende muur, strekten hun takken in alle denkbare richtingen uit en verslonden het licht. De wind streek door het gras, zodat de halmen hun zilveren achterkant toonden.

De Lexus was het hoge gras in gereden, zodat de achterkant naar de keukendeur toe stond. Malki had alles uit de kofferbak verwijderd wat als wapen zou kunnen dienen, en had daarbij een spoor achtergelaten van het rechterportier naar het stoepje en van de kofferbak naar het linkerportier. Pat volgde het pad naar de kofferbak, klikte hem open en deed een stap naar achteren.

Eddy nam de tijd en keek ontevreden naar de oude man. Het was nog niet voldoende dat de kussensloop gebogen liep, hinkte en ineenkromp van de pijn in zijn rug. Hij pakte hem ruw bij zijn elleboog, draaide hem om zodat hij met zijn rug naar de kofferbak stond en verkocht hem een stomp in zijn kruis. De oude man klapte naar adem snakkend dubbel. Grinnikend rechtte Eddy zijn rug en keek van Malki naar Pat. Malki wendde zijn blik af, Pat lachte flauwtjes. Hun weerzin ontging Eddy, en hij lachte nog eens besmuikt, waarna hij, alsof hij een grap uithaalde, zijn vlakke hand op het hoofd van de oude man legde en hem met een heel licht duwtje de kofferbak in kieperde.

De plof van het lichaam van de oude man werd opgevangen door de voortreffelijke vering. Eddy keek breed glimlachend rond om te zien of hij wel bijval kreeg. Pat en Malki kwamen uit een wijdvertakte familie, die voornamelijk bestond uit bezorgde maar machteloze moeders en zwarte schapen, een afspiegeling van complexe maatschappelijke problemen – maar een man die niet meevoelde als een andere man in zijn ballen werd gestompt, dat was weer een heel ander slag. Ze vertikten het om hem aan te kijken. Malki maakte zelfs een afkeurend geluid in de richting van de auto.

Nijdig omdat hij voor de zoveelste geen maat had weten te houden met zijn geweld, pakte Eddy de voeten in de vieze pantoffels en gooide ze in de kofferbak; hij keerde de oude man op zijn zij en sloeg het deksel dicht alsof hij hoopte dat er iets tussen de metalen randen beknedal zou raken.

Malki keek verwachtingsvol naar Pat, of hij er iets van zou zeggen. 'Instappen, jongen,' zei Pat. Malki gehoorzaamde en deed het portier behoedzaam dicht.

Eddy keek woedend naar Malki's achterhoofd. 'Die Malki van jou is een klojo.' Pat keek hem boos aan. 'Oké, ik weet wel dat hij een neefje van je is, maar het is en blijft een klojo.'

Pats ogen verwijdden zich bij wijze van waarschuwing: de kussensloop kon hen horen. De wind ruiste door het gras, en Eddy keek blozend weg. Telkens weer verziekte hij de boel. Pat draaide zich om en liep naar de passagierskant van de auto. De kussensloop kende nu twee namen. Eddy had hardop gezegd hoe ze heetten, en ook dat ze neven van elkaar waren, dus nu kon Eddy de oude man niet meer vrijlaten, hij zou hem moeten doden. Dat betekende dat Aleesha vaderloos en stuurloos achterbleef en de liefde bij de verkeerde mannen zou zoeken. Bij Pat bijvoorbeeld.

Toen hij voorin ging zitten voelde zijn borst warm aan, en door zijn hoofd tolden gedachten aan zonnige oorden en uitwaaierend haar op een kussen.

21

Morrow en Bannerman stonden geparkeerd in Alison Street. Ze keken naar de overkant van de straat, naar twee grote etalageruiten.

Er stond geen naam boven de deur van het eethuis, het werd niet vermeld niet in het telefoonboek, maar iedereen kende het als Kasha. Het zag er niet eens uit als een eetgelegenheid, maar eerder als een gemeenschapshuis omdat het zo pretentieloos en doelmatig was ingericht. Er stonden grijze kuipstoeltjes, de tafels hadden een fineerblad en stalen poten. Zelfs het behang was grijzig, de wandlijsten herinnerden aan een andere inrichting, maar weerspiegelden de saaie kleuren in de rest van de ruimte. Het eetgedeelte bestond uit een bescheiden vitrine van ruim een meter breed met broodjes en een koelkast vol blikjes mangosap, flesjes water en glazen potjes met mangolassie.

Morrow wist dat het hier later op de avond vol zou zitten met mannen die kwamen eten en koffiedrinken en aan verse lassie in hoge glazen zouden lurken, maar omdat het ramadan was zaten de mannen elkaar zonder eten en drinken aan lege tafeltjes gezelschap te houden.

Aan één tafel werd echter heel duidelijk wel gegeten. De vier mannen zaten achter in de matig verlichte zaak, en voor hen stonden schaamteloos borden met eten uitgestald. Een vijfde man, net zo gekleed als de anderen, stond met zijn gevouwen handen voor zijn kruis in de deuropening de straat in de gaten te houden. Hij was niet de belangrijkste van het stel, maar Morrow kende zijn reputatie. King Bo was een kille, keiharde kerel. Hij brak botten op bestelling: een vinger, twee benen, zelfs een duim, die moeilijk te breken is; hij deed het zonder blikken of blozen, en nog snel ook.

Maar King Bo had een bijrol, hij was de man die het vuile werk op-knapte. De mannen aan tafel waren de hoofdfiguren.

Ze waren met z'n vieren, allemaal even fors, allemaal in desig-nershirt en duur trainingspak, allemaal zaten ze met gefronst voor-hoofd hun eten naar binnen te werken. De grote jongens van de Shields, en de belangrijkste was Ibby Ibrahim.

'Ben zo terug,' zei Morrow, en ze stapte uit. Bannerman liet haar zonder protest alleen gaan. Ibby was een goed contact, zo een op wie je tegenover de collega's prat ging, een naam die je achteloos liet vallen, en omdat het goed voor de zaak was liet hij dit aan haar over. Dat was mooi van hem, en Morrow moest met tegenzin en ondanks zichzelf vaststellen dat ze nog wel een hekel aan hem had, maar al ietsje minder.

Met haar blik strak op King Bo gericht sloeg ze het autoportier dicht en stak ze de verlaten straat over. Hij gooide zijn hoofd in de nek. Zijn korte haar was met gel tot een vin gevormd, en de lok op zijn voorhoofd was de tegenhanger van zijn puntkin. Met zijn licht loensende ogen trakteerde hij haar op zijn allerhardste blik. Vlak bij hem sloeg ze haar ogen neer om haar legitimatie te pakken, en toen ze weer opkeek zag ze hem grijnzen.

'Vergeet 't maar,' zei King Bo ontspannen, 'daarmee kom je hier niet binnen, dame.'

Op ruim een meter afstand bleef ze staan, met haar hakken net over de trottoirband, en ze blikte om zich heen. Ibby kon haar zien staan, maar ze keek niet naar binnen. Grote kans dat hij zou zeggen dat ze moest opdonderen. Ze had hem in geen twintig jaar gespro-ken, misschien kende hij haar niet eens meer.

Ze zou zich kunnen omdraaien en weggaan, het verleden laten rusten. Haar aanwijzing wat Bob betrof begon al vruchten af te wer-pen, en ze maakte zich kwetsbaar door hierheen te gaan. Nu zou haar meisjesnaam traceerbaar worden, en daarmee haar familie, ter-wijl ze juist zo haar best had gedaan dat allemaal af te werpen.

King Bo boog zich achterover het eethuis in, luisterde even en boog zich toen weer naar haar toe. 'Oké, goed, je mag binnenko-men.'

Hij stapte achterwaarts naar binnen, wees met een abrupt hand-gebaar naar de mannen aan het tafeltje en ontweek haar blik, alsof ze haar toelieten terwijl hij het had afgeraden.

Morrow was de enige vrouw binnen, en haar topje was behoorlijk laag uitgesneden. Ze voelde zich net een stripper die een klooster binnen gaat.

'Toe dan.' King Bo wees haar waar Ibby zat.

Ze liep erheen maar bleef een eindje bij de tafel vandaan staan en keek hem aan. 'Hallo.'

Ibby keek op. Hij was fors gebouwd, bedreigend, brede schouders, grote knuisten. Zijn neus was diverse keren gebroken geweest, van de brug was niet veel over. Hij droeg een trainingspak alsof het een pyjama was: geen enkele poging om te imponeren of eventuele toeschouwers voor zich te winnen. Iedereen met wie hij in contact kwam kende zijn reputatie. Ibby keek naar haar werkplunje, naar haar gezicht.

'Ik heb veel over je gehoord,' zei hij, kauwend op een hap donkergroene *sag aloo*. Morrow voelde de mosterdzaadjes bijna op haar tong openbarsten.

'Hoe gaat het met jou, Ibby?'

'Kon slechter.' Op tafel stond een bord met een maagdelijk wit naanbrood. Ibby scheurde er een stuk af om een volgende pluk spinazie van zijn bord in zijn mond te kunnen stoppen. 'Hoe'st met de Kuiltjesman?'

Ze haalde haar schouders op, zich ervan bewust dat Bannerman toekeek, en ze hoopte maar dat ze van buitenaf bezien professioneel overkwam.

Ibby keek naar haar decolleté en wees de andere mannen erop. 'Goeienavond saam,' zei hij. De jongens naast hem schoten in de lach, volgens haar zonder het helemaal te begrijpen, maar alleen om bij hun baas in een goed blaadje te komen.

Toen het gelach van de hielenlikkers was verstomd ging ze verder. 'Je neus…'

'Ik heb een ongeluk gehad,' zei hij te hard, te toonloos.

'Pittig ongeluk.'

Hij kauwde op zijn hap eten, glimlachend bij zichzelf, en Morrow lachte met hem mee. Goed om hem weer te zien. Goed dat hij niet dood was. Goed dat ze geen van beiden gek of aan de drank waren, of in de bak zaten.

Ibby grijnsde terug; er zaten mosterdzaadjes tussen zijn tanden. 'Shit man, ben je bij de politie gegaan?'

Ze haalde haar schouders op. 'Aan de andere kant gebeurden me te veel ongelukken,' zei ze, en ze keek naar Bannerman in de auto. Hij keek niet naar haar, zo te zien haalde hij een papieren zakdoek over het dashboard.

Ibby pakte een servetje om er zijn vlezige vingers aan af te vegen; hij scheurde het aan flarden, zodat zijn vingers er amper schoner van werden. Hij leunde achterover en knikte haar toe. 'Vooruit, zeg het eens.'

'Oké, eh, je hebt zeker wel gehoord dat er gisteravond iemand is gegijzeld?'

Hij knikte naar zijn bord.

'Ze waren op zoek naar Omar Anwar. Naar Bob.'

Zijn gezicht stond neutraal, hij luisterde niet echt maar sprak haar ook niet tegen.

'Bób. Zo noem jij 'm.'

'Helemaal niet.'

'Ik bedoel niet jou persoonlijk, Ibby, ik bedoel júllie.'

Hij pulkte met zijn tong tussen zijn tanden, kon niet te pakken krijgen wat hij zocht en gebruikte vervolgens zijn pinknagel. 'Hmm.'

'Bob?'

'Hmm. Sommigen noemen hem Bob.'

'Niet iedereen?'

Ibby keek op. 'Nee.' Hij was op zijn hoede.

Ze begreep het. 'Oké. Wil je soms nog iets kwijt over wat er gisteravond is gebeurd?'

'Zeg, jullie zijn zeker ten einde raad, anders was je hier niet.'

'We zouden ook naar de gemeenschapsleiders kunnen gaan, maar die vertellen ons alleen een hoop… nou ja, je weet wel.'

'Gemeenschapsleiders? Wíj zijn de gemeenschapsleiders.' De mannen om hem heen knikten zelfgenoegzaam. 'O, maar jij bedoelt natuurlijk de officiële gemeenschapsleiders?' De mannen glimlachten, niet zozeer om wat hij zei als wel om zijn toon. Ibby genoot. Ze vroeg zich af of hij besefte dat hij zich had omringd met domme jaknikkers. 'Kijk, wíj zijn een gemeenschap, wíj zijn leiders, deze tafel.' Hij plantte zijn wijsvinger stevig in het platte brood. 'Deze tafel is een gemeenschap.'

Hij zat zo te raaskallen dat ze haar kans greep en hem onderbrak.

'Ja ja, dat zal allemaal wel, maar weet je iets over gisteravond of hoe zit dat?'

'Niets.' Zijn toon was kortaf en hij meende het.

Hij keek haar aan om te zien of ze aan hem twijfelde. Het kwam vooral door de hoek waaronder hij dat deed. Zijn gezicht was breder en donkerder geworden, maar de ogen waren nog hetzelfde. Diepbruin, halfgeloken. Ze zag Ibby niet meer, maar wel het joch dat in het eerste jaar van de middelbare school naast haar had gezeten, het schriele kereltje dat zich vaak zat te krabben en klein was voor zijn leeftijd. Indertijd was ze erg op hem gesteld geweest, al wist ze niet waarom; ze nam hem in bescherming wanneer onnadenkende docenten hem iets vroegen, want hij wist niets. Hij had maar kort bij haar op school gezeten. Nadat hij een andere jongen bijna had doodgeslagen was hij weggestuurd.

Die jongen had bij hen in de klas gezeten en had belangstelling getoond voor de zus van Ibby. Waarschijnlijk was hij verkikkerd op haar, bedacht Morrow achteraf, maar hij was net iets eerder dan de rest in die fase beland, waardoor de anderen niet begrepen waarom hij zo achter haar aan zat. Op Ibby was het bedreigend overgekomen.

Morrow zag nog voor zich hoe Ibby's vingers in het haar van de jongen verstrengeld zaten. Zijn diepbruine ogen waren vochtig terwijl hij de gebroken neus van de jongen tegen het asfalt van de speelplaats plette.

Toentertijd had ze alle begrip gehad voor zijn buitensporige, ongebreidelde gewelddadigheid. Maatschappelijk werk was erbij gehaald, had ze gehoord, en Ibby was meegenomen en niet meer teruggekomen. Ze waren allemaal bang voor de maatschappelijk werkers, dezelfde kinderen die rustig werkeloos hadden toegekeken hoe Ibby tekeerging, dezelfde kinderen van wie de ouders naderhand niet naar school waren gekomen om te vragen wat er eigenlijk was gebeurd. Ze hielden zich gedeisd, want als je opviel werd je weggehaald. Toen de docenten Ibby hadden afgevoerd, was Alex degene naar wie hij zijn hand had uitgestoken. Ze had kans gezien zich tussen de benen van de leraren door te wurmen en die hand heel even aan te raken. Vingertoppen hadden elkaar tussen een wirwar van benen door gezocht. Zijn knokkels lagen open.

'Aamir Anwar is een aardige man, hè?' zei Morrow.

Met een licht hoofdknikje en een blik op het tafelblad gaf Ibby toe dat Aamir ermee door kon.

'Geen geruchten die je kwijt wilt?'

'Blanke jongens, Glasgows accent. Hebben niets met ons te maken.'

'Je hebt contacten.'

'Jij ook.' Er vormde zich een plannetje in zijn hoofd, en hij keek glimlachend naar zijn bord. 'Bij welk bureau zit je eigenlijk?'

De Young Shields waren een stelletje gekken. Ze vochten nog steeds met andere bendes. Domme territoriumdrift, ze hadden het nooit vakkundig aangepakt of het voor het geld gedaan. Misschien liet hij wel doorschemeren dat hij best een corrupte politievrouw op zijn loonlijst wilde, maar Morrow wist bijna zeker dat Ibby helemaal geen loonlijst had.

'Nu eens hier, dan weer daar,' zei ze. 'Van hot naar her.'

Hij lachte schamper. 'Wie weet kom ik nog eens een kijkje nemen op je werk.' Hij had het eigenlijk niet tegen haar, maar zat de blits te maken tegenover zijn maats.

'Goed hoor,' zei ze. 'Moet je doen.'

'Doe de Kuiltjesman de groeten van me.'

Morrow bleef staan. De eerste keer dat hij Danny had genoemd was dat niet goed tot haar doorgedrongen, want ze werd afgeleid door Bannerman, die haar in de gaten hield. Maar nu had Ibby de bijnaam Kuiltjesman al tweemaal laten vallen, en elke keer had de dikke jongen naast hem trots zijn kin naar voren gestoken. In haar zusterlijke beschermingsdrang had ze dat opgemerkt, en ze vroeg zich af of ze Danny hadden aangepakt of hem op de een of andere manier hadden overtroefd. Instinctief zocht ze de confrontatie met de handlanger, maar ze dwong zich haar ogen op de grond gericht te houden. Ze dreigde er weer bij betrokken te raken, ze moest weg.

'Wees voorzichtig, Ibby,' zei ze. 'Een ongeluk zit in een klein hoekje.'

Ze wilde zich al omdraaien naar de deur toen Ibby zachtjes zei: 'Zeg, nu ik je toch zie... Je pa... Rot dat het niet goed met 'm gaat. In het ziekenhuis...?'

Morrow bestudeerde zijn gezicht. De ouweheer had zozeer afgedaan dat niemand het nieuwtje de moeite van het doorgeven waard zou hebben geacht. Hij moest het van Danny hebben gehoord. 'Ja,' fluisterde ze terug. 'En toch kan ie verrekken.'

Ze liep weg.

Bij de deur deed King Bo een stap opzij en trok nadrukkelijk zijn arm in, alsof werken bij de politie een besmettelijke ziekte was.

'Dag, tot ziens,' zei ze opgewekt, en de boomlange gangster lachte schamper om te laten merken hoe hard hij wel niet was.

Ze stak de straat over naar de auto. Terwijl ze het portier opende keek ze nog even bij Kasha naar binnen. King Bo met zijn gemene tronie stond met zijn armen over elkaar links en rechts de straat af te speuren of er soms vijandige troepen naderden. Binnen zat Ibby zich vol te proppen met brood. Onder de tafel zag ze zijn vette pens. Hij werd te dik. Ze begonnen allemaal oud te worden.

Ze stapte in, en Bannerman startte.

'Zo. De Shields waren het niet.'

'Dat wisten we al.'

'Nee. Dat vermoedden we. Nu weten we honderd procent zeker dat zij het niet waren.'

'Geloof jij een boef op z'n woord?'

'Ik geloof Ibby Ibrahim,' zei ze terwijl Bannerman zich in het verkeer voegde. 'Die is te trots om te liegen.'

Hij lachte spottend. 'Als hij te trots is om te liegen moesten we hem maar eens verhoren. Dan zou de helft van alle vechtpartijen in Southside van vorig jaar zijn opgelost.'

'Nou ja, als hij niet wordt verhoord is hij eerlijk. Tijdens een verhoor is hij misschien wel bereid zich te verlagen tot een leugentje, als de informatie als bewijs zou kunnen dienen.'

Ze reden door Alison Street. Alex keek naar buiten en tuurde zonder iets te zien naar alle bouwvallige flatgebouwen, intussen piekerend over Danny en Ibby. De gedachte aan haar familie bracht haar op de vraag: 'Hoe is het met je moeder?'

'Slecht.'

Ze wachtte even met antwoorden. 'Rot voor je…'

'Nee, ze is aan de beterende hand, ze redt het heus wel. Ze redt het wel. Ze krijgt zuurstof en hoge doses antibiotica, maar ze zit al op in bed en zo.'

'Eet ze?'

'Kleine beetjes, ja.'

'Dus je hoeft geen verlof te nemen?'

'Nee.'

Morrow sloeg op haar dij. 'Jammer!'

Bannerman grinnikte om haar grapje. 'Je bent inderdaad net zo'n kreng als ze allemaal beweren.'

Dat deed even zeer, maar ze liet niets merken en kon het eigenlijk wel van hem hebben. 'Ach, je weet wat ze zeggen: mijn valsheid is net zo erg als een ijsberg, je ziet maar tien procent.'

Ze reden verder en wendden glimlachend hun blik af, blij dat ze hadden uitgesproken wat er tussen hen in had gestaan: hij had haar grote zaak gekregen en zij was niet populair. Nu ze hun pleisters hadden afgerukt, lieten ze hun wonden rustig aan de lucht drogen.

Opeens zwenkte de auto uit en Bannerman draaide met zijn heupen alsof hij plotseling jeuk had. Hij haalde zijn krakkemikkige werkmobieltje uit zijn zak en reikte het haar aan. Het trilde.

Morrow drukte de groene toets in en hield het toestel tegen haar oor.

'Bannerman?' Het was MacKechnie.

'Nee, met Morrow. Bannerman rijdt.'

'We hebben videobeelden van die auto in Harthill. Het is een zilverkleurige Lexus. Gehuurd onder een valse naam. We zijn er al naar op zoek.'

'Geweldig.'

'De ontvoerders hebben de Anwars gebeld. Ga erheen met als smoes dat jullie de tape komen halen, en bekijk die Bob nog eens goed.'

22

Ook al lag hij in de kofferbak, Aamir begreep dat zijn situatie er niet op vooruit zou gaan. Het wegdek werd oneffen. Eerst hotsten en botsten ze over beschadigd asfalt, daarna knerpten de wielen over grind of kiezels, niet over steenslag maar over ruige, onregelmatige keien.

De bestuurder minderde vaart om de autolak te sparen. Aamir herinnerde zich dat het een nieuwe wagen was, dat had hij de vorige avond geroken. Zeker anderhalve kilometer sukkelden ze verder die weg af, tot Aamir geen ander verkeer meer hoorde, alleen de wind die tegen de zijkant beukte, vaag geruis van gras, vogelgeluiden.

De auto stopte. De motor zweeg. De mannen voorin wisselden een paar korte zinnen. Ze stapten uit en openden de kofferbak: verblindend daglicht. Iemand gaf hem een por, hij moest eruit, werd bij zijn lurven gepakt en op zijn wankele benen gezet. Aamir voelde de wind tegen zijn handen en hals, kou en vocht trokken langs zijn benen.

Een Brits paspoort.

Ze konden niet lezen, die soldaten, ze zagen alleen de blauwe kaft en wisten dat ze de zegen van de overheid hadden om te stelen, te doen wat ze wilden. Ze waren op weg naar het vliegveld, op 3 november, één dag voordat de periode van negentig dagen was verlopen. Zijn oudere broer was achtergebleven om het huis te bewaken. Ze hadden nooit meer iets van hem vernomen. Aamir zag zijn moeder snikkend in de berm zitten, de inhoud van hun koffer lag uitgestrooid over het rode stof op de weg: groene overhemden, foto's van voorouders, haar schaarse sieraden waren meegenomen.

Ze verdwenen allemaal achter het busje, en Aamir hoorde hen: zij snikte en de mannen lachten beschaamd, zoals mannen dat doen als ze een stripper zien of het over seks hebben, een ander soort lach, diep, beschaamd. En al voordat ze de weg weer op kwamen terwijl ze hun gulp nog dichtmaakten, al voordat hij het bloed zag, wist hij dat ze zijn *maman* hadden geneukt. Aamir bleef heel stil in de taxi zitten. Hij staarde voor zich uit, finaal door de soldaat heen die op de motorkap een cigarillo zat te roken, en wist dat ze vermoord zouden worden.

Ze plofte naast Aamir terug in de taxi, met de punt van haar sari stevig tegen haar mond gedrukt, zonder hem aan te kijken. Een van de soldaten deed het portier voor haar dicht, boog zich door het raampje naar binnen en streek heel vanzelfsprekend over haar haar, liet het tussen zijn vingers door glijden alsof het een lap stof was die hij voor zijn vrouw wilde kopen.

Aamir werd opnieuw belaagd door de koude Schotse wind, maar hij vermande zich, dook in elkaar, met zijn kin tegen zijn borst. Mannen zoals deze reden niet zomaar de natuur in. Ze gingen hem vermoorden. Hij sloot zijn ogen om te bidden, en uit zijn diepste binnenste borrelde een wolkje oprechte emotie op, een bekend gevoel, een vleugje Afrikaans stof vermengd met de geur van cigarillo's. Het was een onontkoombaar gevoel, als nieuw, onaangetast door herinneringen. Al dertig jaar was hij op de loop voor dat wolkje, hij had hem verdrongen met bidden, werken en tobben, met de zorg voor huis, tuin en keuken. Een vleugje stof van de weg naar de luchthaven van Entebbe, in november. Onder de kussensloop sperde Aamir geschrokken zijn ogen open. Nu hij zo dicht bij de dood was, bleek zijn laatste gedachte oprecht en zuiver te zijn. Opluchting.

In Schotland werd hij ruw bij zijn arm gepakt, zodat hij bijna struikelde op de oneffen ondergrond van vergruisd beton, hij tuimelde naar voren, telkens weer, om een groot gebouw heen dat de wind tegenhield, door een hoge open deur het donker in. Binnen rook het vochtig en bedompt, naar kou, modder en natte muren. Zo te horen was het een hoge, brede ruimte.

Ze liepen met Aamir door de hal, steeds verder het steeds diepere duister in, weg van de deur en het geluid van de wind. Ze troonden hem mee, rustig nu, over metalen platen met een patroon erin, antislip, dat voelde hij door zijn pantoffels heen. Zwijgend leidden ze hem over losse houten planken die onder zijn gewicht op en neer veerden. Een steil trapje met rammelende ijzeren treden op; ze schopten hem tegen zijn hielen en hij moest zijn voeten goed optillen om een deur met een hoge drempel binnen te gaan.

Het was geen kamer. Het rook er naar droog ijzer. Zijn voetstappen klonken gedempt. Zijn eigen ademhaling echode terug alsof hij in een val was gelopen. Aamir probeerde zijn omgeving te analyseren: de vloer was hol, hij stond in een grote ijzeren buis. Als hij onder de kussensloop uit gluurde, zag hij bij het licht van de deuropening niets dan een brokkelig tapijt van stof, rode stukken metaal die onder zijn voeten tot stof vergingen, rood als de weg naar Entebbe.

Zijn arm werd losgelaten, de mannen liepen achteruit weg. Aamir schuifelde om zijn as, toonde zijn handpalmen, hief zijn handen alsof hij het naderende einde welkom heette. De mannen scharrelden op de metalen treden, eentje ging omlaag, de andere worstelde ergens mee. Iets van metaal. Een zware ijzeren deur: roest protesteerde tegen hun pogingen hem dicht te trekken.

Nee. Ze moesten hem doden.

Aamir stak zijn handen als een bedelaar voor zich uit. Ze konden hem toch niet alleen laten met zijn schrijnende doodswens.

'Alsjebl…' Hij deed een stap naar hen toe, maar de deur sloeg al dicht. Allesomvattende duisternis. Aan de buitenkant werd een grendel dichtgeschoven. Ze waren van plan hem hier achter te laten.

Om hen voor het blok te zetten rukte Aamir roekeloos de kussensloop af, maar dat maakte geen verschil: het donker was ondoordringbaar. In de verte hoorde hij de voetstappen van de vertrekkende mannen op metaal klossen.

Nu weer jong, op de weg naar het vliegveld, een hand op het hete plastic van de achterbank van de taxi en de lucht van onverschillige cigarillo's. Hij was in de taxi blijven zitten en had ze hun gang laten gaan met haar, had hen horen lachen terwijl ze toekeken hoe de een na de ander haar neukte – domweg om zelf in leven te blijven. Zinloos. Hij had haar nooit meer kunnen aanraken, had het haar nooit vergeven; sindsdien voelde hij zich elk moment van de dag bezoedeld en vermoeid. Hij had haar eer ingeruild voor een leven dat hij niet wilde.

Aamir gooide zijn hoofd in de nek en schreeuwde het uit, een gesmoord gebrul dat teruggalmde en hem in het hardvochtige, inkt-zwarte duister op de knieën dwong.

23

Als ze hem betrapten zou hij zeggen dat hij het was vergeten. Dat hij was vergeten dat hij binnen moest blijven. Niks aan de hand dus, maar toch liep Shugie sneller dan anders en met gebogen hoofd, alsof hij niet een opvallende bos wit haar had en niet de enige man in een felblauw bomberjack was die naar Brian's Bar schuifelde, alsof hij door pure wilskracht onzichtbaar kon worden.

Niettemin was het een opluchting om het kordon rokers bij de ingang van het café te doorbreken en zijn hand tegen de vertrouwde ruwheid van de vieze klapdeur te leggen. Binnen klikklakten de ijzertjes onder zijn cowboylaarzen op de stenen vloer. Hij begaf zich naar de toog. Een lege kruk.

Senga had dienst. Haar handen waren even zacht als haar ogen, en ze liep altijd in T-shirts die ze cadeau kreeg, hetzij bij supermarktaankopen, hetzij van de brouwerij. Vandaag had ze er een aan met een cirkel erop, het had iets te maken met kanker. Het shirt zat strak om haar heupen, hing losjes om haar schouders. Ze stond cheese-onion-chips te eten: langzaam trok ze haar hand uit het kreukelige zakje en deed haar mond wijd open om ze heel naar binnen te krijgen, terwijl haar lome ogen speurend rondkeken of iemand iets nodig had, of dat er problemen waren, maar zonder ooit een oordeel te vellen.

Ze verspilde geen energie en liep dus niet naar Shugie toe om hem te begroeten, maar bij wijze van vraag of hij wilde drinken wat ze dacht dat hij wilde drinken, stak ze haar kin omhoog. Shugie knipperde bevestigend met zijn ogen. Ze slofte naar de tap om een halve pint zwaar bier te tappen, schonk een goedkope whisky in en slenterde terug. Met een vochtig, zurig doekje wreef ze over het kleverige stukje bar voor hem, waarna ze de drankjes neerzette.

Het briefje van twintig pond maakte grote indruk, wat ze niet onder stoelen of banken stak. Na een eerbiedig knikje hield ze het bankbiljet tegen het licht om te kijken of het echt was. Bij het teruggeven van het wisselgeld raakte ze zijn hand even aan. Dat deed Senga lang niet altijd.

Shugie keek naar zijn drankjes die glinsterden in de glazen, net als vroeger, in zijn glorietijd. Hij had geld in de ene zak, sigaretten in de andere. Zonlicht filterde door de groezelige ramen, en Senga ging verder met haar zakje chips. De whisky zette eerst zijn mond en daarna zijn keel in brand. Shugie Nirwana.

Toen hij het bier aan zijn mond zette en zijn hoofd achteroverkantelde om de communie te ontvangen, viel zijn blik op de geluidloze televisie in de hoek. Onder in beeld liep een rode tickertape. ZAKENMAN UIT GLASGOW GEGIJZELD. POLITIE VERZOEKT OM INFORMATIE. Bekend terrein voor Shugie. Liegen, bedriegen en verneuken was nog steeds zijn dagelijks werk. Hij was nog steeds de man die hij meende te zijn. Glimlachend bij zichzelf zette hij zijn glas op de toog, ontmoette Senga's blik en gaf haar een knipoog.

Als ze het had geprobeerd was het haar niet gelukt: op een en hetzelfde moment en met grote precisie maar zonder enige oefening, tuitte Senga flirterig haar lippen en liet ze een scheet.

Billal had al zo'n idee gehad dat de politie zou komen. Met een ernstig gezicht deed hij de deur open om de rechercheurs het rustige huis binnen te noden.

Bannerman mompelde iets beleefds, maar daar reageerde Billal niet op. Hij sloot de deur achter hen, en het viel hen op hoe rustig het er nu was, hoe prettig en warm. De vloerbedekking in de gang leek zachter dan gisteren, dikker ook. De deur naar de slaapkamer stond op een kiertje, en ze hoorden Meeshra, die samen met haar baby een dutje deed, zachtjes snurken.

Het enige wat nog herinnerde aan de vorige avond waren de bloedvlekken op de muur en de klok. Iemand had een poging gedaan het bloed te verwijderen, maar had dat met warm water gedaan, dat zag Morrow aan de roestbruine vegen. Een man. Vrouwen wisten hoe je bloed moest verwijderen. Probeer nooit om bloed met warm water weg te krijgen, hoorde ze haar moeder nog zeggen over haar slipjes, want dan hecht het zich aan de stof. Dat was de enige nuttige tip die ze ooit van haar had gekregen, afgezien van: bij een voetbalwedstrijd kom je je toekomstige echtgenoot niet tegen.

Billal liet hen de voorkamer binnen. De woonkamer van de Anwars was een harmonisch geheel van perzik en wit, alles even ordelijk: witte en zilveren snuisterijen op regelmatige afstand van elkaar op de schoorsteenmantel, met erboven een grote spiegel in een witte lijst. Morrow kreeg de indruk dat ze hier niet vaak kwamen. In de keuken was alleen staruimte, de tafel was te klein voor de hele familie. Kennelijk aten ze niet gezamenlijk.

Billal wachtte tot ze waren gaan zitten. Toen pas zei hij: 'De ontvoerders hebben met mijn broer gesproken, dus ik weet eigenlijk niet precies wat ze hebben gezegd.' Hij liet zijn forse gestalte behoedzaam zakken op de rand van een bank die was voorzien van ruches en waarvan de armsteunen en rugleuning als lippen omkrulden. 'Maar het bandje heb ik wel voor u.' Hij reikte een zwarte minicassette aan. Bannerman nam hem in ontvangst en deed hem in een plastic zakje, dat hij op tafel legde. Hij pakte een etiket en zei tegen Billal dat hij zijn naam erop moest zetten.

'Waar is dat voor?' vroeg Billal, terwijl hij zijn naam op het lijntje schreef. 'Ik teken mijn eigen doodvonnis toch niet?'

'Nee, nee,' antwoordde Bannerman met een welwillend lachje. 'Maar stel dat het als bewijsmateriaal wordt gebruikt, dan weten we wie erover heeft kunnen beschikken.'

'Aha.' Billal gaf het etiket weifelend terug. 'Ik weet niet of mijn broer het in handen heeft gehad. Hij was er wel bij…'

'Heeft hij het uit de recorder gehaald, of heeft hij er iets anders mee gedaan?'

'Eh, nee, ik geloof van niet… Eh, nee.' De vorige avond was Billal degene geweest die de dienst uitmaakte, die tegen zijn broer zei dat hij in de auto moest stappen en tegen Meeshra dat ze de borstvoeding niet goed aanpakte, maar nu maakte hij een heel passieve indruk.

'Is je broer thuis?'

'Nee. Hij is…' Zenuwachtig klopte hij een denkbeeldig pluisje van het kussen naast hem. 'Omar is er niet.'

Bannerman vroeg: 'Hoeveel hebben de ontvoerders gevraagd?' Hij installeerde zich weer in de leunstoel, voorzichtig, om te voorkomen dat er iets van zijn plaats schoof.

'Twee miljoen, vanavond nog.' Billal keek speurend naar de glazen lage tafel alsof daar aanwijzingen te vinden waren. 'Ik wil maar zeggen… Wat denken ze wel, waar moeten we dat verdorie vandaan halen?'

'Waarom zouden ze zoveel vragen?'

Hij maakte een puffend geluid en schokschouderde. 'Ze zullen wel…' Hij zweeg om na te denken. 'Ze hebben vast het verkeerde huis genomen. Ik bedoel, ze zoeken een zekere Rob en eisen twee miljoen pond… Dan moet het wel het verkeerde huis zijn…'

'Bob,' zei Morrow.

Billal keek haar aan. 'Pardon?'

'Bob,' herhaalde ze toonloos. 'Ze waren op zoek naar Bob.'

Hij kromp even in elkaar, keek fronsend naar de cassette in het zakje en vervolgens naar buiten.

'Billal, waarom heb je dat veranderd, waarom heb je Rob gezegd?'

Even verkeerde hij in tweestrijd, en toen hij ten slotte antwoordde klonk zijn stem gespannen en rauw. 'Bob is… Mijn broer… Hij wordt door sommige mensen wel Bob genoemd. Het leek ons beter als jullie… We dachten dat jullie je dan zouden concentreren op de opsporing van mijn vader.'

'Als we geen argwaan koesterden tegenover de familie?'

'Nou, en dat klopt toch?' Hij keek van de een naar de ander. 'Als jullie dachten dat het een vergissing was en dat ze de verkeerde hadden meegenomen, dan zouden jullie intensiever naar mijn vader zoeken, ja toch? We dachten… Nou ja, ík dacht… Het was mijn idee om Rob te zeggen.' Hij lachte vreugdeloos. 'Mijn idee. Heb ik nu een probleem?'

'Weet je wat het is?' Bannerman boog zich meelevend naar voren. 'Nu is het probleem dat we inderdaad argwanend zijn geworden. Omdat je hebt gelogen.'

Billal deed zijn uiterste best om te glimlachen, maar kreeg zijn lippen niet in beweging. 'Sorry,' fluisterde hij. 'Mijn broer is een goeie jongen.'

'Dat geloof ik direct.'

'Nee, echt waar,' zei hij nadrukkelijk, alsof hij met zichzelf discussieerde. 'Er is niks mis met hem…'

'Weet je toevallig of iemand het op hem gemunt heeft?'

'Nee. Nee, nee, nee.'

Veel te nadrukkelijk, dacht Morrow. 'Wat doet je broer voor de kost?'

Billal was een tikje wit weggetrokken en wreef met zijn hand over zijn gezicht alsof hij er iets af wilde vegen. 'Tja, eh, hij is net een eigen bedrijf begonnen. Kortgeleden nog maar, een paar maanden.'

'En wat doet ie?'

'Import/export.'

Import/export. De woorden galmden de kamer in. Morrow was met stomheid geslagen. Ze keek naar Bannerman. Zijn mond was opengevallen, het bloed trok weg uit zijn gezicht zodat zijn wangen grauw werden. Import/export. Onmogelijk om een vervolging in te stellen.

Bannerman schraapte zijn keel. 'En wat voor goederen voert hij in en uit?'

'Ik krijg er niet goed hoogte van,' zei Billal. 'Maar het schijnt iets te maken te hebben met computerchips, dat soort dingen.' Hij keek hen aan alsof zij het konden weten. 'Siliciumchips?'

Bannerman knikte naar zijn schoenen. 'Aha.' Hij moest iets wegslikken. 'Ja ja, ik begrijp het.'

Morrow moest de neiging onderdrukken om hysterisch te giechelen. Nadat de zaak-Halligan op een fiasco was uitgelopen hadden ze allemaal de lezing over btw-fraude bijgewoond, maar anders dan bij veel andere presentaties waren de feiten hiervan bij iedereen beklijfd omdat er zulke krankzinnige geldbedragen mee gemoeid waren: een zakenman had met een boekhoudtruc in drie maanden tijd vijftien miljoen pond geïncasseerd, een groep van drie man in Birmingham vijftig miljoen in tien maanden. In één jaar waren de belastingbetalers anderhalf miljard armer geworden. Die getallen waren al onthutsend, maar nog verbijsterender was wat er in diezelfde periode was binnengehaald met opgehelderde zaken: twee miljoen, een fractie van het gestolen geld.

Iedereen had een hekel aan dergelijke zaken, omdat de feiten zo moeilijk aan een jury te presenteren waren. Er was amper bewijsmateriaal, de goederen waren of piepkleine computerchips of mobieltjes, of ze bestonden niet eens. Het papieren bewijsmateriaal was slaapverwekkend, bedrijven en dochtermaatschappijen werden opgeheven en opgericht, directeuren veranderden van naam, en, het allerergste, de meeste daders waren kleine zakenlui, winkeliers, aardige mensen, vertrouwde figuren, die er niet op uit waren iemand kwaad te doen, maar domweg logen op papier. Een jury kon het niet opbrengen zulke lieden achter de tralies te zetten.

Twee miljoen pond was voor een btw-fraudeur een schijntje. Twee miljoen was twee dagen loon. Twee miljoen, dat eisten amateuristische idioten zonder vuurwapenervaring van een btw-fraudeur: een snelle graai uit een gespekte beurs. Morrow zag dat het Bannerman begon te dagen en opeens had ze met hem te doen. Het was een belangrijke zaak. Een onbevredigende afloop zou zijn hele carrière schaden.

Billal knikte. 'Hm hm.' Hij keek naar Morrow. 'Zeg, nog bedankt voor gisteravond, dat had ik nog willen zeggen, u was geweldig met de baby, zei Meesh…' Hij dacht aan Morrows borsten, zijn ogen flitsten op en neer en hij kreeg een kleur. Stamelend ging hij verder: 'Dus, eh… bedankt.'

'Graag gedaan.' Ze glimlachte onverschillig en keek naar Bannerman, in de hoop dat hij de vragen een andere wending zou geven.

Bannerman was er zo te zien beroerd aan toe. 'Heeft je broer een kantoor? Waar runt hij dat bedrijf?'

'In de achtertuin. Daar staat een schuurtje…' Hij keek van de een naar de ander. 'Willen jullie…?'

'Ja,' antwoordde Bannerman dodelijk vermoeid. 'Graag.'

Billal stond op. Bannerman en Morrow volgden zijn voorbeeld en liepen met hem mee naar de gang. Hij sloop langs het zachte gesnurk van Meeshra naar de keuken aan de achterkant. Er waren nog een paar deuren naar andere slaapkamers, maar die waren dicht, en het was donker in de gang. In de keuken zag Morrow een dik groen boek op de magnetron liggen; ze ging op haar tenen staan om te kunnen zien wat het was: *The Rattle Bag*, een poëziebloemlezing.

De achterdeur was nog niet vervangen door een wit kunststof exemplaar: een oude houten deur onderverdeeld in ruitjes, zo te zien de oorspronkelijke. Billal pakte een sleutel uit een blikje op het aanrecht, deed de deur van het slot en liet hem wijd openstaan terwijl hij de tuin in stapte. De terrastegels waren oneffen ingeklonken, de hoeken staken omhoog of waren verzakt: een begraafplaats op de dag des oordeels. Billal liep voorzichtig, met gestrekte armen om zijn evenwicht te bewaren, en Bannerman liep behoedzaam achter hem aan.

Morrow talmde nog even. Ze hadden hier bij de huiszoeking al rondgekeken, maar toen was het donker geweest, en ze hadden allemaal aangenomen dat de tuin ondieper was dan in werkelijkheid. Het perceel was aardig diep, maar door een knoestige oude boom op de voorgrond bleef een gedeelte bij de achterschutting verborgen.

Bannerman trapte op de hoek van een tegel, waardoor de steen in een onzichtbare plas modderwater eronder kantelde. Er gutste grauw water in zijn beige suède schoen. Bannerman staarde naar zijn voet, tilde hem langzaam op en schudde hem vloekend uit. Morrow stapte achter hem aan de woelige tuin in.

'Gadverdamme,' zei hij tegen zijn voet.

'Klote dat het zo loopt,' zei ze zachtmoedig.

Billal stond achter de knoestige boom te wachten, bij een gloednieuwe schuur van oranje hout met een dak van teerpapier. Doordat het bouwsel dezelfde kleur had als de schutting erachter, was het goed gecamoufleerd. De deur was afgesloten met een hangslot.

'Eh, maar ik heb geen sleutel.'

Bannerman had een natte voet en was de schrik te boven. Morrow probeerde de stemming op te krikken. 'Weet je hoe zo'n ding heet?' Ze wees naar het hangslot.

Billal deed een gooi: 'Een hangslot?'

'Een doelzoeker voor heroïneverslaafden.'

Billal lachte beleefd en keek naar Bannerman, die er niet om kon lachen. Inmiddels was hij niet alleen teleurgesteld over de wending die de zaak nam, maar ook des duivels. Hij greep het hangslot beet. 'Anwar, dat ding gaat eraf.'

Billal hief zijn handen en stapte bij de schuurdeur vandaan. 'Er zit niets anders op.' Hij keek spijtig. 'Er zit niets anders op. U gaat uw gang maar.'

Bannerman liep om de schuur heen en keek door het hoge zijraam naar binnen. Met chagrijnig samengeknepen lippen wendde hij zich weer tot Morrow. 'Roep de technische recherche erbij. Zeg dat ze verpakkingsmateriaal meenemen.'

Morrow vond het niet erg dat hij haar zo toesprak en commandeerde. Ze gehoorzaamde.

Toen de technische rechercheurs arriveerden, hun latexhandschoenen aantrokken en de tang tevoorschijn haalden, hielden Morrow en Bannerman zich op de achtergrond.

'Klote,' mompelde Bannerman, bijna in zichzelf.

Morrow legde even haar hand op zijn arm. 'Ik vind het rot voor je,' zei ze.

Hij keek dankbaar. 'Klote.'

'Misschien is het toch niet…'

'Jawel.' Hij keek toe terwijl het hangslot werd opengeknipt. 'Het gaat om btw-fraude, verdomme, en dan neemt Fraudebestrijding het over. En net als bij de helft van die stomme zaken blijf je zitten met een enorme papierwinkel en een verdeelde jury, en dan kan ik het wel schudden.'

Ze trokken hun latexhandschoenen aan en gingen een kijkje nemen in de schuur.

Het viel tegen. Geen lijken of geladen vuurwapens. Alleen een wit bureautje, een stoel, achterin een grijze archiefkast en op de grond een kleine computerkast aan een lang oranje verlengsnoer, dat vermoedelijk aangesloten kon worden op het elektriciteitsnet in huis.

De schuur was zo nieuw dat hij nog naar vers hout rook. Omar had de inrichting eenvoudig gehouden. Het bureau was een wit geplastificeerd exemplaar van IKEA en de archiefkast was tweedehands. Er was een maandplanner aan de wand geprikt, maar afspraken stonden er nog niet op. Op het bureau lag een vel met zelfklevende kaartjes. Onaangebroken.

Een Celtic-mok, zonder oor, werd gebruikt voor twee potloden en een balpen. Er lag een onberoerd laagje wit stof op het bureaublad. Zelfs de stoel was stoffig.

'O.' Billal kwam in de deuropening staan en keek teleurgesteld naar binnen. 'Ik had gedacht dat het hier voller zou zijn. Hij zat hier heel veel, ik dacht… Ik weet het niet.'

Hij keek naar de archiefkast, afgezien van de computer het enige veelbelovende voorwerp. Bannerman zag hem kijken, liep erheen en trok de bovenste la open: leeg. Hij opende de tweede la: een set rekeningenboeken, nog in het cellofaan.

In de derde la, de onderste, vond hij twee crickettijdschriften en na wat rommelen een nummer van *Asian Babes*. Billal keek gechoqueerd.

Bannerman kwam overeind en wees op de computer. 'Die nemen we mee, goed?'

Billal haalde zijn schouders op. 'Tuurlijk.'

'Want misschien staat er iets op.'

'Tuurlijk, tuurlijk.' Hij haalde opnieuw zijn schouders op. 'Jullie gaan je gang maar.'

Alles werd verpakt, van een etiket voorzien en in het busje geladen. Nadat Billal zijn gebed had gedaan kwam hij de slaapkamer uit. Hij oogde wat rustiger en liet hen uit. Bij de deur tekende hij op verzoek van Bannerman voor het bewijsmateriaal.

Morrow schudde hem nadrukkelijk de hand.

'Bedankt,' zei hij. 'Tot ziens.'

'Waar doet je broer zaken mee?' vroeg ze.

'Hoe bedoelt u dat?'

'Uit welk land importeert hij? Doet hij weleens zaken met Arabische landen?' Ze vroeg het omdat ze op zoek was naar een afwijking in het patroon, omdat ze Bannerman weer hoop wilde geven. Immers, btw-fraude gold binnen de hele EU als misdrijf.

'Bijvoorbeeld?'

'Nou, Saoedi-Arabië, dat soort landen, Afghanistan misschien?'

'Nee,' antwoordde Billal bedachtzaam. 'Ik geloof alleen Europa. In Afghanistan maken ze toch zeker geen computerchips?' Hij lachte een beetje. 'Daar kunnen ze immers niet eens chips maken? Een achtergebleven gebied.'

Bannerman wendde zich af.

'Waarom denk je dat hij alleen met Europese landen handelt? Gaat hij weleens op reis?'

'Nee, maar dat heeft hij ooit verteld.'

Morrow zag dat hij naar Bannermans rug keek. 'Dank voor alle hulp, meneer Anwar. We gaan het bandje afluisteren en zien wat we over uw vader aan de weet kunnen komen.'

'Graag.' Billal stond nog steeds naar Bannerman te kijken. 'Hartelijk dank.'

In de gang verscheen een verfomfaaide Meeshra in de deuropening van de slaapkamer, achter haar huilde de baby. 'Billal...' zei ze klaaglijk.

'Ogenblikje,' zei Billal over zijn schouder. 'Ik kom eraan.'

De sfeer in de auto was om te snijden, zozeer zelfs dat ze op een gegeven moment vreesde dat Bannerman in huilen zou uitbarsten. Hij boog zich krampachtig over het stuur en zijn stem klonk vreemd.

'Je moet vóór vijf uur naar de universiteit gaan en proberen het een en ander over hem aan de weet te komen,' zei hij. 'Misschien runt hij het bedrijf samen met iemand anders. Wie weet heeft hij daar contacten gelegd.'

'Ga je het kortsluiten met Fraudebestrijding?'

'Alleen als het niet anders kan.'

'Dat losgeld wordt trouwens nu wel begrijpelijker. Weet je nog dat ze de banken op de Caymaneilanden hebben gesloten toen iedereen btw-geld begon wit te wassen?'

'O ja?'

'Ja. In die lezing werd gezegd dat grote transacties zijn uitgebleven sinds de Caymaneilanden hard zijn aangepakt. Ze zeiden dat die lui het geld nu waarschijnlijk in contanten bewaren, dat er gelet moest worden op bergplaatsen. Grote dozen met cash, grote cheques die zijn verzilverd.'

'Het kan dus zijn dat Omar ergens miljoenen in dozen heeft staan, maar zijn vader toch die lui laat vasthouden?'

'Zou kunnen.'

'Welke lul doet dat nou?'

Morrow haalde haar schouders op. 'Een lul die niet gepakt wil worden?' Ze glimlachte.

'Jij bent hartstikke blij, hè?' Hij klemde zijn kaken op elkaar en spuugde de woorden uit, agressief, alsof zij de hele zaak op touw had gezet om hem te pesten.

'Eerlijk gezegd ben ik hartstikke blij dat het mijn zaak niet is.'

Ze gaf het zo grif toe dat het de kloof tussen hen overbrugde, en Bannerman keek glimlachend naar de weg. 'De rotzak.'

Na een eindje rijden vroeg Morrow: 'Die Billal is geen groot licht, hè?'

'Hmm. Erg bezig met de familie en zijn gezin. Zag je dat ie een kleur kreeg toen ik dat ranzige blaadje vond?'

'Zeker,' antwoordde ze. 'Vreemd. Je hebt gezien dat er hele rijen van die bladen bij zijn vader in de winkel staan. Erger dan dat was het niet. Open en bloot boven de toonbank. Waarschijnlijk heeft hij er elke dag dat hij daar werkte tegenaan gekeken.'

'Misschien heeft hij geen porno meer nodig. Wie weet vroeger wel, en heeft ie daar nu spijt van.'

Morrow kreeg de indruk dat Bannerman zijn eigen verhaal zat te vertellen. 'Misschien is hij bijziend,' zei ze om het leed te verzachten. 'Hoe dan ook, hij heeft zijn eigen broer verlinkt.'

Ze spraken het niet uit, maar ze dachten allebei dat Billal daar kennelijk helemaal niet rouwig om was.

Shugie bleef de hele middag op dezelfde barkruk hangen. Zelfs als hij even buiten ging roken en terugkwam, bleek Senga brutale krakers van zijn plekje te hebben weggejaagd. Na een rondje of zes was het geld op en bleek hij nog net genoeg te hebben voor een whisky'tje, maar dat wilde hij niet toegeven. Vrouwen merkten het meteen als het geld opraakte. Ze róken het, net als eenzaamheid.

Shugie dreigde van zijn kruk te tuimelen maar kon nog net het uiteinde van de bar beetpakken. Hij wilde zichzelf al complimenteren met zijn pijlsnelle reactie, toen zijn knieën als boter in een koekenpan smolten en hij zachtjes neerzeeg, zuchtte en op de koude vloer in slaap viel. Een man die buiten had staan roken zag hem in elkaar zakken en probeerde hem ruw overeind te hijsen.

'Laat 'm met rust!' beval Senga, die met hem begaan was. 'Laat 'm met rust.'

De mannen in het café keken naar Shugie, die op zijn zij lag, half op en achter de koperen voetrail van de bar. Je mocht van Senga dommelen op een stoel, maar op de grond slapen werd niet gedoogd. Ze hadden zeker iets samen.

24

Het ondoordringbare duister kwam tot leven. Het werd een dier, een gas, een vloeistof die Aamirs neus tot stikkens toe vulde, zijn ogen omfloerste, in zijn gehoorgang drong, door vliezen lekte en in haarvaatjes en aderen sijpelde – een rampzalige kolonisatie.

Er was niets. Geen geluiden van buiten, geen lichtkiertjes, er weerkaatste niets. Niets.

Aamir schudde zijn hoofd, sperde zijn ogen open, deed ze dicht, petste tegen zijn wangen, trok aan het vel van zijn buik, maar er veranderde niets. Hij begon te lopen, eerst langzaam, en probeerde zich er behoedzaam van te verwijderen. Al voortschuifelend stootte hij met de neuzen van zijn pantoffels roestdeeltjes van de vloer. Hij scharrelde heen en weer over het laagste gedeelte van de ketel, raakte met gestrekte handen de zijwanden aan, tot hij besefte dat hij er niet uit liep, maar er steeds dieper in belandde, en dat hij zich nu in een bodemloos duister bevond waar hij zich nooit meer uit zou kunnen redden.

Hij klapte dubbel, liet zich plompverloren op de grond zakken. Met zijn gezicht tegen zijn knieën gedrukt ontblootte hij zijn tanden, en hoewel hij diep in de huid beet, voelde hij niets. Langzaam strekte hij zijn handen voor zich uit. Bij de geringste aanraking bladderden er flinterdunne vlokken los.

Door de inktzwarte duisternis sijpelde het donkerrode bloed op zijn moeders sari naar hem toe, er was geen ontkomen aan. Hij sloot zijn ogen en voelde het warme bloed over zijn schedel lopen, over zijn rug, over zijn billen. Overspoeld door haar zilte nat bleef hij ademhalen. In de hele wereld was er voor hem geen greintje genade meer.

Hij hoorde zichzelf snuiven, luid ademen, hijgen als een hond. Roest verviel tot stof, hij rook het. Splinters haakten in de stof van zijn pyjama, staken erdoorheen en priemden in de zachte huid van zijn knieën.

Zijn leven was zinloos. Het was ondraaglijk. De afgelopen dertig jaar waren pure tijdverspilling geweest.

Handen tastten in het stroperige donker over de grond, vingers graaiden roekeloos in het roestende ijzer, pakten het beet en verbrokkelden het. Telkens weer kreeg hij scherpe splinters in zijn knieën, onder zijn nagels, in zijn handpalmen, totdat hij een stevig stuk ijzer vond.

Hij pakte het beet, drukte met zijn duim in het midden, probeerde het met beide handen te buigen, maar het gaf niet mee. Er brokkelde gruis af, als van een fossiel bot. Hij ging rechtop zitten en tuurde naar zijn onzichtbare hand om zich een voorstelling van het voorwerp te kunnen maken. Met zijn tastzin als gids veegde hij het ergste eraf, waardoor hij vertrouwd raakte met het hele oppervlak. Vergeefs zocht hij naar een zwakke plek. Hij spuugde in zijn hand en maakte het schoon, droogde het af aan zijn pyjamajasje.

De lengte van een potlood, met een kartelrand en een scherpe punt. Een mes.

Pijn knaagde aan zijn knieën en vingers, maar hij liet zich daar niet door afleiden. Hij stak zijn linkerhand het vloeibare duister in en trok zijn mouw op. Langzaam, als betrof het een ritueel, zochten zijn vingers de pezen van zijn pols, waarna hij het metaal krachtig over de huid haalde.

Er druppelde iets warms en nats uit hem weg de leegte in. Toen hij zijn rechterhand eronder hield, voelde hij het welkome bloed over zijn vingers lopen, erdoorheen sijpelen in de rulle, Oegandese aarde.

Aamir hief zijn gezicht op naar de God van wie hij zoveel had moeten verduren: kinderen, werk en maaltijden, ontelbare afschuwelijke maaltijden, en slaap, nieuwe vloerbedekking en ruzies, eindeloze onzinnige ruzies.

Hij hief zijn gezicht op en mompelde een laatste zacht gebed: 'Ellendige rotzak die je bent.'

Meneer Kaira zat al een halve minuut naar het scherm te kijken. Er speelde een glimlachje om zijn lippen, terwijl zijn wijsvinger als een trage polsslag op het volkomen lege bureaublad tikte. Hij verplaatste zijn glimlach naar Omar, zijn ogen volgden langzaam. 'Het systeem is traag vandaag,' legde hij uit, waarna hij zich terugdraaide. Toen het licht op zijn gezicht veranderde in lichtblauw, ontsnapte hem een zacht 'aha' en keek hij fronsend naar de cijfers op het scherm.

Omar kwam hier al vanaf zijn tiende. De bank stond in het westen van de stad, voorbij alle halal slagers en de sari- en snoepwinkels, op de heuvel tegenover de universiteit, midden tussen studentenkroegen, snackbars en tweedehandsboekwinkels.

Om de week ging Omar er met zijn vader heen en mocht hij toekijken als Aamir geld op de rekening zette en een praatje maakte met meneer Kaira. Aan meneer Kaira veranderde nooit iets. Zijn brillantinekapsel was nooit in of uit de mode, zijn lage boordje omspande trouw zijn dikke nek, zijn glimlach was altijd even star, een constante factor. Ook de omgeving bleef hetzelfde: mosgroen jutebehang, rookglas tussen de balie en Kaira's kantoor. De stoelen waren vervangen, maar door replica's. Voor Omars tijd was er een open balie geweest, maar na een overval was die voorzien van kogelvrij glas.

Al het geld van de familie was ondergebracht bij de Allied Bank of Pakistan, wat eigenlijk raar was, want er was maar één vestiging in Glasgow, en wel aan de andere kant van de stad, maar Aamir vond het er prettig. Er zat weinig verloop in de beperkte groep personeelsleden, en hij kon zijn zaken altijd met meneer Kaira bespreken, en rekeningen openen voor trouwerijen en vakanties zonder iets aan een vreemde te hoeven uitleggen. Al zijn vrienden bij de moskee wisten dat hij hier zijn bankzaken deed, en volgens Omar ontleende hij er een zekere authenticiteit aan. Hij was een Oegandese Aziaat, een Afrikaanse Aziaat, geen Aziatische Aziaat zoals alle anderen in de moskee. Aamir was nu eenmaal een buitenstaander.

Kaira fronste naar het blauwe scherm, maakte zonder naar zijn hand te kijken een aantekening op een blocnote en leunde achterover in zijn stoel. 'Meneer Anwar, zoals ik vanmorgen aan de telefoon al zei, op alle rekeningen van uw familie bij elkaar staat dit bedrag.' Hij schoof de blocnote glimlachend naar Omar toe – £ 43.193,33. 'Uw vader is een spaarzaam man.'

Maar niet spaarzaam genoeg. Ze zouden een enorm bedrag moeten lenen, veel meer dan het huis en al hun auto's bij elkaar waard waren. En losgeld was niet bepaald een goede investering. Hun enige hoop was dat meneer Kaira nog niet van de ontvoering op de hoogte was.

'Eh, meneer Kaira…' Omar keek hem aan. Kaira knikte bemoedigend. 'Kan ik dat geld opnemen?'

Kaira keek een beetje geschrokken. 'Alles?'

'Het is voor mijn vader. Hij is er niet en hij heeft het nodig.'

'Ik begrijp het.' Kaira begreep het helemaal niet, dacht Omar, dat bleek duidelijk uit zijn wazige blik. 'Aha, aha. Uw broer zou dan wel mede moeten ondertekenen. Voor alle rekeningen zijn de handtekeningen van twee firmanten vereist.' Iedereen vertrouwde de hoogstaande, rechtschapen Billal. 'Is hij daartoe bereid?'

Omar hoorde in de vraag doorklinken of hij soms van plan was het geld te stelen. Al die ouwe kerels wantrouwden de volgende generatie, vooral de jongste zonen. 'Ja, hij wil wel tekenen. De kwestie is, mijn vader heeft veel en veel meer nodig dan dat bedrag. Zou u ons een lening kunnen verstrekken?'

Kaira snoof laatdunkend, alsof dat onmogelijk was. 'Voor hoeveel?'

Omar maakte een rekensommetje, besefte dat hij nooit een lening voor £ 1.950.000 zou krijgen, en krabbelde terug. 'Eh… Ik zal het er met Billal over hebben, eens kijken wat hij ervan vindt.'

'Als jullie alles willen opnemen, moeten wij dat van tevoren weten.'

'Nee.' Er welde paniek op uit Omars ingewanden, naar zijn maag, naar zijn keel, zodat hij geen lucht meer kreeg, amper kon ademhalen. 'Hoe lang van tevoren?' Omar stond op, verzamelde de bankpaperassen die hij had meegenomen en stopte ze weer in de bruine envelop.

'Voor de huwelijksrekening van jullie zuster een maand, voor de hogerenterekening een week.'

'Maar ik heb het nu meteen nodig.'

'Tja, dat gaat ten koste van alle extra rente op die rekeningen.'

'Geeft niet. Ik heb het nu meteen nodig.' Hij haastte zich naar de deur, maar Kaira was hem voor.

'Als uw vader in de problemen zit…'

'Nee. Nee.' Omar knipperde heftig met zijn ogen, hij wilde alleen nog maar de rookglazen deur uit die Kaira met zijn omvangrijke gestalte blokkeerde.

'Meneer Anwar, ik heb gehoord wat er gisteravond is gebeurd. Ik kan u het geld niet lenen, maar als ik u persoonlijk van dienst kan zijn...?'

Het huilen stond Omar nader dan het lachen en hij reikte achter Kaira om naar de deurkruk. 'Dank u.' Hij glipte langs Kaira heen, duwde de deur open en rende naar buiten. Hij voelde de koude wind langs zijn gezicht strijken, zag een groepje schoolkinderen aan de overkant friet eten.

Omar keek naar de heuvel, naar het gebouw van de studentenvereniging, en wenste hartgrondig dat hij weer studeerde, dat hij in een andere fase van zijn leven zat, niet in het nu, in deze afschuwelijke, ontwrichtende periode.

Met een schok drong het tot Omar door dat het bankpersoneel hem door de deur heen kon zien en dat Kaira vast in de gaten hield wat hij ging doen. Hij draaide zich stram om en liep de heuvel op alsof hij een doel had, in de richting van de universiteit.

Omdat Omar bang was om bekenden tegen te komen, nam hij de achterafstraten en stegen, maar hij meed de straatjes rond de moskee aan Oakfield Avenue. Hij zocht een schuilplaats. Achter het hek rond de Hillhead High School zag hij jongelui op de speelplaats rondhangen: jongens gekleed als arme gangsterrappers, en dikke tienermeiden in strakke kleding en op laarsjes, die overdreven geanimeerd en geposeerd met elkaar praatten om de aandacht te trekken. Fris ogende eerstejaarsstudenten die zich naar college repten liepen rakelings langs hem heen.

Hij sloeg een straat in waar enkele naast elkaar gelegen panden de Duitse faculteit huisvestten. Daar kende hij niemand. Het was rustig op straat, en hij liep met gebogen hoofd verder en liet zijn vermoeide schouders hangen.

Aamir zou wel weten wat er moest gebeuren. Hij zou eerst hebben geraasd en getierd, maar daarna hebben gezegd wat hij moest doen. Als Omar aan Aamir dacht, zag hij hem voor zich als een klein boos mannetje in pyjama. Klein omdat hij inderdaad klein was, boos omdat hij voortdurend boos was en alleen iets zei om hen te kritiseren of te corrigeren, en in pyjama omdat Aamir eigenlijk alleen maar thuis was als het tijd was om naar bed te gaan. Er hoefde geen school- en collegegeld meer betaald te worden, hij hoefde geen werkdagen van zestien uur te maken. Hij meed hen.

Omar zag zijn vader kijken naar zijn verwende kinderen die het zo makkelijk hadden, en hij voelde zijn verbijstering, zijn teleurstelling. Ze verwachtten alle drie nieuwe kleren, een auto en een eigen slaapkamer, ze wilden schoenen en eten en vakanties en iPods. Sadiqa wilde boeken en aldoor nieuwe kleren omdat ze steeds dikker werd. Ze wilden 's avonds niet bidden, ze wilden niet lopend ergens heen, ze wilden niet meedraaien in het armzalige winkeltje waar Johnny Lander telkens opnieuw dezelfde verhalen vertelde over zijn diensttijd. Ze hadden op particuliere scholen gezeten en vonden het vernederend om achter een toonbank te zitten en alles maar te moeten slikken van alcoholisten, winkeldieven en racistische stomkoppen die op slippers hun frisdrank en theezakjes kwamen halen.

Toen Aamir begin twintig was had hij halsoverkop uit Oeganda moeten vertrekken, met achterlating van een schoenenfabriek die hij met eigen handen had opgezet. In Glasgow had hij twee jaar als vuilnisman gewerkt, een periode waarin hij elke dag was beschimpt door collega's, schoolkinderen, iedereen. Uiteindelijk was hij een winkeltje begonnen waar hij minstens eenmaal per dag een vuile nikker werd genoemd, waar hij zich verschanste voor zijn angstaanjagende kersverse echtgenote en later ook voor de kinderen. Omar kende die feiten, hij had begrip voor de tegenspoed waardoor zijn vader was gevormd, maar nu pas voelde hij de grove onrechtvaardigheid van alles wat Aamir tot nu toe was aangedaan.

Intussen was hij beland op een binnenplaats vol stinkende afvalhokken en verwaarloosde tuinen. Hij was één muur verwijderd van de universiteit. Een witte kat schoot weg door een gat in een schutting. Gedecideerd ging hij een afvalhok binnen.

In de donkere, dompige stank van rottende luiers en bedorven groente sloeg Omar zijn handen voor zijn gezicht, en hij snikte het uit om zijn onbillijk behandelde pappa.

25

Bannerman en Morrow deden op hun dooie gemak. Ze slenterden van het parkeerterrein bij het bureau de straat in alsof ze alle tijd van de wereld hadden, alsof niet elk moment een oude man van onbesproken gedrag, die de afgelopen dertig jaar dag en nacht had gewerkt, kon worden vermoord.

Als ze erover hadden nagedacht, zouden ze geen van beiden hebben geweten waarom ze nu nog samen opliepen. Ze mochten elkaar niet, hadden helemaal niks gemeen, maar in de loop van de dag hadden ze een soort wapenstilstand bereikt. Dat wilden ze in het gezelschap van anderen graag zo houden.

Bannerman keek naar de minisupermarkt verderop. 'Ik moet even een krantje halen,' zei hij.

'Nee.' Morrow gaf hem een duwtje naar de ingang van het bureau. 'Kom mee...'

Gelaten toetste hij zijn code in op het beveiligingspaneel. De deur zoemde, en ze bleven er allebei naar staren tot Morrow hem zuchtend openduwde. 'Ga toch naar binnen, verdomme.'

Bij de aangiftebalie heerste bedrijvigheid: enkele mensen die waren aangehouden voor een klein vergrijp maakten grappen met de dienstdoende agenten. Morrow en Bannerman liepen zonder op of om te kijken door naar de balie van de wachtcommandant. De diender tegen wie Morrow zo onaardig had gedaan over de graffiti fronste zijn wenkbrauwen toen hij haar zag. Even overwoog ze haar excuses aan te bieden, maar ze besloot dat het makkelijker was om boos terug te kijken.

Morrow typte de code in, waarna ze de rechercheafdeling op slopen, beiden met een blik in de richting van de kamer van Mac-

Kechnie. Er brandde licht maar de deur was dicht, dus hij zat te telefoneren of in zijn neus te peuteren.

Verderop in de gang deed Morrow een poging hun kamer binnen te glippen, maar Bannerman pakte haar bij haar mouw en trok haar mee.

MacKechnie riep zoals altijd: 'Kom er maar in!' Bannerman trok de deur wijd open en probeerde Morrow als eerste naar binnen te schuiven, maar ze week geen duimbreed. MacKechnie keek Bannerman verwachtingsvol aan.

'Inspecteur,' zei hij. 'Omar Anwar was er niet…'

MacKechnie zag hoe Bannermans gezicht stond. 'Wat is er aan de hand? Moet ik raden?'

Bannerman liet zijn schouders hangen. 'Omar is Bob. Hij handelt met Europese landen, import en export.'

MacKechnie verstrakte. 'Verdorie. Fraude, de btw-carrousel? Bedoel je dat?'

Bannerman haalde zijn schouders op. 'Dat is mijn veronderstelling… We hebben zijn administratie en zijn computer in beslag genomen. Daar wordt aan gewerkt.'

'Mooi, mooi. Moeten we Fraudebestrijding er al bij halen? Hoe dringend is het volgens jou?' MacKechnie zag hoe riskant dat was: het imago van de politie die het slachtoffer van een geweldsmisdrijf vervolgt, de eindeloze papierwinkel en rechercheurs die weken in de gangen van het gerechtshof rondhingen voordat ze werden opgeroepen om te getuigen.

'Nou… Laten we eerst eens kijken wat er op die computer staat. Het is maar een vermoeden, we hebben nog geen bewijzen…'

'Oké,' reageerde hij vaag. 'Er zijn rapporten van het lab binnen, Morrow, bekijk ze even.'

Toen ze wegliep draaide Bannerman zich naar haar toe: hij smeekte of ze terugkwam om hem te redden. Grinnikend gaf ze hem een klopje op zijn rug.

Ze was blij dat ze die kamer uit was en deed de deur gedecideerd achter zich dicht.

Op haar bureau had iemand een keurig stapeltje rapporten van het lab neergelegd: over de vingerafdrukken, die al waren bekeken en waar niets mee aan de hand was, en over het busje, wat niets had opgeleverd. Ze bestudeerde ze nog eens. In het aluminiumfolie zat een restje opiaat, alleen versneden met melkpoeder, niet met laxeer-middelen, niet met talkpoeder. Ongebruikelijk zuiver.

Daar piekerde ze over toen stopte ze het bandje van de telefoon-tap bij de Anwars in een bandrecorder stopte. Ze maakte een ko-pietje en speelde het af.

Billal nam op, er werd naar Bob gevraagd, en hij gaf de hoorn aan zijn broer. De ontvoerder vroeg hoe het met de hand van Aleesha ging alsof hij haar kende, en er werd afgesproken dat hij zou terug-bellen om te regelen waar het geld kon worden opgehaald. Voor hij het gesprek beëindigde zei hij dat hij het wist van Omar. Zijn be-langstelling voor Aleesha was opmerkelijk, en ze vroeg zich af of hij haar kende of dat hij zich ongerust maakte over de tenlastelegging.

Ze ging met het bandje naar de regiekamer om het te laten uittik-ken.

Brigadier Routher was kaal voor zijn tijd, zijn promotie was over tijd. Maar hij hield de administratie efficiënt bij, en als hij eenmaal ergens werkte wilde niemand hem meer laten gaan. Ze gaf hem het bandje. 'Is er een foto van die auto op de M8?'

'Jazeker.' Hij wees naar een prikbord met schetsen, foto's en aan-tekeningen waar MacKechnie het een en ander aan had toege-voegd. In het midden een grote foto van een auto – korrelig, afkom-stig van een videocamera, vergroot en uitgeprint.

Doordat de camera's hoog aan de snelwegverlichting waren be-vestigd werd het gezicht van de bestuurder door het dak van de auto aan het zicht onttrokken. Op een tweede opname was de auto gro-ter: de bovenbenen van de passagier voorin waren zichtbaar, evenals een hand op een knie. Een derde en laatste foto, waarop de auto te-rugreed richting stad, toonde dat hij een laag chassis had.

Ze ging weer naar Routher toe. 'Waar is hij de weg af gegaan?'

'In het centrum, Charing Cross.'

'Shit.' Charing Cross had zeven afritten en er waren drie came-ra's defect. Die auto kon overal gebleven zijn. 'Uit het oog verloren?'

'Jammer maar helaas. Het kenteken is inmiddels doorgegeven. De hele stad houdt het in de gaten. Als die auto het komende half-uur niet wordt gevonden, staat hij ergens in een garage.'

'Heeft iemand een tasje met tapes uit een winkel afgegeven?'

Routher wees naar een kamertje aan de andere kant van de gang. Door de strook glas in de deur zag ze Harris en profil. Hij zat met zijn armen over elkaar op een stoel aandachtig naar de wand te turen. Hij keek niet blij.

Ze stak de gang over en deed de deur open. 'Ga je lekker?'

Harris keek niet op. 'Dit heb ik zeker te danken aan mijn commentaar op die dvd van het verhoor?'

'Ik weet ook niet hoe het komt dat hij zoveel van je houdt en je deze klus toevertrouwt, Harris, maar het is niet anders.'

'Dit gaat me dágen kosten.'

'Je hoeft ze niet in real time af te kijken, je kunt toch doorspoelen.'

Ze keek naar het beeld op de monitor. De winkel van Aamir, een kleine man op een kruk achter de toonbank. Ze had de publiciteitsfoto gezien die op het journaal zou komen: een kiekje half van opzij. Maar deze man leek kleiner, strenger, minder sympathiek.

Met behulp van de afstandsbediening spoelde Harris door, en opeens bewoog het kleine mannetje van links naar rechts, kwam van zijn kruk, rommelde op de planken achter hem, ging weer zitten. Er kwam een klant sigaretten kopen. Een figuur liep om de toonbank heen, ging op de kruk naast hem zitten, stond op, verdween, kwam terug met twee mokken. Morrow kneep haar ogen tot spleetjes en zag dat het Lander was. De band was van slechte kwaliteit, en de opnamehoek deugde al evenmin.

'Hier krijg ik binnen de kortste keren vierkante ogen van,' zei Harris.

Terwijl ze achterwaarts de kamer uit ging zei ze sarcastisch: 'Harris, jij bent de enige aan wie we dit kunnen toevertrouwen.'

Een treurig kijkende Bannerman kruiste schuifelend haar pad.

'Bang dat je in de stront trapt?'

Hij gaf geen antwoord maar keek spottend naar zijn schoenen.

Ze vertelde hem van het telefoontje van de ontvoerder, en toen: 'Moet je horen, wat dat restje in het aluminiumfolie betreft, dat bij het busje is gevonden. Die heroïne is versneden met melkpoeder, alleen melkpoeder. Geen talk, geen as, niks anders. Alleen melkpoeder. Zo schoon als wat.'

'En?'

'Nou, als ze het alleen hebben versneden met één andere stof, zou de benodigde hoeveelheid opvallen. Meestal doen ze er van alles en nog wat doorheen.'

'Is het dan iemand die beroepsmatig versnijdt?'

Ze haalde haar schouders op. 'Dat is niet waarschijnlijk, want die kerels werken erg undercover, worden betaald voor discreet werk, en als ze zelf gebruiken kunnen ze ander werk gaan zoeken. Het ligt eerder voor de hand dat hij al lang verslaafd is en een speciaal prijsje krijgt…'

'Dat zei ik toch. Al heel lang verslaafd, dat heb ik al gezegd voordat…' Kennelijk wilde hij zo graag iets goed gedaan hebben dat ze hem maar in de waan liet.

'Misschien woont hij in bij een dealer? Voorraad voor het grijpen, of kwantumkorting. Hoe dan ook, hij staat in een goed blaadje bij dealers.'

'Versnijdt hij het zelf?'

'Ja, voor zichzelf.'

Hij keek hoopvol. 'Zou het te achterhalen zijn?'

Morrow haalde haar schouders op. 'De moeite van het proberen waard.'

Om halftwee reden Eddy en Pat nog steeds rond, met de autoradio aan. Pat zette hem zo hard dat Eddy er niet bovenuit kon komen. Toen er uit Eddy's zak een snerpende toon klonk, stopte hij langs de kant om het berichtje te lezen.

Pat kon het sms'je zien. Het was afkomstig van Eddy's ex in Manchester. Hun jongste dochter werd vandaag zes. Als hij niet belde, hakte ze zijn ballen eraf.

Al lezend verschoot Eddy van kleur, en Pat begreep dat hij gauw de auto uit moest, anders kreeg hij de volle laag.

'Ik stap hier wel vast uit,' zei hij, en hij gooide de deur aan de straatkant open.

'Ze is goddomme…' Eddy boog zich over de passagiersstoel: 'Pat, kom terug.'

'Nee, nee.' Pat had zijn hand nog om de rand van de deur. 'Nou kun je mooi privé bellen. Kom me over een halfuur maar ophalen.' Hij had het portier nog niet dichtgegooid of hij had al spijt dat hij de krant met Aleesha's foto niet had meegenomen. Hij keek naar Eddy. Een zielige figuur achter meekleurende brillenglazen. Klein, dik, razend.

Eddy wees naar de grond en zei geluidloos maar zichtbaar nijdig: 'Hier?'

'Over een halfuur.' Om Eddy geen kans te geven om te protesteren draaide Pat zich om, en hij liep snel door. Dat tempo hield hij aan tot de zilverkleurige auto hem passeerde en verderop om de hoek verdween.

Pat herademde en keek op, eerlijk gezegd blij dat hij een halfuur van Eddy verlost was. Toen tot hem doordrong waar hij zich bevond, stokte de adem hem. Het Vicky was om de hoek.

Haastig zette hij het op een holletje tot bij het kruispunt, daar bleef hij staan. Rechts van hem stond een rij lage kiosken en friettenten, maar links van hem, aan de overkant, verrees het Vicky. Zijn ademhaling ging moeizaam. Hij onderzocht zijn geweten om vast te stellen of het wel klopte, of hij echt niet had beseft waar hij was. Nee, echt niet: het leek wel voorbestemd.

Bij het gebouw stonden de rokers weggedoken in hun jas, alleen of in kleine groepjes; ze tuurden doelloos de straat af.

Pat stond al met zijn tenen over de stoeprand, klaar om over te steken als het verkeer dat toeliet. Hij wilde aan de overkant zijn, nog iets dichterbij.

Omdat hij bang was dat hij zich misschien vreemd gedroeg en de aandacht trok, liep hij eerst naar rechts en ging een kiosk in. Hij kocht dezelfde krant nog eens, pakte heimelijk glimlachend een blikje frisdrank uit de koeling en hoorde zichzelf vragen om Marlboro Red, een pakje van tien stuks. Als ze rookte, zou dat haar merk wel zijn.

De man achter de toonbank was om een praatje verlegen en vroeg of zijn werk erop zat, maar Pat luisterde niet. Hij knikte, betaalde en vertrok, haastte zich naar de overkant, ontweek bussen en auto's en laveerde tussen geparkeerde auto's door. Breed glimlachend liep hij naar het ziekenhuis toe en voegde zich bij de rokers onder de luifel.

Naast hem stond een oude man in een tweedjas en met een groene baret op te kijken terwijl Pat het pakje sigaretten uit zijn zak haalde en het heldere cellofaan eraf trok.

'Begin je toch weer?' De man had een zachte, schorre stem en de huid van zijn neus was deerlijk gehavend, maar hij stond kaarsrecht.

'Nee.' Pat keek naar het pakje, trok het zilverfolie eruit en frommelde dat tot een balletje, waarna hij een sigaret tevoorschijn peuterde. 'Alleen… een enkele keer. Als ik gestrest ben. Hebt u misschien een vuurtje voor me?'

De oude man haalde een platte metalen aansteker uit zijn zak, knipte hem aan en hield het vlammetje bij het puntje van de sigaret.

Hoewel Pat een licht trekje nam zonder diep te inhaleren, kwam het toch hard aan. Hij werd zo duizelig dat hij steun moest zoeken bij de muur. Toen zijn hand de stenen voelde, glimlachte hij. Zij was daar, aan de andere kant van deze muur, en hij raakte hem aan.

'Nou jongeman, voor iemand die gestrest is kijk je anders heel vrolijk. Ga je bij iemand op bezoek?'

'Ja, maar ze mag al naar huis.'

'Dat is mooi.' De oude man wendde zijn blik af. 'Dan bof je.'

De man wilde dat er gevraagd werd bij wie hij op bezoek ging, zijn vrouw of zijn zoon misschien, maar Pat had geen zin in een praatje. Terwijl hij tegen de muur geleund stond en een koude rug kreeg van de kille steen vouwde hij zijn krant open en deed of hij de voorpagina las.

Kijkend naar de foto vergat hij zijn sigaret en liet hem tussen zijn vingers opbranden. Hij dacht aan haar: zij daar boven en hij hier beneden… Hij zou bij haar op bezoek gaan met nog meer bloemen, met vrouwenbladen en iets lekkers.

En als ze hem aan zag komen zou ze rechtop gaan zitten, haar gezicht zou opbloeien en haar handen zouden van de deken langs haar knieën op het bed glijden, en hij zou zijn pas versnellen tot hij vlak bij haar was, en dan zou hij haar gezicht tussen zijn warme handen nemen en haar kussen.

Het druiste tegen de intuïtie in om Kevin Niven te vertrouwen. Hij had vet haar, liep altijd in trainingspak en had de slechte huid en het vage taalgebruik van een junk. In werkelijkheid was hij een diender met een uitstekende staat van dienst en jaren ervaring als undercoveragent. Niettemin zat hij in de kantine in zijn eentje een armoedige van thuis meegebrachte boterham te eten. Hij zag er onbetrouwbaar uit en trok schuinse blikken van de collega's die hem niet kenden.

Morrow kon zich voorstellen dat hij bij de anderen onbehagen wekte, als iemand die in een nazi-uniform rondhangt bij een synagoge: ze wisten misschien wel dat hij zich met de beste bedoelingen

zo uitdoste, maar in een onbewaakt ogenblik hadden ze vast weleens de neiging hem een oplawaai te verkopen.

'Nou, dat is, zeg maar, niet makkelijk, zeg maar, ik bedoel…' Hij
maakte zijn zin niet af, hield zijn hoofd opeens scheef. 'Snap je?'

Al na één vraag stonden Bannermans nekharen overeind.

'Hoe komen we daar dan wel achter?'

'Geen idee…' Nu pas scheen de informatie tot hem door te dringen. 'Het komt niet zo vaak voor, hè?'

'Wat komt niet zo vaak voor?'

'Nou, dat iemand een aardig voorraadje heeft, maar ook ver-
koopt en versnijdt. Dat iemand gebruikt als medicijn.'

'Wat gebeurt er dan normaal gesproken als iemand een voorraadje heeft?'

Hij spreidde zijn armen en grijnsde. 'Genieten.'

Morrow schoot in de lach, maar Bannerman keek hem gespannen aan. 'Kun je nog een andere oorzaak bedenken voor dit chemi-
sche profiel van het residu?'

Niven keek naar het rapport van het lab, dacht na, hield zijn
hoofd schuin naar links, daarna naar rechts.

'Hier.' Hij maakte een denkbeeldige schets op het tafelblad,
trommelde met zijn vingers links daarvan. 'Nieuwe voorraad met
heel veel melkpoeder.' Zijn hand tekende een lange lijn. 'Patroon
wordt pas later duidelijk.'

Morrow glimlachte omdat ze het snapte, maar Bannerman keek
nijdig naar de tafel.

'Daar.' Kevin deponeerde zogenaamd nog een portie op tafel.
'Ondeugdelijk spul, slordig gemixt, melkpoeder klontert hier en
daar.'

'Hm.' Morrow was teleurgesteld. 'Dus misschien zegt het niks?'

'Of' – Kevin sperde zijn ogen open – 'vakantievoorraad, ergens
anders gekocht, hier gebruikt.'

Morrow knikte. 'Kortom: we schieten er geen moer mee op?'

'Klopt.'

'Het zegt niks?'

'Nee, bewijs is 't niet. Ach, m'schien kent ie iemand, beginsta-
dium. Als je 'm vindt, blijkt ie m'schien een vriendje van iemand te
wezen.'

'Lid van een groep?'

'Mwah. Niks van te zeggen.'

'We kunnen die connectie dus alleen gebruiken om iets be-krachtigd te krijgen?'

'Ja.'

Bannerman keek treurig naar de tafel.

Kevin liet hoorbaar zijn tong over zijn tanden glijden. 'Al naar vingers gekeken?'

'Op het folie?'

Bannerman keek op. 'Weet ik niet.'

'Voor dat residu ga je regelrecht naar een bepaalde afdeling van het lab, toch? Je wilt niet poederen want dat kan de boel verpesten, da's logisch, maar het is wel slim om aan de binnenkant nog even te checken op vingerafdrukken.'

'O ja?'

'Jazeker.' Kevin keek naar zijn lege handen, waarmee hij een on-zichtbaar stukje folie om en om draaide. 'Want áls d'r vingers op zit-ten, zijn het goeie, man.' Hij keek glimlachend op. 'Dan zijn ze hart-stikke mooi!'

26

Het was of University Avenue tot een andere stad behoorde. De fraaie gebouwen waren architectonisch nadrukkelijk aanwezig: het gotische hoofdgebouw met de hoge toren en de binnenpleinen, de ronde leeszaal, de nieuwe medische faculteit. De studenten waren goed doorvoed, gebruind en lang, en ze droegen schonere en beter passende kleren dan de meeste mensen met wie Morrow in aanraking kwam.

Terwijl ze de auto afsloten op de helling naar de toegangspoort hoorde Morrow een meisje van amper zeventien tegen een ander meisje zeggen dat het onmógelijk was om in de buurt een parkeerplaats te vinden. Deze mensen waren niet alleen beter dan het volk dat zij oppakten, ze waren ook beter dan Morrow en Gobby: betere start in het leven, betere woonomstandigheden, betere contacten.

Morrow had Gobby meegenomen om rust aan haar hoofd te hebben, maar ze begon er al spijt van te krijgen. Hij was zo zwijgzaam dat het niet leuk meer was, alsof er een vloek over hem was uitgesproken. Zijn uitdagende bravoure was overdreven, zijn gezicht stond chagrijnig; hij liet zich intimideren door de vreemde chic van de studenten. Alex trok zich nergens iets van aan: als kind mocht ze nooit bij vriendjes en vriendinnetjes over de vloer komen. Vroeger werden alleenstaande moeders met de nek aangekeken, haar moeder was op het waanzinnige af depressief en het gerucht dat ze gerelateerd zou zijn aan de McGraths bleef haar achtervolgen. Ze groeide op in het besef dat iedereen beter was dan zij.

Bij het poortgebouw liepen ze langs de portiersloge het universiteitsterrein op.

De rechtenfaculteit lag apart, rechts van het hoofdgebouw, aan een rechthoekig gazon. De formele sfeer werd benadrukt door een lange rij herenhuizen met hoge smalle ramen en een kleine zwarte voordeur. Ooit hadden die huizen waarschijnlijk onderdak geboden aan docenten: een blauwe plaquette aan de muur informeerde onverschillige voorbijgangers over een beroemde, al lang geleden verscheiden bewoner.

Een van die kleine voordeuren was de hoofdingang van de rechtenfaculteit. Ze telden de nummers af en liepen de stoep op. De hal was niet bepaald veelbelovend. Helblauwe vloerbedekking, blauw rauhfaserbehang, verveloos wit houtwerk. Kurken prikborden met briefjes erop, en allemaal voorzien van de mededeling dat studenten geregeld hun e-mail dienden te checken. Kennelijk was Morrow niet de enige stomkop. De huizen waren doorgebroken, zodat de panden met elkaar in verbinding stonden.

Er was kennelijk net een college voorbij, want van de trap en door de deur achter hen kwamen studenten die zich door het gebouw verspreidden.

Rechts van hen, vlak bij de voordeur, was een glazen hokje waar INFORMATIE op stond. Een man in een blauw overhemd keek hen verwachtingsvol aan.

'Hallo, we zijn op zoek naar de mentor van een van de studenten,' zei Morrow vriendelijk.

'Zo jongedame, en wie mag dat dan wel zijn?' Er twinkelde een speels lichtje in zijn ogen, alsof Morrow best begreep dat het een grapje was en besefte dat ze jong noch dame was.

'Omar Anwar,' antwoordde ze koeltjes. 'In juni afgestudeerd.'

De portier haalde diep adem, klaar om haar onheuse bejegening te beantwoorden. Ze trok haar legitimatie en legde het kaartje met een klap tegen het glas. Hij keek ernaar, knikte en liet zijn longen leeglopen. Vervolgens draaide hij zich om naar de computer, vroeg hoe de naam werd gespeld en zei dat ze Tormod MacLeòid moest hebben. Hij zou informeren of hij er was.

Professor Tormod MacLeòid had het ontzettend goed getroffen met zichzelf. Aan zijn werkkamer en zijn verschijning was af te lezen dat hij wolligheid en stoffigheid hoog in het vaandel had. Hij liet hen tien minuten wachten in het kamertje van zijn secretaresse. Toen kwam hij haar opdracht geven hem het dossier van Omar te brengen, want daarna kon het gesprek pas beginnen. Eenmaal in zijn werkkamer moesten ze lijdelijk zwijgen terwijl hij het dossier doornam. Hoewel het hele verhaal gelukkig niet meer dan vijf alinea's telde, had Morrow even de tijd om goed om zich heen te kijken.

Net als het gebouw zelf was het vertrek hoog en smal. Alle wanden gingen van boven tot onder schuil achter boeken, voornamelijk oude, stukgelezen banden. Voor de boeken en erbovenop stonden, een paar rijen dik, gehavende bustes zonder neus, brokken natuur- en baksteen en miniatuurreproducties van Griekse vazen. Op een van de planken lag een verschoten bruin met roze das van zijn dure particuliere school op een rolletje. Morrow was ervan overtuigd dat aan elk voorwerp een verhaal vastzat, en dat elk verhaal ongetwijfeld lang, saai en zwaarwichtig was.

Ze was op de enige stoel bij het rommelige bureau gaan zitten, zodat Gobby genoegen moest nemen met een stoel bij de deur, waar hij naast een wankele stapel werkstukken zwijgend en handenwringend tot in detail zijn onbehagen zat te overpeinzen.

Eindelijk leunde de hooggeleerde heer achterover in zijn houten troon, streek over zijn baard, trok zijn colbertje recht en glimlachte bevoogdend zijn gele tanden bloot. 'Ik weet nog wie hij is, jazeker. Waar kwam hij ook alweer vandaan?'

'Pollockshields,' zei Morrow.

'Aha.' Bij de onuitgesproken terechtwijzing sperde hij even zijn ogen open. 'Ach ja, de mooie kolonie Pollockshields.' Meesmuilend besloot hij: 'Juist, ja.'

'Hij is cum laude bij u afgestudeerd.' Als tegenwicht tegen zijn bekakte spraakje zette Morrow haar platte Zuid-Glasgowse accent nog wat dikker aan. 'Dus ik dacht: misschien is u nog wel meer van hem bijgebleven dan zijn huidskleur.'

Op het gezicht van Tormod verscheen een vals trekje. 'U hebt mij niets horen zeggen over zijn huidskleur.'

Om hem in verlegenheid te brengen wachtte ze iets langer met reageren dan strikt nodig was. 'Wat was het voor student?'

Tormod schraapte kregelig zijn keel en raadpleegde het dossier. 'Zeer goed, intelligent, harde werker.'

'En uw specialiteit is…?'

Hij keek haar even strak aan. 'Burgerlijk recht. Romeins recht.'

'Waarom heeft hij Romeins recht gekozen?'

Tormod haalde diep adem, stak zijn baardje naar voren en begon een geijkt verhaal: 'Het burgerlijk recht wordt op dat niveau om twee redenen gekozen. Of de student wil advocaat worden en vervolgens wellicht rechter, of hij koestert diepgaande belangstelling voor rechtshistorie. Het is bij wijze van spreken een meer alfagerichte benadering van de rechtenstudie. Minder naar de letter, meer open voor interpretatie. In het geval van' – hij wierp opnieuw een blik in het dossier – 'Omar, die heeft de studie gekozen met het oog op de advocatuur. Althans, dat heb ik begrepen toen ik hem tot de faculteit heb toegelaten.'

'Maar hij heeft besloten geen advocatenpraktijk te beginnen. En ook om niet voor een rechtbank te gaan werken.'

'Zo zo.'

'Waarom niet?'

'Geen idee. Dat zou u aan hem moeten vragen.'

'Hebt u een rol gespeeld in de buitenuniversitaire activiteiten waar Omar aan deelnam?'

Hij keek niet-begrijpend en zocht hulp bij het velletje papier. 'De studentenrechtbank?'

'Wat is dat?'

'De studentenrechtbank is eigenlijk gewoon een dispuut, met de nadruk op het oefenen van hypothetische zaken. Rollenspel.' Zijn toon was denigrerend.

'Omar nam daaraan deel?'

'Dat staat hier.'

'U bent daar niet bij betrokken?'

'Nee.'

'Levert het studiepunten op?'

'Welnee. Maar het is erg tijdrovend.'

'Er blijkt wel uit dat hij enthousiast aan zijn studie is begonnen.' Ze zette een neutraal gezicht, maar het onuitgesproken verwijt ontging hem niet. Langzaam verscheen er een smalend trekje om zijn lippen.

Morrow stond abrupt op. 'Heel veel dank.' Ze pakte haar jas van de rugleuning van de stoel. Gobby sprong overeind.

Tormod was bijna opgestaan om hen uit te laten, maar hij bedacht zich en bleef zitten. 'Ik neem aan dat u er wel uit komt?' zei hij kortaf.

Morrow wees naar de deuropening waar Gobby al in stond. 'U neemt aan dat wij de deur wel vinden, hier in de muur?'

Hij keek chagrijnig, en ze bedacht dat hij er echt de man naar was om tijdens een diner van de golfclub zijn beklag te doen bij een van haar meerderen, en dus bedankte ze hem voor zijn tijd en al zijn hulp, waarna ze de deur met een klap achter zich dichttrok. Als zij als Aziatische bij Tormod MacLeòid had gestudeerd, zou ze zich ook wel tweemaal hebben bedacht voordat ze een advocatenpraktijk was begonnen.

Naast een zwetende Gobby liep ze de trap af. Het was veel te warm in het gebouw, en hij voelde zich niet voldoende op zijn gemak om zijn jas uit te trekken. Hij wilde het liefst naar buiten, maar onder aan de trap hield Morrow hem tegen. 'Nee, wacht even.' Ze keek naar een groepje studenten dat zich bij het mededelingenbord van hun afstudeerjaar had verzameld. 'Kom mee...'

Gobby wilde iets zeggen, maar bedacht zich en volgde haar. Ze koos de grootste, meest zelfverzekerde jongen in de groep uit, en Gobby bleef zwetend achter haar staan, buiten de kring studenten.

De jongen was lang en zag er zo gezond uit als een moeder zich maar kan wensen; hij had een strak kapsel, droeg dure vrijetijdskleding met overal merknamen en had een stevige leren tas bij zich.

'Mag ik even iets vragen?' Hij glimlachte naar Morrow en toonde daarbij zijn gave gebit. 'Misschien kun jij me helpen. We zijn op zoek naar iemand die Omar Anwar kent, hij is in juni afgestudeerd. Heeft meegedaan aan de studentenrechtbank.'

'O ja, Omar. Ja, Omar, iedereen kent Omar.'

'Ken jij hem ook?'

De jongen fronste zijn wenkbrauwen en streek over zijn haar. 'Ja. Hoezo?'

'Doe jij mee aan de studentenrechtbank? Hoeveelste jaars ben je?'

'U bent van de politie, hè?'

'Vierdejaars zeker?' vroeg ze rustig. 'We proberen te achterhalen wie Omar allemaal kennen.'

'God, hij was het dus inderdaad. Op het nieuws, die ontvoering? En zijn zusje is gewond geraakt?'

Ze sloeg haar ogen neer. 'Zeg, kunnen we ergens even rustig praten?'

'Jazeker, kom maar mee.'

Terwijl hij via een doorgang naar het pand ernaast liep, vergewiste hij zich ervan of ze wel meekwam. Ze namen de trap naar de eerste verdieping, waar hij de deur opende van een groot vertrek met twee hoge ramen die veel licht binnenlieten. Er stond een manshoge koffieautomaat bij een tafeltje met een bakje wisselgeld erop. Tegen de muur stonden twee rijen paarsleren chesterfields tegenover elkaar.

'Dit was vroeger de rookkamer,' zei hij.

Op een drie meter lange mahoniehouten tafel bij de ramen lagen notitieblokken en stapels wetboeken. Alle stoelen waren leeg maar werden vrijgehouden met behulp van truien en jasjes. Er was geen student te bekennen.

'College?' zei Morrow vragend.

'Lunch,' antwoordde hij, en hij mikte zijn tas achter de deur. Hij wees op de koffieautomaat. 'Iets drinken?'

Gobby schudde van nee en Morrow trok haar neus op. 'Zo eentje hebben wij op ons werk ook. Je krijgt er een beslagen tong van.'

'Zullen we gaan zitten?' opperde hun gastheer.

Morrow koos een chesterfield, en de jongen nam tegenover haar plaats. Gobby schoof op een stoel naast haar, nog steeds met zijn jas aan; terwijl zij haar notitieboekje tevoorschijn haalde, trok hij onzeker de zijpanden over zijn buik.

'Zo. Mag ik je naam?'

'Lamont, James Lamont.'

'Lamont, familie van de rechter?'

Hij boog gegeneerd zijn hoofd en keek snel weg. Ze glimlachte hem welwillend toe. De twee belangrijkste bronnen van schaamte: afkomst en armoede.

'En je kent Omar dus?'

'Niets op aan te merken. Prima kerel.'

'Met wie gaat hij om?'

'Zijn beste vriend is Mo. Die deed natuurkunde, natuurwetenschappen, zoiets. Gelijk met hem afgestudeerd. Ze waren onafscheidelijk.'

'Geen echte vrienden op de rechtenfaculteit?'

'Vrienden zat, maar zoals dat gaat: als je voor je afstuderen staat, denk je vooral aan wat je daarna gaat doen, en Omar wilde geen eigen praktijk beginnen…'

'Ook al is hij cum laude afgestudeerd?'

'Niet iedereen is er geschikt voor.'

'Wat wilde hij dan wel gaan doen?'

'Hij is een bedrijf begonnen, geloof ik, een eigen zaak. Net als zijn vader, weet u wel.'

'Zijn vader runt een buurtwinkeltje.'

Daar keek James van op, en het beviel hem wel, alsof ze eigenlijk rivalen waren geweest en dit een punt in zijn eigen voordeel was. 'O ja? Ik dacht dat hij een paar winkels had, dat zei Omar tenminste.'

'Hm, nee, één winkel.'

'Toch moet zijn vader goed geboerd hebben.' Ze zag dat hij zijn best deed om zijn triomf te verbloemen met nobele gedachten. 'Hij heeft de twee broers immers op particuliere scholen kunnen doen?'

'Het zusje niet?'

Er ging een schokje door James heen, alsof hem iets te binnen schoot. 'Eh, nee. Het zusje heeft op de Shawlands Academy gezeten.'

'Een openbare scholengemeenschap?'

'Ja, maar ik heb altijd het idee gehad dat het geen kwestie van geld was. Tenminste, Omar dacht niet dat het een geldkwestie was.'

'Omdat ze een meisje was dan?'

Hij haalde zijn schouders op, bloosde een beetje bij het idee dat hij als vanzelfsprekend tot het patriarchaat behoorde. Ze begon hem steeds aardiger te vinden. 'Ik weet het niet, ik geloof dat ze de slimste van het stel was, dat zei Omar, ik heb haar nooit ontmoet. Heel pienter, zei hij. Maar een beetje een wilde meid. Zo wild dat wij van hem niet met haar mochten kennismaken.'

'Wild, hoezo? Foute vriendjes? Drank?'

'Nee, nee, alleen… Ik weet het niet… Ik kreeg de indruk dat ze in de contramine was. Hij zag aankomen dat ze er op haar zestiende vandoor zou gaan, "als de gesmeerde rat", zoals hij het zei.' James moest lachen. 'Die uitdrukking heb ik onthouden.'

Ze knikte en nam zich voor om bij de Shawlands Academy inlichtingen over Aleesha in te winnen. 'Heeft Omar weleens gezegd dat zijn vader meer dan één winkel had?'

'Nee, dat niet, nu ik er nog eens over nadenk, maar hij wekte wel de indruk dat hij geld had. Die zaak van hem liep als een trein. Veel cash. Tegenwoordig zit hij in elk geval goed in de slappe was.'

'Wat doet hij?'

James keek alsof hij daar nooit echt over had nagedacht. 'Dat weet ik niet, ik geloof niet dat hij dat heeft verteld.'

Ze glimlachte vriendelijk. 'Maar het gaat hem voor de wind?'

Hij beantwoordde haar glimlach. 'Allemachtig, ja, hij heeft me een foto laten zien van de auto die hij gaat kopen. Een Lamborghini, goddomme.'

'Je meent het.'

'Ja.'

'Een blauwe, hè?'

'Een blauwe? Ik dacht een gele.' Hij keek naar Gobby. 'Banaangeel, geloof ik.'

'O, nou ja. Waar ging hij hem kopen?'

'Eh…' Zijn gezicht betrok. Als Morrow het soort vrouw was geweest dat graag met goede raad strooide, zou ze tegen hem hebben gezegd dat hij beter niet aan poker kon beginnen.

'Bij de dealer in Glasgow?'

'Ergens bij de snelweg…'

'Dus jullie hebben elkaar nog onlangs gesproken?'

'Ja, een maand geleden…' Hij moest telkens naar Gobby kijken, omdat hij het niet kon aanzien hoe die met zijn jas aan zat te transpireren.

Morrow merkte dat James zich begon af te sluiten. Gobby zag eruit als een politieman die zo van een castingbureau kwam: dik, in een nette overjas en een slecht zittend pak. Ze zag dat het opeens tot James doordrong dat dit geen onschuldig gesprekje was, dat het officieel was, dat zij van de politie waren.

Er opende zich een kloof tussen hen. James schoof naar achteren in zijn leunstoel en sloeg zijn benen over elkaar. Toen hun blikken elkaar kruisten glimlachte hij beleefd.

Met hartelijkheid schoot ze op dit moment niets op, wist ze uit ervaring. 'Hij heeft je dat van die auto verteld toen jullie elkaar vorige maand spraken?'

'Eh, ik weet het niet, ik geloof het wel…' Hij gunde zichzelf de tijd om na te denken.

'Waar was dat?'

'Tja, waar ook alweer…'

Ze keek naar haar knieën, trok haar rok recht. 'Verdenk je Omar ergens van?'

'Wát?'

'Het is net of je opeens op je hoede bent. Verdenk je hem ergens van?'

'Godsamme,' protesteerde hij, en hij boog zich naar voren. 'Nee, nee, absoluut niet. Absoluut niet.'

'Hm,' zei ze glimlachend. 'Oké, nou, vertel ons dan maar gewoon hoe het zit. Waar heb je hem vorige maand ontmoet?'

'In de Tunnel Club.'

'De Tunnel Club?'

'Buiten, om een peuk te roken, hij pakte zijn portefeuille en liet ons een foto van die auto zien.'

'Heeft hij erbij gezegd hoeveel hij kostte?'

'Nee, maar dat stond bij de foto, in de brochure, hij had 'm zo uitgeknipt dat je de prijs kon zien. Dat vond ik maar raar. Ik bedoel maar, hij had die foto uitgeknipt, dus waarom had hij de prijs erbij laten staan? Honderdveertig mille, ongeveer.'

'Ongeveer?'

'Nou ja, u weet wel, honderdnegenendertigduizendnegenennegentig pond of zoiets. Zeg maar honderdveertig.'

'Heb je hem ooit anders horen noemen dan Omar?'

'Hoezo, anders?'

'Komt hij vaak in de Tunnel Club?'

'Nee.'

'Jij wel?'

'Een enkele keer.'

'Maar de laatste tijd niet meer?'

'Jawel, ik ben er vorige week nog geweest.'

Ze stond op, en James volgde haar voorbeeld. Hij keek angstig.

'Omar is een prima kerel…' zei hij.

'Het is net of je hem ergens van verdenkt.'

'Is hij verdachte?'

'Waarvan?'

Ze bleven elkaar aankijken.

'Waar verdenk je hem van, James?'

'Nergens van.'

'Waarom ben je dan zo bang om iets over hem los te laten?'

'Ben ik dat dan?'

Morrow liet hem nog even bungelen en knikte toen meelevend.

'Het is ontzettend veel geld voor een auto.'

'Het is verdomd veel geld voor een auto,' beaamde hij. 'Ik wil maar zeggen, als hij al een auto had en een iets mooiere kocht, dan zou ik dat wel begrijpen, maar de stap van geen auto naar díé auto... Ik bedoel maar, dan heb je in heel korte tijd kennelijk een hele hoop geld verdiend, toch? En het kan je niet schelen dat iedereen het weet, want ik bedoel, als je zo'n auto koopt, ben je niet bepaald discreet bezig, toch? Als je zo'n auto aanschaft, is het logisch dat je niets te verbergen hebt...'

'Klopt,' zei ze, en ze pakte haar jas.

Hij keek paniekerig. 'Sorry dat ik zo doorratel.'

'Hier heb je mijn kaartje.' Ze pakte er een uit haar handtas. 'Als je nog iets bedenkt, dan bel je me maar.'

James' blik dwaalde over de grond alsof hij het verloop van het gesprek terug volgde, in een poging, vermoedde ze, om na te gaan waar hij van het goede spoor was geraakt. Ze dwong hem haar een hand te geven, liet haar tanden zien. Gobby schoof zonder een woord te zeggen langs hem heen.

Terwijl ze heuvelafwaarts naar de auto liepen, leek Gobby groter dan eerst. Hij hield het hoofd hoog, keek de nieuwsgierige studenten recht aan en nam onbeschaamd ruimte op het trottoir in beslag.

'Beetje lullige jongen, hè?' zei hij, opeens hanig nu het voorbij was.

'Aan jou heb ik ook geen moer, Gobby. Je bent zo overduidelijk een agent, dat Jezus er in jouw bijzijn achterdochtig van zou worden.'

Gobby leek gekwetst. Haar telefoon ging, zodat hij niet eens stilzwijgend kon protesteren.

Bannermans stem klonk haar als muziek in de oren. 'Ze hebben dat aluminiumfolie op vingers onderzocht, en ze hebben een match! Een zekere Malki Tait. Op dit moment wordt zijn dossier bij het hoofdbureau opgevraagd.'

Morrow grijnsde breed en keek op haar horloge. Tien over drie. 'Ik ben er over tien minuten.'

'Oké.' Ze hoorde dat ook Bannerman grijnsde. 'Zeg, schiet een beetje op. We moeten ook nog naar de Anwars. Om Omar op te halen. Ben je iets wijzer geworden?'

'Geruchten dat hij geld zou hebben. Het zou iets kunnen wezen.'

Ze hoorde Bannerman een hartgrondige, diepe zucht slaken. 'Dank je,' zei hij zachtjes. 'Dank je.'

27

Aamir wachtte op een verandering, een overgang naar elders, op het niets – het niets zou hij prima hebben gevonden. Hij wachtte lange tijd daar in het donker, maar hij hoorde niets veranderen en zag niets veranderen.

Terwijl zijn pols schrijnend klopte en het bloed zich in het kommetje van zijn hand verzamelde om tussen zijn vingers door in het stoffige roest op de grond te drup-druppelen, begon hij ondanks zichzelf langzaam, heel langzaam enige hoop te koesteren. Hij verzette zich daartegen en dacht terug aan het verraad, aan de zekerheid van daarnet dat niets betekenis had en dat alles vergeefs was geweest. Maar de onverbiddelijke overtuiging dat hij moest sterven was vervlogen.

Opeens kantelde het beeld en zag hij in de verte, als een lichtpuntje in het duister, het moment dat hem niet meer helder voor de geest zou staan waarom dit dé oplossing was geweest.

Zelfmoord moest snel gebeuren, was zijn conclusie. Trage zelfmoordenaars konden zich verzetten, vergeten, van gedachten veranderen. Hij zag zichzelf in een beslagen plastic zak woest rukken aan het plakband om zijn hals. Hij zag zichzelf in een donkere garage met een touw om zijn nek van een stoel springen, uit alle macht worstelend, klauwend naar houvast aan de planken van een opbergkast. Te langzaam. Slaperig in een auto vol uitlaatgas, loom en spijtig een hand uitstekend naar het slot. Te langzaam.

Langzaam. Hij vroeg zich af of hij het tegen beter weten in hoopte, of dat hij echt niet meer zo erg bloedde. Hij opende zijn hand. Dik, kleverig bloed viel zachtjes op de veerkrachtige laag roest. Met de vingers van zijn andere hand veegde hij onder de snee in zijn pols. Het bloeden was gestopt. Er druppelde nog wat bloed langs zijn arm, maar het stroomde niet meer.

Hij keek rond in het pikkedonker, voelde zich belachelijk, geneerde zich voor zijn onbeheerstheid. Schaamde zich ten overstaan van God. Toen hij zich voorstelde dat zijn zoons hem gadesloegen, schraapte hij autoritair zijn keel, met zijn geschonden hand voor zijn mond, waardoor de snee in zijn pols gapend open ging staan. Dat deed zeer.

Omdat hij niets beters te doen had, kwam hij behoedzaam overeind. Nu pas werd hij zich bewust van zijn geschaafde knieën, van de zeurende pijn in zijn pols en van de kleverigheid van zijn rechterhand.

Wat kan een mens er ellendig aan toe zijn, zei Johnny Lander. Hij zei het tegen Aamir, maar hij keek erbij naar een alcoholist die de winkel in kwam om sigaretten te kopen. Aan de kaak van de man kleefde een dode nachtvlinder. Wat een treurnis.

Met gestrekte armen en stapje voor stapje probeerde Aamir zich te oriënteren. Hij volgde de gewelfde ruimte tot het einde en stuitte op de deur waardoor hij was binnengekomen. Zijn kleverige hand tastte de rand af.

Aan de onderkant van de deur zag hij geen licht en voelde hij geen tocht: hermetisch afgesloten.

Bij gebrek aan betere ideeën tikte hij er met een bebloede knokkel beleefd op, drie klopjes die door de ketel galmden en wervelden. Geen reactie. Er was niemand.

Opeens schraapte er metaal op metaal en begon de ketel te trillen. Stilte, weer een galm. De deur ging op een kiertje open.

Aamir wankelde achteruit, zo fel stak het licht. Hij schermde zijn ogen af met zijn bebloede hand.

Een stem zei zachtjes: 'Godverdegodver.'

In de deuropening verscheen een witte figuur, een engel. Een magere engel. 'Wat is er in godsnaam met jou gebeurd?'

Aamir sloot zijn ogen voor de verblindende dag. De stem klonk luid en duidelijk. Geen engel. Een crimineel. De stem was nasaal, hoog, verontwaardigd. De stem van een junk, vagelijk bekend. De deur ging verder open. Aamir slaakte een kreet vanwege het schelle licht, en de jongen stak zijn hoofd de ketel in. 'Man, kerel toch, je zit onder 't bloed. Ben je soms door de ratten aangevreten?'

Opeens drong het in alle hevigheid tot Aamir door wat hij had gedaan, en hij werd door schaamte en woede overmand. Met zijn goede hand haalde hij onbeheerst naar Malki uit. Het ging stuntelig, het was geen stoot, niet eens een stomp, meer een onhandige, lichte por. Aamir wendde zich af van dat verschrikkelijke licht en zette zich al schrap voor de afranseling.

Hij wachtte. De emotie ebde weg. Hij werd zich ervan bewust dat hij overal stekende pijntjes had, in zijn pols, in zijn knieën, onder zijn nagels en in de muis van zijn handen.

Zacht gescharrel achter zijn rug. Het klonk alsof de crimineel een elegant dansje deed, kleine snelle pasjes. Niet dansen maar schuifelen, niet schuifelen maar vallen.

Op hetzelfde moment dat Aamir besefte dat zijn bezoeker moeite had overeind te blijven, ging de jongeman onderuit en smakte voorover de ketel in. Hij kwam hard neer, languit, met zo'n klap dat het geluid in koude golven over hen heen spoelde.

Aamir hield zijn handen op zijn hoofd, want hij verwachtte dat de jongen zou opspringen, woedend zou uithalen en hem tegen zijn rug zou meppen, schoppen en porren. Maar hij bleef liggen waar hij was neergekomen. Een zacht geluidje als van een natte hoest. Toen een militaire roffel, steeds harder, sneller, dringender.

Aamir bleef ineengedoken staan, maar keek steels achterom. Hij zag een voet in een smetteloos witte sportschoen, de hak schokte omhoog en omlaag, sloeg de maat op de grond, steeds sneller, een waanzinnig ritme dat hij niet kon volgen. Het hield op. Met zijn handen voor zijn ogen wachtte Aamir af, zo nu en dan glurend naar de voet op de grond.

Een nat geluid.

Nog steeds met afgeschermde ogen trok Aamir zich terug in de schaduw achter in de ketel, hij maakte zich klein. Ten slotte draaide hij zich om en opende hij zijn brandende ogen.

Een jongeman in het wit, met zijn petje half over zijn gezicht. Witte broekspijpen, witte polsen, maar de rest was rozenrood. Nat. Donker. En het bloed bleef maar stromen. Aamir keek naar zijn hand, die het stuk metaal nog omklemde. In het donker had hij gedacht dat het groter was. Het was scherp. Niet langs de rand, zoals hij had gedacht, maar aan het eind. En het glinsterde.

Behoedzaam stapte Aamir naar de witte broekspijpen toe en

keek naar het gezicht van de jongeman. Uit zijn hals borrelde bloed zoals olie uit de grond borrelt. De huid was griezelig blauwig en marmerbleek geworden, wat een steeds groter contrast vormde met zijn rossige hoofdhaar en oranje baardstoppels. De ogen draaiden omhoog, de irissen waren nog net zichtbaar onder de bovenoogleden. Blauw als een ader onder witte huid.

Nu schoot hem te binnen waar hij die stem van kende. De jongen in de slaapkamer die hem snoep had willen geven en zijn excuses had aangeboden voor de rotzooi. Aamir had het snoep niet aangenomen omdat hij bang was voor vergiftiging, maar hij had het gewaardeerd dat de jongen begrip had getoond toen hij op religieuze gronden had geweigerd.

Aamir keek naar de snee in zijn pols. Nauwelijks bloed. Geen sporen van stromen bloed, alleen een opgedroogd randje om zijn pols, alsof er een armbandje op getekend was.

Aamir knielde neer, zachtjes, langzaam. Zo bleef hij een hele tijd zitten, tot zijn knieën zo stijf waren dat hij ze haast niet kon bewegen, tot er pijnscheuten door zijn heupen trokken en zijn gekneusde rug klopte. En nog verroerde hij zich niet.

Voorbij de deur ging de zon onder, het donker kroop terug om de dag op te slokken. Het was tijd om te bidden, maar Aamir bracht het niet op. Hij kon er niet toe komen zich tot God te richten. Met gesloten ogen liet hij zich leiden door zijn sloffende voeten en het geluid van zijn eigen gejammer, terug naar dat gehate duister achter in de ketel, en daar wachtte hij zijn lot af.

Toen Morrow en Bannerman op hun kamer het dossier van het hoofdkantoor bekeken, moesten ze lachen om de verdachtenfoto. Aan de ene kant omdat ze opgelucht waren nu er schot in de zaak begon te komen, aan de andere kant omdat Malki Tait kennelijk erg met zichzelf te doen had.

Hij was gekleed voor een lekker avondje stappen. Hoewel hij een typisch Schotse bleke teint had en wenkbrauwen en wimpers nog feller oranje dan een opgepoetste sinaasappel, had Malki zijn haar zwart geverfd en zorgvuldig in een bloempotcoupe laten knippen. Het was egaal zwart, maar zo dik en zo goed met conditioner behandeld dat het wel een vrouwenpruik leek. Hij droeg een grijs jack met epauletten en een soort sjaaltje. Volgens het proces-verbaal was hij aangehouden bij de nachtclub Rooftops met pillen op zak, te veel voor eigen gebruik maar niet echt genoeg om te verhandelen. Maar waar ze echt om moesten lachen was de uitdrukking op zijn gezicht. Malki – de verpersoonlijking van de verongelijktheid. Zijn mondhoeken wezen omlaag, zijn wenkbrauwen waren opgetrokken, net een onderkruipsel waar iedereen de pik op had.

'Kijk,' zei Morrow, en ze wees op zijn strafblad: autodiefstal en het terugdraaien van kilometertellers. In het begin van zijn carrière had hij ook al auto's laten uitbranden.

'En hij is een Tait,' zei Bannerman glimlachend.

Morrow knikte. Dit kon geen toeval zijn. Het moest wel betekenen dat ze warm waren. Ze stond op. 'Ik ga naar MacKechnie…'

'Nee.' Bannerman kwam zo snel overeind dat zijn stoel kantelde en hij achter zich moest reiken om hem op te vangen. 'Nee, ik ga het hem wel vertellen.' Hij was erop gespitst de ontwikkelingen zelf te gaan melden. Hij rukte zijn jasje van de rugleuning van zijn stoel en terwijl hij het aantrok en zijn das omdeed, ontweek hij haar blik.

Morrow keek hem met een strak gezicht aan, zonder hem uit zijn lijden te verlossen. Ze wachtte tot hij aangekleed en wel voor haar kwam staan.

'Goed gedaan vandaag, Morrow.' Hij wilde niet dat ze met hem meeging om in de eer te delen, maar durfde dat niet hardop te zeggen.

Ze bleef zitten. 'Dank je.'

In verlegenheid gebracht keek Bannerman op zijn horloge. 'Kwart over vier.'

'Ja.' Ze stond op. 'We moeten Omar gaan ophalen.'

'Nee, ik ga met een team.' Bannerman kneep zijn ogen tot spleetjes en wierp een blik op zijn bureau. Toen hij haar weer aankeek was alle warmte verdwenen. 'Misschien kun jij die computer uit het schuurtje eens doorkijken of daar nog iets bruikbaars uit te halen is.' Hij deed een stap naar achteren om de weg naar de deur vrij te maken, ten teken dat ze moest gaan doen wat hij haar had opgedragen.

Met een smalend lachje en een vuile blik over haar schouder beende Morrow de kamer uit.

Bannerman liep de gang in, trok zijn das recht en stond bij de kamer van MacKechnie stil om zijn keel te schrapen. Daarna klopte hij twee keer. Toen het bekende 'kom er maar in' was geroepen opende Bannerman de deur, maar hij bleef op de drempel staan, zoals ze al had gedacht. Hij had het druk, had belangrijke dingen te doen, kon niet blijven, kwam alleen even het goede nieuws doorgeven over wat hij had ontdekt. Hij hoorde niet dat Morrow hem stilletjes was gevolgd, noch dat ze zo was gaan staan dat ze pal in het zicht van MacKechnie stond, waardoor het leek alsof ze samen waren gekomen. Met gespeelde bescheidenheid deed Bannerman verslag van de ontwikkelingen van die dag, stelselmatig gebruikmakend van het enkelvoud 'ik'. Morrow sloeg hem gade en trok de aandacht van MacKechnie door telkens haar wenkbrauwen hoog op te trekken.

'De Taits?' MacKechnie had het tegen haar. 'Je meent het.'

'Nou,' antwoordde Morrow, en Bannerman schrok omdat hij nu pas merkte dat ze er was. 'Hij heet dan wel Tait, maar we weten eerlijk gezegd nog niet of er verband is. Te oordelen naar zijn strafblad...' – Bannerman keek haar strak aan, gaf een verontwaardigd rukje met zijn hoofd – 'is het domweg een halfgare junk die graag dealer wil worden. Zijn aanhoudingen hadden steeds met drugs of met joyriding te maken. Hij woont in Cambuslang, dus het kán een neefje zijn.'

'Ik wist niet...' Bannerman maakte zijn zin niet af.

'Hoe dan ook...' Morrow hief haar handen. 'Ik heb nog van alles te doen. Ik laat het ophalen van Omar Anwar aan jou over, Bannerman, oké?'

En grijnzend liep ze weg.

Eddy ademde door zijn neus, snoof als een stier en zat over het stuur gebogen alsof hij iemand ging bespringen.

Pat wist dat hij zou moeten informeren hoe het met Eddy's dochtertje ging, hoe oud ze werd, dat soort dingen. Hij zou Eddy kunnen opjutten om zijn gal te spuwen over zijn ex, dat het haar schuld was dat hij de verjaardag van het lieve kind was vergeten, maar Pat wist uit ervaring dat het de zaak alleen maar zou verergeren. Als Eddy eenmaal over zijn ex was losgebarsten, ging het mis. Pat had eindeloze nachtdiensten opgesloten gezeten en moeten aanhoren hoe Eddy doordraafde over alles wat ze had misdaan, moeten luisteren naar de bespottelijke leugens die hij opdiste om zichzelf ervan te overtuigen dat het allemaal aan haar lag.

Pat had het altijd een vervelende tante gevonden, ook toen alles nog goed ging. Ze kon nooit haar waffel houden, maar hij begreep ook wel dat Eddy geen makkelijk heerschap was. En Malki zag het verkeerd: het waren helemaal geen leuke kinderen. Ze waren half verwilderd. Pat kende veel grote gezinnen in zijn omgeving, maar tot hij de kids van Eddy leerde kennen had hij er geen idee van gehad dat kinderen zoveel lawaai konden maken, en zo lang achter elkaar.

Hoewel Eddy zat te popelen, vroeg hij dus niets.

'Niet te vertrouwen, die kutwijven, man,' zei Eddy met opeengeklemde kaken.

Pat keek uit het raampje en dacht aan de kou van de muur van het ziekenhuis die in zijn hand was getrokken en zijn vingers ongevoelig had gemaakt. Zijn hand lag in zijn schoot, en bij de herinnering glimlachte hij. 'Ik hoop maar dat het goed gaat met Malki.'

'Het is 'm geraaien, de zak, we betalen 'm een hoop geld.'

Pat wilde zeggen dat het niet bepaald veel was, als je naging wat hij ervoor moest doen en welke douw hij ervoor kon krijgen. Malki was een goeie, betrouwbare jongen. Ze hoefden er niet voor te zorgen dat hij zo ver heen was dat hij niet meer op zijn benen kon staan, zoals bij Shugie, om te voorkomen dat hij naar een pub ging en van alles losliet tegenover een gestoorde gek die het weer aan iemand anders zou overbrieven. En je wist dat Malki niet over de rooie zou gaan en die ouwe kerel om zeep zou helpen. Ook zou hij niet zo stom zijn om te vertellen hoe iedereen heette, zodat ze de ouwe onmogelijk nog naar huis konden laten gaan.

Pat zou een andere naam kunnen aannemen. Hij zag zichzelf al samen met Aleesha in een of ander zonnig land. Zijn arm lag ontspannen om haar schouders en ze keek glimlachend de verte in: ze poseerden alsof iemand een foto van hen nam maar er zo lang over deed dat ze geen zin meer hadden om stil te blijven staan.

Aleesha en Roy. Hij glimlachte bij zichzelf. Roy? Lachend kneep hij zich in zijn neus. Wie heette er nou Roy?

Eddy remde zo abrupt dat de gordel in Pats borst en middel sneed. Hij zag Eddy door de voorruit omhoogturen, speurend naar camera's. Ze stonden in een zijstraat van Maryhill Road, vroeger een drukke verbindingsweg, maar nu alles in de buurt was gesloopt een eenrichtingsstraat. Op de hoek stond een eenzame telefooncel.

Toen Eddy zijn gordel losklikte sloeg de paniek bij Pat toe, en hij maakte haastig zijn eigen gordel los. 'Geen probleem, ik doe het wel.'

'Nee hoor.' Eddy zette weer dat gezicht waarmee hij wilde zeggen: daar zullen we dan eerst om moeten knokken. 'Dat doe ík.'

Pat keek hem strak aan, maar schoof de gesp weer in de clip. 'Je gaat je gang maar.'

Eddy stak even zijn kin naar voren, een gebaar dat het einde aangaf van een gevecht dat niet was geleverd, draaide zich om en stapte uit. Hij gooide het portier met een klap dicht.

Pat wist dat Eddy nu zijn gangsterloopje zou opvoeren. Uit een soort kinderachtige wrok keek hij nadrukkelijk niet hoe Eddy de straat overstak. Hij kende dat loopje maar al te goed: opgetrokken schouders, hoofd van links naar rechts zwenkend, speurend naar de schikgodinnen die hem tartten.

Morrow was hier bijzonder goed in: kijken, waarnemen, verwerken. Ze deed de deur van haar kamer dicht, zette haar stoel op de juiste afstand van de monitor en klikte het eerste van Omars bestanden aan.

Het was een spreadsheet in Excel met nietszeggende cijfers, de jaren bovenaan, te beginnen met het lopende jaar, en in de kolommen eronder steeds hogere bedragen, in een gestaag oplopende reeks. Gnuivend zag ze in de laatste kolom het ronde getal tachtigduizend staan. Geen penny meer, geen penny minder. Een grapje, een sprookje, een verhaaltje dat hij zichzelf vertelde voor het slapengaan.

Vluchtig keek ze de andere documenten door: slecht gescande btw-formulieren. Kapitaal of inkomen had hij niet, en hij had geen idee hoe je zo'n formulier moest invullen. Het was of hij een gerucht had opgevangen dat je de boel op die manier kon flessen, maar niet goed had geluisterd.

'De moeder van Malki Tait zegt dat hij vannacht pas om twee uur thuiskwam.' Bannerman stond lachend bij de deur, nog net in de gang, zodat ze niet goed wist of hij het eigenlijk wel tegen haar had. Ze had verwacht dat hij geïrriteerd zou zijn omdat ze zijn triomfantelijke ontmoeting met MacKechnie had verpest, maar hij maakte een heel rustige indruk.

'Waar is hij nu?'

'Weet ze niet.'

'Is hij vanmorgen gewoon de deur uit gegaan?'

'Hij is vanmorgen in een taxi vertrokken. Gobby en Routher hebben de bedrijven in de buurt gebeld en de wagen achterhaald. Ze zijn nu op zoek naar de chauffeur om aan de weet te komen waar hij hem heen heeft gebracht. Maar goed…' Hij liep de gang verder in. 'Kom op. We hebben Omar boven zitten. Met zijn advocaat. Ik wil jou erbij hebben.'

Ze keek naar de iconen op haar scherm. 'Volgens mij is hij niet bezig met btw-zwendel, Grant, eerlijk gezegd…'

'Ja ja, laten we dat maar eens gaan uitvissen.' Bannerman had geen oog voor haar. Hij keek glimlachend de gang in.

28

Met gebogen hoofd liet Omar zich door zijn advocaat door de gang naar de verhoorkamer loodsen. Hij maakte niet zozeer een ongeruste als wel een onuitgeruste indruk. Hij had de rode ogen van iemand die de hele nacht aan de ecstasy was geweest en net bij zijn positieven begon te komen. Morrow zag dat hij zijn ogen een paar keer stijf dichtkneep, alsof hij probeerde ze een beetje vochtig te maken. Ze kon met hem meevoelen. Ze dacht aan thuis en hoopte maar dat Omars verhoor zich lang zou voortslepen, dat er informatie zou worden ontdekt die dringend nader onderzoek vergde. Ze voelde zich veel te kwetsbaar om naar huis te gaan.

Alle verhoorkamers waren vrij, want het was theetijd, het moment dat de diensten wisselden. Bannerman koos nummer vier, iets groter dan nummer drie, met een nieuwere camera wat lager aan de muur, zodat hun gezichten in de viewingroom goed te zien zouden zijn. De advocaat kende het klappen van de zweep en probeerde Omar zo neer te zetten dat hij met zijn rug naar de camera zat. Slim. Videobeelden van een getuigenverklaring waar tegenstrijdigheden in zaten, hoe klein ook, een sarcastische opmerking of een onaangename manier van doen, konden in het geval van een juryproces zomaar tot een veroordeling leiden. Morrow was benieuwd wat Omar haar had verteld.

Bannerman had echter wel door waar ze op uit waren en stond erop dat de advocaat en haar cliënt tegenover de camera aan tafel gingen zitten. Toen de advocaat licht spottend vroeg waarom, antwoordde hij dat zíj in de camera moesten kijken, en dat hij hen verhoorde, niet andersom.

De advocaat haalde bakzeil en ze gingen zitten: zij aan de buitenkant, waar ze haar paperassen en pennen klaarlegde, en Omar aan de muurkant. Hij schoof onrustig heen en weer op zijn stoel, wrong zijn handen onder tafel, legde ze er weer op. Morrow hield hem vanuit haar ooghoek in de gaten. Zo te zien was hij niet ontzettend zenuwachtig, niet schuldbewust zenuwachtig, maar gewoon slecht op zijn gemak, en zo hoorde het ook.

Bannerman, de grote baas, nam als laatste plaats. Hij stond achter zijn stoel, knoopte zijn jasje los en flapte de voorpanden opzij alsof hij zijn vuurwapen onder handbereik wilde hebben. Hij keek naar Omar, die onschuldig grinnikend terugkeek. Toen pas ging Bannerman zitten.

Hij en Morrow gingen in de weer met videobanden, zetten de recorder aan en wachtten op het piepje ten teken dat de opname was begonnen. Bannerman sprak de datum in, vertelde wie de aanwezigen waren en verzocht de advocaat haar naam te zeggen.

De advocaat was jong, een knappe blonde vrouw die ontzettend zwaar was opgemaakt. Parelmoerroze blusher lag in dikke vegen over haar gezicht, en haar wimpers kleefden in zwarte piekjes aan elkaar.

Omar leek nog magerder dan de vorige dag, maar dat lag aan zijn kleding, namelijk niet het wijde traditionele tenue, maar het westerse: een dik zwartkatoenen T-shirt met in geel een Diesel-slogan erop, strak om zijn smalle middel en brede schouders, en baggy jeans tot halverwege zijn heupen, zodat de rand van een witte slip erboven uitstak. Hij had iets van een fotomodel, niet gepolijst knap, maar zo'n uitdagend type, bijna mooi van lelijkheid.

Pas toen ze zich hadden geïnstalleerd herkende hij Morrow van de vorige keer. 'Hé, hallo, bent u er weer.' Hij keek haar met grote ogen verwachtingsvol aan, verheugd haar te zien, helemaal niet als een verdachte.

Bannerman en de advocaat legden beiden een hand voor hem op tafel om dit gesprek in de kiem te smoren. 'Eerst de formaliteiten maar,' begon de advocaat met een knikje in de richting van Bannerman, die zijn keel schraapte.

'Omar, in de loop van het onderzoek zijn enkele feiten aan het licht gekomen waar we je enkele vragen over willen stellen. In verband daarmee ben je aangehouden, en het is mijn plicht te zeggen dat je het recht hebt om te zwijgen. Oké?'

Gelijktijdig met de formele reactie van zijn advocaat antwoordde Omar dat hij bereid was in alle opzichten mee te werken: 'O, tuurlijk, ja hoor. Prima.'

Bannerman hield het geplastificeerde document omhoog en las de formele cautie langzaam voor. Aan het eind keek hij naar de advocaat om zich ervan te vergewissen dat ze er kennis van had genomen. Ze knikte neutraal. Bannerman vroeg Omar: 'Je hebt het begrepen?'

'Jazeker,' antwoordde Omar, wiens aandacht tijdens het voorlezen een beetje was afgedwaald.

'Omar, om bij het begin te beginnen, in het verhoor van gisternacht heb je gezegd dat de overvallers op zoek waren naar...'

'Rob, ik weet het.' Omar sloeg een tengere hand voor zijn ogen en kromp in elkaar. 'Ik weet het, sorry. Ik heb met Billal gesproken, en hij zei dat jullie wisten dat het Bob was. Neem me niet kwalijk.'

'Overdrijf nou niet,' mompelde de advocaat.

Omar trok zijn gezicht in de plooi en hief smekend zijn handen. 'Nee, ik weet het, het spijt me. Echt waar. Alleen, we dachten... Het leek ons beter als jullie op zoek gingen naar die kerels, in plaats van dat jullie dachten dat ik er iets mee te maken had.'

'Wanneer heb je besloten te liegen?'

Omar fronste, alsof hij het onbetamelijk van Bannerman vond om daarbij stil te staan. Ze hoefden de details niet te kennen, maar Morrow wist dat Bannerman zich liet gelden om erin te hameren dat híj het voor het zeggen had en dat hij niet met zich liet sollen.

Koeltjes herhaalde Bannerman: 'Op welk moment heb je die avond besloten ons voor te liegen?'

Omar sloeg zijn ogen neer. 'Tja, eh, nadat we het alarmnummer hadden gebeld. Toen de ambulance kwam, vlak voordat de ambulance kwam.'

'En hoe hebben jullie dat besloten?'

Omar hapte even naar adem. 'Hè?'

'Hebben jullie de koppen bij elkaar gestoken en een versie van de toedracht afgesproken?'

'Nee,' antwoordde hij gedecideerd. 'Nee, nee, nee, hoor eens, we... mamma was bezig een theedoek om Aleesha's arm te binden, en we zeiden gewoon, nou ja, dat het misschien het beste was als we Rob zouden zeggen in plaats van Bob.'

'Heb jij dat voorgesteld?'

'Weet ik niet, nee, ik geloof dat het Bill was. Ik zei zoiets van: zeg maar liever Rob, want sommige mensen noemen mij Bob.' Hij was in verwarring. 'Is dat heel erg?'

'Ze weten thuis dus dat sommige mensen je Bob noemen?'

'Ja hoor, dat weten ze.'

'Je vader weet dat ze je Bob noemen?'

Een slimme zet, dat moest Morrow hem nageven: mooi opgebouwd punt en op het juiste moment toegeslagen. Omar keek fronsend naar de tafel.

'Wat moet je vader daar nu van denken? Ze kwamen voor jou, jij hield je gedeisd en dus hebben ze hem meegenomen. Wat vindt hij daarvan, denk je?'

Omar haalde zijn schouders op, zijn tranen zaten hoog.

Bannerman leunde naar voren en vroeg zachtjes: 'Kun je goed met je vader opschieten?'

Omars stem klonk zacht, kinderlijk. 'Niet… geweldig. De laatste tijd wat beter.'

'De laatste tijd wat beter?'

Omar haalde zijn schouders op, een klein gebaar, beschaamd. 'Ik heb beter mijn best gedaan.'

'Waarom?' vroeg Morrow.

Omar liet zijn tong langs zijn tanden glijden, overwoog te liegen, keek van Bannerman naar Morrow. 'Hij leent me het kapitaal om een eigen bedrijf te beginnen. Op voorwaarde dat ik me aan zijn regels houd.'

'Een eigen bedrijf?'

'Ja.' Zo te zien wilde hij daar graag meer over kwijt, maar Bannerman hield de boot voorlopig af. 'Je hebt tegen ons gelogen en je hebt "Rob" gezegd om te voorkomen dat we dachten dat het om jou ging?'

Omar knikte in de richting van de tafel.

'Maar het ging wél om jou.'

'Nee, nee, nee, nee, het had niets met mij te maken…'

'Ze waren op zoek naar jou. Er zaten gewapende kerels achter je aan, maar jij hield je gedeisd en liet je vader meenemen.'

Zijn verontwaardiging was zo heftig dat hij opsprong. 'Nee!' Zijn advocaat schoof haar hand weer over de tafel, een vlakke hand, die hem beval weer te gaan zitten. Ze had hem kennelijk goed geïnstrueerd, want hij gehoorzaamde. Bannerman deed zijn mond al open om iets te zeggen, maar Omar was niet meer te stuiten. 'Ik heb gisteravond al gezegd dat ik in de auto zat, en toen ik dat schot hoorde ben ik meteen naar binnen gerend. Ik wist niet hoe ik het had. Mijn zusje was neergeschoten! Shit, alles zat onder het bloed, ik hoorde nauwelijks wat er allemaal werd gezegd, maar als je gewapende kerels ziet en alles zit onder het bloed, dan weet je dat het niet goed afloopt, wat ze je ook vragen. Bovendien kun je in zo'n situatie amper verstaan wat er allemaal wordt gezegd, ik had niet kunnen bedenken dat ze Boppa zouden meenemen.'

'Oké,' zei Bannerman goedmoedig. 'Snap ik.'

'Je mengt je niet in zoiets. Dat gaat tegen je intuïtie in…'

'Oké.' Bannerman keek naar zijn aantekeningen en Morrow trok vragend zijn aandacht. Hij knipperde eenmaal met zijn ogen: goed.

Zachtjes vroeg ze: 'Waarom zaten jij en Mo eigenlijk buiten in de auto?'

Hij zoog lucht tussen zijn tanden door, dacht na over de gevolgen. 'Oké dan. Boppa is behoorlijk gelovig…'

'Boppa?'

'Mijn vader.' Hij keek haar nijdig aan. 'Zo heet hij thuis. Boppa.'

'Waarom?'

'Dat zegt Aleesha tegen hem: Bekrompen Oegandese Plurk.'

Morrow glimlachte. 'Aleesha is een pittige meid, hè?'

Omar knikte bewonderend. 'Zo zou je het kunnen noemen.'

'Hoe zou jij het dan noemen?'

'Gestoord. Voor niets en niemand bang. Toen Meeshra aan het bevallen was zei ze dat ze zich niet zo moest aanstellen en dat ze d'r kop moest houden.'

'We hebben gehoord dat jij had verwacht dat ze op haar zestiende zou weglopen.'

'Het verbaast me dat ze het niet heeft gedaan. Ze behandelen haar als oud vuil.'

'Behandelt je moeder haar als oud vuil?'

'Nee, mamma is een en al bewondering. Volgens mij wou ze dat ze in haar schoenen stond. Ze hebben ons op een particuliere school gedaan, maar Aleesha op een openbare scholengemeenschap, wist u dat?'

'Hadden ze geen geld meer?'

'Nee. Meisjes hebben geen opleiding nodig, vindt hij. Leven we soms in de negentiende eeuw?'

'Ben jij het daar dan niet mee eens?'

'Ze leest uit zichzelf al mijn boeken, mijn leerboeken van de universiteit. Ze is drie maanden niet naar school geweest, maar heeft wel al haar tentamens gehaald, met prachtige cijfers. De school wil haar niet kwijt. Ze jaagt het gemiddelde van haar hele jaar omhoog.'

'Heeft ze een vriendje, of vrienden die zoiets gedaan zouden kunnen hebben?'

'Nee,' antwoordde hij vol overtuiging. 'Ze zit te studeren op haar kamer, ze leest heel veel, komt alleen tevoorschijn om tv te kijken als er verder niemand is.'

'Gaat ze naar de moskee?'

'Ze is atheïste.' Zijn bewondering voor haar was zo groot dat het er fluisterend uitkwam.

'En ze kan niet goed met je vader overweg?'

'Bekrompen Oegandese Plurk.'

'Is hij inderdaad zo bekrompen?'

'Hij doet niets anders dan vitten. Belt op uit de winkel, elk uur, om te controleren wat we aan het doen zijn en om te zeggen dat we daarmee moeten ophouden en iets anders moeten gaan doen.' Omar klonk niet verbitterd maar vertederd, weemoedig, alsof hij het gezeur miste.

'Hij is dus erg gelovig?'

'Eh, ja, tegenwoordig wel. Vroeger niet zo, hij heeft ons op een katholieke school gedaan en zo, maar Billal is helemaal doorgeslagen naar de godsdienstige kant, en Boppa is hem gevolgd. Ik geloof... nou ja...'

'Nou ja...?'

Hij haalde zijn schouders op. 'Ach, hij wordt een dagje ouder, hè? Zo'n gevoel dat je gezin zich van je verwijdert... Godsdienst is iets gemeenschappelijks. Nu moet ik daar wel in meegaan, anders krijg ik geen steun voor mijn bedrijf.'

Telkens wanneer hij het over zijn bedrijf had, voelde ze een schokje door Bannerman heen gaan. Het zou zijn grote finale worden, maar het feit dat Omar dat bedrijf steeds ter sprake bracht, was voor Morrow even veelzeggend als het fictieve bedrag in de kolom Inkomsten. Het betekende dat het bedrijf niets voorstelde, alleen een gespreksonderwerp was.

'Waarom is Billal godsdienstig geworden?'

'Geen idee.' Omar ontweek haar blik. 'Het is gewoon gebeurd.'

'Wanneer?'

'Paar jaar geleden.'

'Het had niets te maken met 11 september of zo, de gevolgen daarvan?'

'Nee.' Omar klonk gedecideerd. 'Lang daarna. Eerlijk gezegd heb ik sinds 11 september minder last van rotopmerkingen op godsdienstig gebied dan daarvoor, maar ja, ik loop dan ook niet meer elke dag naar school in een groen met goud uniform.'

Groen met goud, katholieke kleuren. De school kon de kinderen net zo goed over straat sturen met een bordje SCHOP MIJ op hun rug.

Ze glimlachte. 'Ben je daarmee gepest?'

'Godsamme nou, aan één stuk door. In de trein bekogelden jongens ons met peuken.'

'Maar goed, een paar jaar geleden werd Billal godsdienstig, en daarna je vader ook?'

'Klopt, en hij is fanatiek. Denkt dat het een band schept in het gezin, maar ja…' En opeens zaten ze tegenover de doodsbange zoon: verslagen, met trillende kin, bezorgd om zijn vader en verbijsterd door zijn eigen aandeel in het geheel. Langzaam kromde zijn rug zich tot zijn neus de tafel bijna raakte, en hij sloeg zijn handen voor zijn gezicht. Hij klauwde in het haar op zijn kruin, probeerde zijn hoofd niet verder te laten zakken en begon gesmoord te snotteren.

Bannerman trok zijn boord recht. De advocaat bladerde in haar aantekeningen. Alleen Morrow keek naar de jongen, die met schokkende rug naar adem zat te snakken. Hij kon het niet opbrengen hen aan te kijken. Zijn handen veegden de tranen weg, eerst rechts, toen links. Zonder hem aan te kijken reikte de advocaat hem tussen duim en wijsvinger een papieren zakdoekje aan. Met haar houding gaf ze aan dat hij moest ophouden, dat hij hen niet langer in verlegenheid moest brengen met deze emotionele ontlading.

Omar pakte het zakdoekje aan. 'Ik heb er niet zoveel mee, zeg maar. Ik zat buiten in de auto toen die gewapende kerels... want Mo en ik waren niet tot het einde bij het ramadangebed gebleven. Als ik meteen naar binnen was gegaan, zou Boppa vast woedend zijn geweest... Ik zat te wachten... tot ik met goed fatsoen naar binnen kon en hij zou denken...'

'Is Billal door iemand bekeerd?' vroeg ze zachtjes.

'Nee, nee.'

'Zomaar spontaan heel gelovig geworden?'

'Klopt.' Omar keek haar nadrukkelijk niet aan. Hij slikte, als om te voorkomen dat hij iets losliet, daarna bracht hij het gesprek weer op zichzelf. 'Ik heb er niet zoveel mee.'

Bannerman haalde adem alsof hij iets wilde gaan zeggen, maar Morrow was hem voor. 'Wilde je vader dat je advocaat werd?'

Hij keek haar verbaasd aan, maar zo moeilijk was de conclusie niet te trekken geweest. 'Ja, inderdaad.'

'Maar je bent niet eens gaan solliciteren?'

'Nee. Niks voor mij.'

'We hebben Tormod MacLeòid gesproken.' Morrow trok een wenkbrauw op.

'Nou, dan begrijpt u misschien wat het me tegen heeft gemaakt.'

'Dus in dat opzicht verzet je je wel tegen je vader, maar niet in de godsdienstkwestie?'

'Tja, dat is heel iets anders.'

'Hoezo?'

'Nou, voor hem is het belangrijk om ergens bij te horen. Boppa hoort eigenlijk nergens bij, hij heeft een zwaar leven gehad... Ik heb het voor hem gedaan, hij is mijn vader, hij financiert mijn bedrijf, maar ja, de ramadan kost elke avond twee uur bidden...'

Bannerman hield het niet meer uit. 'Omar, wat voor bedrijf ben je begonnen?'

'Ik importeer auto's.'

'Auto's?'

'Ja, klassieke modellen. Die gaan hier vanwege het slechte weer niet lang mee. Je kunt ze bijvoorbeeld invoeren uit Spanje en Italië en zo. Voor een schijntje. Als je kans ziet ze hier te krijgen, kun je ze met een forse marge doorverkopen.'

'Wat kost het vervoer?'

'Weet ik niet. Verladers geven je eigenlijk pas informatie als je concreet iets te importeren hebt, maar op internet heb ik naar het koersverschil op de markt gekeken en naar de prijsverschillen tussen hier en daar. Op één auto valt wel drie, vier mille te verdienen.'

Bannerman lachte spottend. 'Stel nou dat het net zoveel kost om ze hierheen te halen?'

Dat was kennelijk nog nooit bij Omar opgekomen. Uitgeput haalde hij zijn schouders op. 'Dat kan niet.'

Morrow mengde zich in het gesprek. 'Dat kan niet?'

'Nee... Zoveel kan het niet kosten.'

'Waarom niet?'

Hij haalde zijn schouders op. 'Gewoon... Zoveel kan dat niet kosten.'

Ze moest aan Billal denken. 'Waarom heb je tegen je broer gezegd dat je siliciumchips invoerde?'

Omar lachte schamper. 'Siliciumchips?'

'Hij dacht dat je chips invoerde.'

'Billal is... We praten nooit over zaken.' Kennelijk zat hem dat niet lekker.

'Waarom heb je btw-formulieren op je computer gedownload?'

'O, ik weet dat het een hele papierwinkel met zich meebrengt, het runnen van een bedrijf, ik heb wat zitten rommelen.' Hij deed alsof hij een doos in zijn handen had. 'Ik heb een heel pakket gekocht, spreadsheet, loonlijsten, belastingformulieren en zo, en dat zat er gratis bij. Ik rotzooide maar wat aan.' Hij fronste. 'Hoezo?'

'Heeft je vader dat schuurtje betaald?' Bannerman wierp Morrow een zijdelingse blik toe.

'Ja. En hij is ook met me naar pc World gegaan en daar heb ik dat pakket voor kleine ondernemers van hem gekregen.'

Ze had nog nooit zo'n slecht doordacht ondernemingsplan gehoord, maar Omar scheen ervan overtuigd te zijn dat het zou slagen. Hij was niet bepaald het criminele meesterbrein waarvoor ze hem hadden gehouden, bedacht ze, en toch was hij lang niet dom.

Morrow nam het even over. 'Omar, hoe kun jij je in hemelsnaam een Lamborghini veroorloven?'

De advocaat draaide zich met een ruk naar hem toe en Omar raakte in paniek. 'Lamborghini?'

'De Lamborghini,' zei Morrow rustig en genietend. 'Waar kun jij die van betalen als je je vader nodig hebt voor de aanschaf van een schuurtje?'

'Tja…' Hij kuchte. 'De Lamborghini.' Hij krabde aan zijn wang. 'Ziet u, wat dat betreft, het zit zo…'

De advocaat boog zich voor hem langs naar Morrow toe. 'We moeten heel even pauzeren.'

'Jullie zijn er net.'

'Toch moet het.'

'Oké. Tien minuten dan.' Bannerman meldde het tijdstip, zei dat er een korte pauze werd ingelast en schakelde de recorder uit.

De advocaat stond op. 'Omar en ik gaan even naar de gang.'

'O ja?'

'Ja,' zei ze gebiedend. Omar stond op en draafde met een angstig gezicht achter haar aan de kamer uit.

Terwijl Omar en zijn advocaat op de gang stonden te fluisteren, bleven Bannerman en Morrow aan tafel zitten, met de sterke indruk dat ze aan de winnende hand waren. Morrow controleerde haar knoopjes en make-up, streek haar haar glad, en toen schonk Bannerman haar een kameraadschappelijk lachje. Ze waren wel zo verstandig om binnen gehoorsafstand van degene die verhoord werd niet met elkaar te praten, maar Morrow haalde haar schouders op en vormde met haar lippen de woorden 'geen btw?' Bannerman straalde.

De advocaat kwam terug en ging met opeengeklemde kaken zitten, aan de muurkant ditmaal. Omar volgde gedwee en nam plaats op de door haar aangewezen stoel.

'Meneer Anwar is nu bereid u te vertellen hoe het met de Lamborghini zit.'

'Dat is mooi,' zei Bannerman langzaam, en hij zette de recorder weer aan, sprak de gegevens in en ging gemoedelijk achteroverzitten. 'Zo Omar, je bent bereid ons te vertellen hoe het zit met de Lamborghini?'

Omar schraapte zijn keel. 'Ja,' antwoordde hij op formele toon. 'Dat wil ik inderdaad vertellen. Ik overweeg een Lamborghini te bestellen bij garagebedrijf The Stark-McClure aan Rosevale Road.'

'Dat overwéég je?'

'Nou ja, ik heb een paar proefritten gemaakt en ik heb een aanbetaling gedaan, nou ja, mijn vader dan, als een cadeautje voor mijn cum laude.'

'Een aanbetaling?'

'Ja.'

'Groot bedrag?'

'Twee mille.'

'Meer niet?'

'Nee, maar als je definitief bestelt moet je het hele bedrag neertellen.'

Bannerman verbeet een zelfgenoegzaam lachje. 'En ik neem aan dat je kunt aantonen dat je vader die aanbetaling voor je heeft gedaan?'

Omar keek naar zijn advocaat, die met een nijdig knikje te kennen gaf dat hij Bannerman moest antwoorden.

'Het betalingsbewijs staat op zijn naam, en hij heeft zijn creditcard gebruikt. Die bonnetjes zitten allebei in het geldkistje dat mijn vader in de keuken op de koelkast heeft staan.'

Omdat Bannerman zich met die informatie geen raad wist, werd hij boos. 'Ze kwamen voor jou, voor Bob. Wie kennen jou als Bob?'

'Een heleboel mensen. Voor de helft van de lui in onze wijk ben ik Bob.'

'Werd je op de universiteit ook Bob genoemd?'

'Nee.'

'Je hebt bij de Young Shields gezeten?'

'Nou eh… Ik ben een tijdje met ze opgetrokken. Ik zei daarnet al: op weg van school naar huis werd ik gepest… Het uniform van de St.-Al viel behoorlijk op.'

'Hoe ben je bij ze weggegaan?'

'Toen mijn vader erachter kwam dat ik met ze omging, heb ik een halfjaar huisarrest gehad.' Hij leek er nog boos om, maar hij begon het te vergoelijken. 'Hij had gelijk, echt waar, hij heeft er goed aan gedaan. Omdat ik toch de hele tijd binnen zat, ben ik hard gaan studeren, en dat ging dus erg goed…' Bij de gedachte aan zijn vader schoten zijn ogen vol. Hij keek naar de drie volwassenen aan tafel. Morrow was de enige die haar blik niet afwendde. 'Komt het goed met hem, denkt u?'

Ze was niet iemand die loze troostende woorden sprak. 'We doen ons uiterste best,' antwoordde ze. 'Omar, wie hebben het volgens jou gedaan?'

'Ik heb werkelijk geen flauw idee. Wie heeft er een wapen? Dat is toch de grote vraag? Wie kan er nou aan zo'n pistool komen?'

Bannerman deed alsof hij zijn aantekeningen raadpleegde, daarna legde hij de papieren neer. 'Waar heb je nog meer over gelogen?'

Omar spreidde zijn handen. 'Nergens over, man, ik zweer 't.'

Bannerman keek hem strak aan. 'Omar,' zei hij zachtjes, 'waar heb je nog meer over gelogen?'

Omar keek verontrust en wendde zich tot zijn advocaat. 'Ik heb nergens anders over gelogen. Ik weet niet wat ik moet zeggen…'

'Volgens mij,' zei ze, 'hebben we gedaan wat we kunnen.'

Bannerman ontstak in woede en sloeg keihard op tafel. 'Wij zijn u aan het verhoren, meneer Anwar. Dit is geen spelletje. Wij doen ons best om uw vader op te sporen, en het is de bedoeling dat u ons helpt en ons niet voor de voeten loopt.' Bannerman had het verkeerde moment gekozen, hij was te kwaad, schreeuwde te hard, en de anderen hielden zich muisstil. Morrow keek naar een spuugje van Bannerman dat op tafel was beland. Het vliesje werd steeds dunner, tot het belletje knapte.

Bannerman keek weer in zijn aantekeningen, hield ze omhoog alsof hij zich er het liefst achter zou verschuilen. Hij mikte ze nijdig op tafel. 'Hebben de ontvoerders nog eens gebeld?'

'Ja,' antwoordde Omar volgzaam.

'Je hebt ze veertigduizend pond aangeboden.'

'Klopt.' Omar durfde niet goed op te kijken. 'Ja, dat heb ik ze aangeboden.'

'Hoe kom je aan dat bedrag?'

'Dat is alles wat we op onze bankrekeningen hebben staan.'

'Al het geld dat je vader op zijn rekeningen heeft staan?'

'Het zijn familierekeningen, op naam van de zaak.'

'Hoe reageerden de ontvoerders?'

'Ze zeiden "sodemieter toch op".'

'Dat wil zeggen: het is niet genoeg om hem terug te krijgen?'

'Klopt.'

Bannerman bleef roerloos zitten. 'Omar, wat zou jij vinden van een man die genoeg geld heeft om zijn vader zó terug te krijgen' – hij knipte met zijn vingers – 'maar niet betaalt?'

Omar keek fronsend naar Bannermans vingers. 'Genoeg geld?'

'Een man die geld in een schoenendoos in de achterkamer heeft staan, die bulkt van het geld maar het vertikt om het op te hoesten.'

'Waarom zou iemand dat vertikken?'

Bannerman haalde nonchalant zijn schouders op. 'Jij mag het zeggen. Misschien heeft hij de pest aan zijn vader.'

'Maar het is en blijft zijn vader.'

'Misschien heeft hij dat geld verdiend met iets wat niet in de haak is. Misschien weet hij dat hij in grote problemen komt als hij dat geld afstaat. Wat zou jij van zo iemand vinden?'

Omar tuurde naar een hoekje van het plafond, dacht na over dat scenario en keek Bannerman vervolgens met vaste blik aan. 'Ik zou hem een ontzettend grote schoft vinden,' zei hij eenvoudig.

29

Ze wisten het allebei. Van alle akelige rotnachten die ze de afge-lopen tien jaar samen hadden doorgebracht, beloofde dit de aller-langste te worden.

Pat kon het niet opbrengen om te vragen naar de verjaardag die Eddy was vergeten, en evenmin om te beamen dat het de schuld van zijn vrouw was omdat ze hem niet op tijd had helpen herinneren. En omdat hij niet had geïnformeerd en niet had meegeleefd, broei-de er ruzie. Ze hadden wel vaker ruzie gehad, als ze dronken waren, over geld, maar dan waren ze allebei boos geweest. Nu was alleen Eddy boos. Zonder iets te vragen, zonder te waarschuwen, had Pat afstand van hem genomen.

Eddy zat knarsetandend achter het stuur, met opengesperde neusvleugels en een verre blik zijn ogen, alsof hij erover dagdroom-de dat hij iemand iets aandeed. Pat vroeg zich af of Eddy zijn pistool bij zich had. Zijn eigen wapen zat nog achter in de vuilnisbak in de keuken van Shugie.

De Lexus reed langzaam door de vestinggracht van grind rond machinefabriek Breslin, over een groen talud en daarna de beton-weg op. Eddy stopte bij de ingang van het open laadplatform, dat zo groot was dat er drie vrachtwagens tegelijk konden worden gela-den. Hij trok de handrem aan, boog zich over het stuur, keek nijdig naar de donkere, gapende toegang en vervolgens verwachtingsvol naar Pat.

Ook Pat tuurde naar de ingang. Het plastic tasje op zijn schoot brandde op zijn dijen. Een Chinese afhaalmaaltijd. De olie die uit het zakje met loempia's was gelopen vormde een warm plasje in een punt van het blauwe plastic. Hoewel ze sinds dat broodje vanochtend niets meer hadden gegeten en het heerlijk rook in de auto, had Pat helemaal geen trek. Hij staarde naar de deuropening, kneep zijn ogen tot spleetjes, keek uit zijn raampje. Hij had zin om het portier open te gooien en het op een lopen te zetten, om weg te rennen over de donkere vlakte, door het moeras waar je tot je knieën in wegzakte, naar de snelweg, om naar de stad terug te liften.

'Malki zal wel trek hebben,' zei Pat, en hij knipperde snel met zijn ogen, alsof hij daarmee de nacht kon uitwissen. Eddy opende het portier, en Pat volgde zijn voorbeeld. Ze stapten het donker in.

Breslin was een jaar of twintig geleden gesloten, en het fabrieksgebouw begon in verval te raken. De draagbalk boven het laadbordes was afgebroken en versperde nu de toegang; de metalen stijlen staken verwrongen en verroest uit het beton. Het geheel was overwoekerd met een weerbarstige begroeiing die zich door de scheuren werkte en de betonplaten traag maar gestaag uiteenduwde.

Pat ging Eddy voor, met de afhaalmaaltijd eerbiedig op zijn handen, alsof hij een offerprocessie leidde. Hij bukte voor de afgebroken balk en stapte de vesting van duisternis binnen. Zijn voetstappen weerklonken doods terwijl hij het trapje naar het laadbordes op liep en door de deuropening de verpakkingshal binnen ging. Hij wachtte even af of zijn ogen zich zouden aanpassen aan het duister, maar het bleek ondoordringbaar.

Eddy ging voor hem staan en hield zijn mobiel hoog op om van het licht van het schermpje te profiteren. Omdat het gelige schijnsel van het oude telefoontje amper iets veranderde aan de duisternis, vulde Eddy het aan met een penlight die hij aan zijn sleutelhanger had zitten.

Met het mobiel omhoog en de penlight omlaag gericht liepen ze voetje voor voetje de fabriek in. Pat volgde Eddy en de lichtjes, met de afhaalmaaltijd lekker warm tegen zijn borst. Het was er doodstil. Ze hadden verwacht dat Malki wel een radiootje of zoiets had aanstaan, dat hij een beetje licht had gemaakt; ze hadden hem een paar kaarsen meegegeven en wisten dat hij wel zou liggen maffen. Junks waren net katten of vossen, die konden het zich overal gemakkelijk maken.

Terwijl ze door de verpakkingsruimte naar de ingang van de fabricagehal liepen, verzonnen Pat en Eddy in gedachten allerlei oorzaken, maar er was geen licht, geen fluisterzachte radio, geen geïmproviseerd bed van kranten, geen gesnurk. Pat stak zijn hoofd naar binnen, het pikkedonker in, spitste zijn oren.

In de fabricagehal lag een metalen vloer waar idem tafels aan vastgeschroefd waren; sommige poten waren verbogen doordat iemand vergeefs had geprobeerd ze los te krijgen. Achterin voerde een metalen trapje naar de grote ronde ketel waar ze de kussensloop hadden gedumpt. Alles was hier van metaal, er kon nog geen dor blaadje doorheen waaien zonder gerucht te maken. Maar ze hoorden helemaal niets.

Malki bevond zich niet op de plek waar ze hem hadden achtergelaten. De kaarsen brandden niet, er klonk niet eens een geluidje dat erop duidde dat hij zich voor hen verstopte, omdat hij dacht dat ze van de politie waren of zo. Malki was 'm gesmeerd. Dat maakte de zaak nog erger.

Voordat hij het wist had Pat gefluisterd: 'Malki?'

Eddy wurmde zich naast hem in de deuropening, hield de penlight omhoog. Het lichtpuntje boorde zich de ruimte in en wierp een priemend geel straaltje een meter of zes, zeven vooruit, wat niet veel uithaalde.

'Malki?' riep Pat iets luider nu, met in zijn achterhoofd de gedachte dat hij zich flink opgelaten zou voelen als Malki opeens achter hem opdook. 'Waar zit je?'

Eddy pakte het mobiel en het zaklampje in zijn ene hand en haalde met zijn andere een zakje met zes waxinelichtjes uit zijn zak. Nadat hij met zijn tanden het plastic had opengetrokken pakte hij een aansteker, bukte zich en leegde het zakje op de grond. Hij zette de waxientjes rechtop en knipte de aansteker aan, maar het tochtte zo dat het vlammetje een paar keer werd uitgeblazen. Doelbewust schuifelde hij half gebukt een eindje de hal in; zijn schoenen klosten op de metalen vloer, het geluid galmde door de leegte. Hij zette de waxientjes tegen de muur op een rij – zes tikjes, zes metalige echo's – en stak de lontjes aan. Eddy knielde erbij neer.

Pat keek naar Eddy, die ritmisch op zijn hurken heen en weer wiegde, als iemand die tot zijn middel in een ruwe zee staat. Hij was zo kwaad dat hij op een verschrikkelijke manier over de rooie dreigde te gaan.

Pat zette het tasje met de afhaalmaaltijd neer en keek om zich heen. De waxientjes deden hun best, zonder veel resultaat: de armzalige lichtjes moesten het opnemen tegen het duister, sijpelden er-in door maar werden bijna opgeslokt; de schaduwen werden alleen maar dieper. Pat keek omhoog naar de ketel. Op het trapje was nie-mand, de bovenste treden vielen buiten het bereik van het zwakke licht: een zwarte leegte.

Hij liep erheen, riep zacht de naam van zijn neefje, smeekte hem tevoorschijn te komen, intussen vurig hopend dat Eddy geen wa-pen op zak had, want hij was ervan overtuigd dat hij een excuus zocht om het te gebruiken. Zover mocht Pat het niet laten komen. Malki zou zich niet verweren. Net als zijn al lang geleden verdwe-nen vader deugde Malki niet, maar hij was wel een heer. En geen hardloper.

Eddy gromde: 'Ik ga buiten kijken.' Het schijnsel van zijn mo-biel lichtte zijn kin aan, waardoor hij iets spookachtigs kreeg.

'Nee!' De stem van Pat ketste via de koude metalen vloer naar hen terug. 'Ho.' Hij stak zijn hand op. 'Wacht nog even. Geef dat stomme zaklampje eens even hier.'

Hij pakte het aan en richtte het licht met vaste hand, terwijl hij ongemerkt de sleutels tussen zijn vingers stak bij wijze van wapen, voor het geval Eddy zich op Malki zou storten.

Pat liep naar de ladder, hopend een stukje warm folie of een ge-schroeide lepel op de overloop te vinden. Misschien was Malki bui-ten gaan plassen, zo was hij wel, hij had goede manieren, bepaalde opvattingen over hoe het hoorde, over hygiëne. Pat zette zijn voet op de eerste tree en hees zich omhoog.

De smalle lichtbundel uit de penlight gleed over de overloop naar de deur van de ketel, die open bleek te staan. De gedachte kwam bij hem op dat Malki de kussensloop misschien had vrijgelaten en er zelf ook vandoor was gegaan. Hij stapte nog een tree hoger en liet het licht de ronde buik van de ketel in zwaaien. Een wit been, een blauw petje, scheef, een blauwe streep, nat. Rood.

Pat legde zijn handen op de stoffige tree, klauterde de rest van het trapje op en liep via de overloop het zwarte duister van de ketel in.

Stil als een wassen beeld. Malki lag plat op zijn rug, zijn armen als een Christusfiguur uitgestrekt, een knie opgetrokken als een danser halverwege een sprong. Pat pakte zijn hand alsof hij hem begroette: stijf, koud. De mond stond een beetje open, de lippen lagen strak over zijn tanden. Droog. De tanden waren droog.

Gekletter achter hem kondigde aan dat Eddy eraan kwam: hij rende de treden op, richtte zijn mobiel, het schijnsel streek langs de binnenkant van de ketel, bleef toen rusten. Vanuit de deuropening liet Eddy het kille licht over Malki's hoofd schijnen. Zijn hele gezicht zat onder de rode sproetjes, afkomstig uit de zijkant van zijn hals, een rafelige vleesmassa alsof er iets uit was gebarsten, een snee als twee lippen van een paar centimeter. Al het rood dat eruit was gekomen had een plas gevormd en zijn witte trainingspak doorweekt, het was door de stof omhooggetrokken. Hij zag er ouwelijk uit, doodshoofdachtig, maar Pat wist hoe jong hij nog maar was.

'Hoe heeft die zak zich door zo'n dwerg van een paki te grazen kunnen laten nemen?' wilde Eddy weten.

Pat kwam langzaam overeind. Hij keek recht in de kleine lichtbundel, en toen Eddy zijn gezichtsuitdrukking zag, knikten zijn knieën.

'Mijn mobiel…' zei Pat toonloos.

Eddy rechtte zijn rug, hield verbaasd zijn hoofd scheef, alsof hij Pats gezicht voor het eerst zag, maar Pat drong langs hem heen, de deur uit, het trapje af. Met stappen die klonken als kanonschoten beende hij naar de uitgang.

'Zeg, Pat?' riep Eddy hem met een klein stemmetje na. 'Ga je zijn moeder bellen?'

Met grote, doelbewuste passen liep Pat door de verpakkingshal naar het licht bij het laadperron. Eddy's stem klonk ijl en ver weg. 'Ik wacht hier wel.'

Over het laadperron, onder de balk door, de brede betonvlakte op. Pat zette het op een holletje, sneller, steeds sneller, maar eenmaal bij de auto stroomde er zoveel adrenaline door zijn lijf dat hij niet kon stilstaan. Hij sprintte de driehonderd meter naar het eind van de betonweg, bukte even om de rand aan te raken – waarom was hem later volslagen onduidelijk – en speerde terug naar de auto. Bij het portier bleef hij staan joggen, trok zijn knieën hoog op naar zijn borst, sneller en sneller en sneller, probeerde zijn hartslag bij te houden, roffelde op de maat met zijn vuisten tegen zijn ribben. Hij hijgde als een vrouw in barensnood, als om de pijn weg te puffen, op te branden.

Drieëntwintig jaar geleden had Pat op een bank gezeten, zijn voeten reikten nog niet eens tot de rand van de zitting. Tante Annie zat naast hem en ondersteunde met haar handen licht de rug en het hoofdje van de baby, terwijl Pat hem op schoot had voor de foto. Pat lachte, de baby wendde zich van hem af en trok ongemerkt een lelijk gezicht, wat ze pas zagen toen de foto terugkwam van de drogist. Ze hadden er nog een paar bijbesteld.

Malki had eens een vriendinnetje gehad dat iets weghad van een aap. Enorme onderkaak. Ze had hem de bons gegeven en hij had wel een week gehuild.

Een straat in Shettleston. Pat ploeterde op een oudejaarsdag door de pissende kouwe regen ruim zeven kilometer naar huis. Het portier van een blauwe, nieuwe auto was opengezwaaid, en Malki's vrolijke kop had hem vanaf de bestuurdersstoel toe gegrijnsd. 'Lift?' Hij was dertien.

Pat maakte pas op de plaats tot hij het gevoel kreeg dat zijn longen ervan barstten. Even snel als de energie was opgekomen, trok hij ook weer weg. Pat liet zich over het dak van de auto zakken, met zijn gezicht stevig tegen het koude metaal gedrukt. Hij duwde zo hard dat zijn neus ervan kraakte.

Hij richtte zich op, zoog zijn longen vol en hield zijn adem in. Het moeras rook naar verrotting, naar dood gras dat één werd met de aarde. Zonder ook maar een enkele gedachte in zijn hoofd drukte Pat op het knopje van de autosleutel in zijn hand, opende het portier en ging achter het stuur zitten. Hij sloot de deur af, verstelde de stoel en deed de gordel om.

Net op het moment dat Eddy onder de balk door dook, ontstak Pat de lichten. De koplampen zwenkten over Eddy heen, die met open mond en grote ogen toekeek. Pat maakte een wijde bocht over het beton, keerde en reed weg.

30

Morrow reed naar huis. Het was rustig op de weg. Ze had gehoopt dat het drukker zou zijn, dat er vlak voor haar een ongeluk zou gebeuren. Nee dus.

Aan Blair Avenue installeerde men zich na een stevige maaltijd voor de televisie, de gordijnen werden dichtgeschoven, op bovenverdiepingen ging het licht aan; gezinnen verspreidden zich door het huis en kinderen vermanden zich en begonnen aan hun huiswerk. Een man paaide een oude hond om door te lopen, gaf hem een klopje op zijn rug om hem aan de goede richting te herinneren. Drie tienerjongens lonkten naar twee meisjes die op een straathoek verderop overdreven druk met elkaar stonden te kletsen.

Haar gordijnen waren nog open: er brandde licht in de woonkamer, maar ze zag de tv niet flakkeren. Ze hadden timers op de lampen, dus misschien was hij niet eens thuis.

Ze vatte moed, trok de autosleutel uit het contact en opende het portier. Ze zette een voet op het wegdek, dwong de andere te volgen, smeet de deur dicht en deed de hem op slot. Met gebogen hoofd liep ze het pad naar het huis op. Sinds vanmorgen had hij de tuin een beetje gefatsoeneerd. Onkruid gewied en de losse aarde van het tegelpad geveegd. Ook het stoepje was schoongemaakt.

Pas toen ze de sleutel in het slot had gestoken en de deur halfopen had, hoorde ze de radio in de keuken. Haar kin begon te trillen en het bloed steeg haar naar de wangen, zodat ze even op de stoep moest blijven staan om sidderend diep adem te halen. Bang om thuis te komen. Niet vanavond. Niet hij, en niet vanavond.

Het wekte haar woede dat ze op haar eigen stoep was vastgelopen, en ze gebruikte die emotie om de deur verder open te duwen en naar binnen te gaan. Nadat ze de deur behoedzaam achter zich had dichtgedaan liet ze haar schouders zakken om haar jas van haar rug te laten glijden. Ze gooide de jas over de trapleuning, zette haar tas zo dat hij niet in de weg stond en beende de keuken in.

Aan het hoofd van de keukentafel zat Brian op zijn laptop te werken. Hij had haar binnen horen komen en keek al naar haar op, zijn opeengeklemde lippen hielden de ergernis binnen. Wit licht van het computerscherm weerkaatste in zijn bril, wat zijn ogen in helle zilverkleurige scheermesjes veranderde.

'Alex…?'

'Hoi.' Ze had het luchthartig bedoeld, maar het kwam er bedrukt uit. Ze mikte haar sleutels op het aanrecht. 'Belangrijke zaak, ben vannacht niet thuis geweest. Veertig uur niet geslapen.'

'Hm. Dan zul je wel moe zijn?'

Ze moest bijna lachen, zo'n afgezaagde opmerking was het. Hij ging achteroverzitten, en een brede schouder beschreef een cirkel, alsof hij last van zijn nek had. Er speelde een zenuwtrekje om zijn lippen, maar hij wachtte geduldig haar reactie af. 'Ja,' antwoordde ze op dezelfde neutrale toon. 'Dat mag je wel zeggen. Hoe gaat het met jou?'

'Goed. Weer een beetje last van m'n nek. De loodgieter is geweest, hij heeft de riolering in de tuin in orde gemaakt.'

Om zich een houding te geven bekeek ze de post die op tafel lag. 'Mooi zo. Heeft bij de verstopping gevonden?'

'Kranten, zei hij.' Brian probeerde haar blik te vangen, boog zijn hoofd om haar te kunnen aankijken, maar telkens vergeefs. 'Volgens hem is er ergens in de straat krantenpapier gebruikt in plaats van toiletpapier. Dat lost niet zo goed op.' Ze zei niets. Hij wachtte heel even. 'Ik denk dat het die studenten verderop zijn, in het huis van de Bianci's. Toen het wc-papier op was zijn ze waarschijnlijk gaan improviseren.' Hij dwong zijn mond in een glimlach, kneep zijn ogen tot spleetjes en hield ze dicht ook toen de glimlach verdwenen was, om zijn pijn te verbergen. 'Zal ik het bad voor je aanzetten?'

Morrow vond de huid van zijn nek niet prettig meer aanvoelen, en ook had ze niets meer met de manier waarop hij zijn mok vasthield, noch met zijn dwingende blik. 'Ik denk dat ik kruidenthee maak. Jij ook?'

'Ik ben vanavond aan het bier.' Hij hield zijn flesje omhoog, alsof hij zich schuldig voelde. 'Daar was ik aan toe…'

Ze draaide zich om en zette de waterkoker aan; ze moest op haar onderlip bijten om het niet uit te schreeuwen.

Brian probeerde met een omtrekkende beweging tot een echt gesprek te komen. Ze ademde diep uit en deed de servieskast open. 'God, ik ben doodop,' zei ze bij wijze van waarschuwing. Ze pakte een mok en keek naar de waterkoker, die steeds hoger begon te suizen en te borrelen. *Waag het niet, Brian. Waag het niet, verdomme.*

Brian keek even naar haar rug – ze vóélde dat hij contact met haar zocht maar haar niet te pakken kon krijgen. 'Je weet toch wat ze altijd zeggen?' Niet doen Brian, hou je mond. 'Als je erop staat te wachten, duurt het veel langer voordat het water… Nou ja, enzovoort.' Hij lachte zachtjes om zijn gêne te maskeren.

Morrow bleef met haar gezicht naar de waterkoker toe staan, bracht haar wijsvinger naar haar mond en beet zo hard op de knokkel dat ze bloed proefde.

In het donker had het gestuukte plafond in de slaapkamer iets van een grillige bergketen. Morrow staarde er strak naar terwijl ze fanatiek probeerde de slaap te vatten; ze trok via de passen van de ene kant van de kamer naar de andere en hield de lage paden aan. Daar werd ze rustig van, van zo'n zware taak, en het plafond was breed en donker, het viel niet mee om alle richels in de gaten te houden. Een uurtje later hoorde ze gerucht beneden: er werd een lamp uitgeknipt, een deur dichtgedaan Ze luisterde, bracht Brians langzame, onherroepelijke komst in kaart.

Hij was klaar met zijn werk, had zijn stoel met zijn kuiten over de plavuizen naar achteren geschoven. Hij ging naar de gang om de laptop in de beschermhoes op te bergen en vervolgens alvast in zijn tas te doen. Waarschijnlijk zei hij in gedachten, omdat zij er niet was tegen wie hij het kon zeggen: alles op een rijtje, klaar voor morgenochtend.

Brian klampte zich vast aan de veilige sleur, de clichés. Tussen de middag at hij elke dag hetzelfde: een bruine boterham met ham en kaas, en een appel. Zijn alledaagsheid was voor de helft de reden dat ze verliefd op hem was geworden. Vaste gewoonten, voorspelbaar. Veilig.

Ze was halverwege het plafond, vrijwel in het midden, toen Brian even geen gerucht maakte en ze niet precies wist waar hij was, maar toen begon de vaatwasser aan zijn avondprogramma. Het licht in de gang werd uitgeknipt, gevolgd door de gestage dreun van zijn voetstappen op de traploper, op weg naar de badkamer voor zijn dagelijkse handelingen. Tanden poetsen, flossen, flosdraad inspecteren. Gezicht wassen en afdrogen, drie klopjes met een handdoek – wang, wang, nek.

Maar Brian ging niet naar de badkamer. Eenmaal boven verliet hij het voorspelbare pad. Hij stond stil bij de kinderkamer. Ze spitste haar oren of ze hem hoorde rondlopen, maar nee. Brian bleef er zo lang staan dat het niet kon betekenen dat hij iets was vergeten, iets had bedacht, verzonken was geraakt in een onbeduidende gedachte. Hij dacht dat zij al sliep, dat hij alleen was, en in het eenzame donker hoorde ze hem zachtjes jammeren.

Van haar gescheiden door de panelen van de deur huilde Brian om de verloren spil van zijn wereld, en Morrow raakte verdwaald in de bergen.

31

Zijn benen waren gevoelloos, zijn handen waren gevoelloos, zijn gezicht, borst en hart waren gevoelloos. Aamir stond in het hoge gras met zijn rug naar de zee uit te kijken over het moeras dat hij had doorwaad.

In het donker was het water zwart en stil: een harde glazen vloer over een onderwereld. Aamir kon zich niet meer herinneren dat hij erdoorheen gekomen was. Zijn kleren waren nat en ijskoud, zijn huid stond strak, zijn spieren trilden, maar nu hij terugkeek op het duister wist hij alleen nog maar dat alle warmte verdwenen was. Zij was daar ergens, weg.

Eindeloos lang had hij zich schuilgehouden in die ijzeren buis, starend naar het schijnsel bij de deur; nu eens was hij zich bewust geweest van het lijk van de jongeman, dan weer niet. Hij meende het trainingspak te zien versmelten met de rode stoffige weg. Plotseling voelde hij de wind in zijn gezicht, vlogen er vogels boven zijn hoofd en werden zijn voeten nat en koud, evenals zijn schenen, zijn knieën, zijn geslacht. Met opgetrokken knieën lopen werd herculesarbeid, maar hij had het klaargespeeld, hij had haar aldoor bij de hand gehouden, haar achter zich aan gesleept als een pop, een zware, dode pop.

Ergens in dat zwarte water was zijn moeders hand hem ontglipt en had zijn lichaamswarmte meegenomen. Ze lag in het water, maar hij kon de moed niet opbrengen om haar te gaan halen.

De zanderige oever waarop hij stond begon langzaam mee te geven onder zijn blote voet, en hij deed een stap achteruit. Hij keek omlaag. Hij had één pantoffel aan. Eentje maar. De pantoffel was doorweekt, waardoor zijn voet was verkild. Om van de bijtende kou af te zijn trok hij zijn voet eruit, en hij zag het vochtige, donkere zand tussen zijn tenen opwellen.

Het begon licht te worden om hem heen. Een eind verderop vloog een vogel op van de grond. In de schemering hief Aamir zijn hoofd en keek gebiologeerd naar een zwevend licht, een bol. Hij tilde zijn rechterknie op, zette een stap en toen nog een.

Eddy zag de zon opgaan boven het waterland, een trage oktobernevel van smoezelig geel achter dreigende wolken. Hij zat op een betonblok aan het eind van de weg, met branderige ogen, uitgeteld, en hij keek naar vogels die opvlogen van nesten vlak bij het water en naar meeuwen die boven de riviermond zwierden, krijsend als verontwaardigde vrouwen. Hij was tot op het bot verkleumd. Zijn hoofd bonkte ervan, en zijn kaken deden zeer omdat hij de hele nacht had lopen knarsetanden.

Hij draaide zich om, keek de weg af. Nog afgezien van de risico's kon hij geen taxi bellen omdat hij verdomme geen geld had om de man te betalen. Het dichtstbijzijnde benzinestation was een kilometer of zes verderop, en hij had £ 2,43 op zak. Voor de veiligheid had hij zijn creditcards thuisgelaten, en hij was weliswaar met twintig pond de deur uit gegaan, maar dat was grotendeels opgegaan aan die spleetoog.

Terwijl de waterige zon opkwam keek hij naar zijn handen. Vet van het Chinese eten. Vies. Hij wreef zijn duim en wijsvinger tegen elkaar. Het vuil kwam er in een laagje af, kleverige rolletjes. Bruin. Hij keek er nog eens goed naar, wreef zijn vingertoppen in het kommetje van zijn hand. Bloed. Bloed van een junk met vet van een Chinees. Dat had hij zitten eten. Zijn maag speelde op: weerzinwekkend. Wie weet zat er hepatitis B of aids in of zoiets. Hij keek naar de zon alsof die het had gedaan. Walgelijk. Hij zei het hardop om niet zo alleen te zijn: 'Walgelijk.'

De zon worstelde zich de loodzware hemel in, en Eddy keek naar de rotzooi op het terrein bij de fabriek. Kinderen hadden alle ramen ingegooid en de enorme lege muur met verf beklad. Vieze woorden: shit en kut, waarna ze niks meer hadden kunnen bedenken en alle verf tegen de muur hadden gekwakt. Het blik stond er nog. Magnolia hoogglans.

Eddy liet zijn tong langs zijn tanden glijden en dacht terug aan de onsmakelijke maaltijd. Als hij de verpakking in het gebouw achterliet, kwamen er misschien ratten op af die het gezicht zouden aanvreten. Bij de gedachte kwam zijn maag weer in opstand, wat hij probeerde te negeren door diepe rimpels in zijn voorhoofd te trekken. In films vraten ze altijd een gezicht aan, maar misschien klopte dat niet. Het zou goed zijn als het wel zo ging. Onherkenbaar.

Zuchtend ging hij verzitten, hij pakte zijn telefoon. Het batterijsymbooltje knipperde. Toen de waxientjes op waren had hij het mobiel vannacht als lampje gebruikt om naar hout te zoeken, maar in dat hele kleregebouw was niets brandbaars te vinden geweest.

Hij keek hoe laat het was. 6:50. Te vroeg. Hij zou geïrriteerd reageren, maar Eddy hield het niet meer uit. Hij legde het mobiel tegen zijn voorhoofd en sloot zijn ogen. In gedachten liet hij de feiten de revue passeren, repeteerde wat hij moest zeggen en wat niet. Toen keek hij naar de toetsen en koos met zijn bloederig vette wijsvinger het nummer.

Er werd opgenomen, waarna een diepe stilte volgde.

'Met mij,' zei Eddy. Hij voelde zich opeens heel klein en was bijna in tranen.

'Volgens mij,' zei de Ier, 'heb je gisteravond niks gevangen.'

'Klopt.' Eddy was van plan geweest zich door de vervelende eerste verwijten heen te worstelen, maar hij had het een beetje benauwd en vertrouwde zijn stem niet.

'Wat is er?'

'We zijn iemand... kwijt.'

'Kwíjt?' Het was of de Ier opeens overeind was gekomen en nu pas goed luisterde.

'Ja. Kwijt.'

'De persoon om wie het gaat?'

'Nee, iemand van ons...'

'Waar is de persoon om wie het gaat?'

'Hm...' Eddy speurde het gras voor hem af alsof hij verwachtte dat Aamir opeens zou opduiken en zwaaien. 'Verblijfplaats onduidelijk.'

'Onduidelijk? Ondúídelijk?'

'Zo'n beetje...'

De Ier zat nu rechtop, vermoedde Eddy, en hield de telefoon vlak bij zijn mond. 'Jongeman, om misverstanden te voorkomen: een van jouw jongens is dood en de gijzelaar is ontsnapt, klopt dat?'

Eddy vond het niet prettig om in normale termen te spreken, want daardoor kreeg de hele zaak iets hopeloos doms. Hij hakkelde, bromde iets en bracht stotterend een bevestigend geluid uit.

'Ik krijg trouwens nog geld van je voor die wapens,' zei de Ier, die nu een stuk minder cool en professioneel klonk, eerder zorgelijk en kribbig. 'Ja toch? Daar kom je niet mee weg, als je dat maar weet.'

Eddy keek nijdig naar zijn mobiel. Verdomme, de Ier was toch een vakman, hij zou onverstoorbaar moeten zijn: als een zaak uit de klauwen liep moest de training zich bewijzen. Eddy zelf kon verdorie ook spelen dat ie doodsbang was. Hij hoorde de Ier aan de andere kant zwaar ademen.

'Hij is ontsnapt. Weet je of hij inmiddels thuis is?'

Eddy keek het moeras rond. 'Nee.'

'Gaat dat gebeuren?'

Eddy kneep zijn ogen stijf dicht. Hij wilde er liever niet over praten. 'Nee.'

'Mooi. Hoeveel hebben ze je geboden?'

'Veertig mille.'

'Meer niet?'

'Nee.' Bij de gedachte aan veertig mille kon Eddy wel huilen. 'Zeg, weet je zeker dat er bij die lui iets te halen is?'

'De info is betrouwbaar. De info komt uit de buurt, ze hebben ons de indeling van het huis gegeven, alles.'

Eddy vond het maar vreemd dat de Ier een plattegrond had gehad, maar hun niets had verteld. 'Nou ja, het lijken heel normale mensen, het huis is helemaal niet zo groot, maar ze wonen er met ik weet niet hoeveel.'

'Dat doen paki's allemaal. De info klopt. Ze spelen het spel hard. Zeg maar ja tegen die veertig. Regel dat je het vandaag nog ophaalt.'

'Maar veertig mille is goddomme haast niks…'

'Neem wat je krijgen kunt, jongen. Bel op, zeg ja, regel dat je het op korte termijn ophaalt.'

'En dan wegwezen?' vroeg Eddy hoopvol. Het beviel hem wel dat het allemaal klonk als een oefening, als een reeks zetten die gegarandeerd tot een geslaagde missie zouden leiden.

De Ier aarzelde. 'Eh… Oké…?'

Eddy fronste, want hij snapte die vreemde reactie niet.

'Oké, luister goed. Bel ze op, zeg ja, regel dat je het om zeven uur oppikt, goed?'

'Waarom?'

Een windvlaag van een zucht kietelde in Eddy's oor. 'Jongeman.' De Ier haalde diep adem. 'Wij hakken vaker met dit bijltje, nooit iets aan de hand, snap je wel? Deze zaak ligt ingewikkeld. Je eerste klus, niet veel... begeleiding. Maar ik moet je nageven, jongen, je houdt een belofte in voor de toekomst... Groot talent.'

Eddy was niet achterlijk. Hij wist heus wel dat hij geen groot talent had getoond, hij had fouten gemaakt, maar hij vroeg zich af hoe het er vanaf de andere kant van het Irish Channel uitzag. Hij had veel gelogen. Misschien zag het er vanaf de overkant beter uit.

'Dat moet worden aangemoedigd. We zitten te springen om goede mensen. Bel ze op, zeg ja en regel dat je het om zeven uur oppikt, dan kom ik met de ferry van vijf uur. Zorg dat je om zes uur ter plekke...'

De stem stokte, het licht van het mobiel doofde en Eddy keek ernaar.

De batterij was leeg.

Aamir tilde een knie op en zette weer een stap, en nog een en nog een, op weg naar het licht. Daar was water, bewegend water, een zee. Strompelend volgde hij een oneffen pad, tilde telkens hoog zijn benen op, tot hij bij het licht was. Een zaklamp, die op de grond lag, het kostbare licht stroomde zomaar over een stuk beton. Erachter stond een figuur in een lekker warme winterjas, met de capuchon op, uit te kijken over zee. Aamir kneep zijn ogen tot spleetjes en zag dat de figuur een hengel in zijn hand had.

De man wendde zich naar Aamir toe, maar de capuchon bleef op zijn plaats, zodat zijn gezicht maar half zichtbaar werd. Hij was ongeveer even oud als Aamir en even groot, een Schot.

'Goeie hemel,' zei hij. 'Wat is er in godsnaam met jou gebeurd?'

32

Morrow opende haar ogen op een spleetje en zocht naar de rode cijfers op de wekkerradio, maar ze lag op haar verkeerde zij, met haar gezicht naar Brians kant van het bed. Het dekbed was nog ingestopt, zijn kussen nog vlak. Ze knipperde met haar ogen en draaide zich om naar het raam. Achter de gordijnen doemde de ochtend op.

De wekker gaf 7:18 aan. Een redelijk tijdstip om op te staan. Normaal gesproken deed ze dat ook: ze ging uit bed en liet hem nog ruim een halfuur slapen. Dan had ze het huis even voor zich alleen, luisterde naar onzin op de radio, at een geroosterde boterham en ging de deur uit voordat hij opstond, maar nu was hij al ergens in huis.

Toen ze ging zitten gleed het dekbed af en de warmte ging verloren in de koude kamer. De verwarming zou pas om 7:50 aangaan om het behaaglijk te maken in huis. Ze hield wel van de ochtendkou, van de frisse prikkeling in haar gezicht terwijl ze warme thee zat te drinken.

Vol ergernis keek ze naar de dichte slaapkamerdeur. Ze kon hier niet blijven. Ze moest plassen.

Toen ze merkte dat ze al boos was terwijl ze haar ogen amper open had, gooide ze rest van de warmte van zich af en stond op, ging naar de kast om kleren te pakken: schone blouse, een broekpak dat nog in de dunne plastic hoes van de stomerij zat. Bruin, haar veilige pak, dat ze droeg voor beoordelingsgesprekken. In die pantalon en dat jasje voelde ze zich sterker, chiquer, gepantserd. Nadat ze kousen en schoenen had aangedaan bleef ze even bij de deur staan en maande zichzelf gewoon naar haar werk te gaan, zonder in discussie te treden, zonder ergens op te reageren.

In de badkamer luisterde ze onwillekeurig of ze hem hoorde, waakzamer dan ooit, speurend naar een aanwijzing, als bij een huiszoeking. Ze waste haar gezicht en bracht de mascara aan die op het planchet boven de wasbak stond, met haar hoofd achterover en strak door haar wimpers turend om haar eigen blik te ontwijken. Het doortrekken van de wc klonk buitensporig hard, en ze keek naar de draaikolk in de pot. Als hij ergens in huis was, dan had hij haar nu gehoord, wist hij nu waar ze was.

Toen ze de gang in kwam bleek er geen radio aan te staan. Zijn computertas stond er nog, netjes tegen de muur, zijn jack hing op het haakje bij de deur. In het voorbijgaan zag ze zijn sleutels in het bakje op tafel liggen, maar in de keuken zat hij niet aan een keurig ontbijt, noch stond hij bij het aanrecht zijn lunchtrommeltje klaar te maken.

Heimelijk, onder het voorwendsel dat ze iets in haar tas zocht, ging ze de gang weer in en wierp een blik in de woonkamer, maar daar was hij ook niet.

Fronsend schakelde ze de waterkoker in, pakte twee boterhammen uit de broodtrommel en zette ze in de rooster. Ze keek om. Brian was in de tuin: in zijn kamerjas zat hij in een van de vlekkerige, verschoten ligstoelen die ze van zijn ouders hadden geërfd. Het hout was vermolmd en zij had ze willen weggooien, maar hij had zich daartegen verzet.

In het natte gras naast zijn ligstoel lagen verspreid drie lege bierflesjes.

Afkeurend bleef ze naar hem staan kijken. Langzaam gleed zijn hand omlaag, naar de flesjes, slap, alsof hij bewusteloos was, alsof hij dood was. Overdosis.

Morrow rende de keuken door, greep de kruk van de openslaande deuren en duwde ze open, niet bang maar bijna blij, blij dat ze in actie kon komen. Ze ging voor de ligstoel staan.

Brian had een zonnebril op en droeg een trui onder zijn kamerjas. Hij had wandelschoenen aan en er lag een deken over zijn knieen. Zijn andere hand was niet slap. In zijn andere hand hield hij een mok koude thee. Hij tuurde over zijn bril heen naar haar op, glimlachte geforceerd, maar daarna sloeg hij zijn ogen neer en keek naar haar knieën, alsof hij haar blik niet kon verdragen.

Morrow hurkte bij hem neer, pakte hem bij zijn arm en zei op professionele toon: 'Brian, heb je iets gebruikt?'

Sloom keek hij naar haar hand op zijn arm. Dit was de eerste keer in vijf maanden dat ze hem aanraakte. Ze keek hem aan. Zijn ogen achter de zonnebril waren rauw en gebroken, maar Brian was niet treurig of strijdbaar, niet zelfgenoegzaam of geïrriteerd – die bekende gevoelsnuances ontbraken. Deze Brian kende ze niet: hij keek haar neutraal aan, met een wenkbrauw verontwaardigd opgetrokken uit protest tegen haar brutale aanraking.

Langzaam trok ze haar hand terug, maar hun ogen lieten elkaar niet los. Hij opende zijn mond en fluisterde: '… kan dit niet meer.'

Ze probeerde hem af te leiden. 'Je moet je aankleden, je moet dadelijk naar je werk…'

'Alex,' zei hij, rustig en afgemeten, alsof hij de hele nacht over dat ene zinnetje had nagedacht, 'ik haat degene die ik door jou ben geworden.'

De visser had een paar kranten en een opengescheurd plastic tasje op de zitting gelegd, en Aamir daarna in de voorstoel geholpen. Hij was heel aardig. Nadat hij zijn mooie winterjas binnenstebuiten had gekeerd, vanwege de modder, had hij Aamirs armen er een voor een in geschoven en het koordje om zijn middel aangetrokken. Hij had Aamir zelfs zijn sokken gegeven voor aan zijn halfbevroren voeten.

Aamir zat in de warme waas van de autoverwarming naar de sokken te kijken terwijl zijn voeten ontdooiden. Grijs met rode tenen. Thermisch waren ze, zei de man. Thermisch.

Hij was alleen in de auto. De man was buiten bezig met inpakken, hij klapte een stoel in, trok zijn hengel in stukken en stopte die in hun eigen sokken.

Denk er maar rustig over na, dan ga ik opruimen, had hij gezegd.

Aamir moest nadenken. De opdracht die de man hem had gegeven was nadenken: waar wil je heen?

Het bedrijf lag niet ver van de snelweg, aan een grote rotonde, en ze kon zich voorstellen dat het een trekpleister was voor mensen met belangstelling voor dat soort dingen. In de showroom waren de luxewagens blinkend opgepoetst en diagonaal achter de glaswand opgesteld, zodat de blikkerende zon de aandacht van begerige automobilisten trok.

Het pand was een glazen doos van twee verdiepingen. Een kanariegele Lamborghini stond anderhalve meter boven de grond op een metalen plateau, iets naar de etalageruit gekanteld, als in een uitstalkast van een juwelier.

De garage ging pas om tien uur open, maar aan de achterkant stonden twee auto's geparkeerd, een kleine blauwgrijze BMW-sportwagen met haaiachtige vinnen aan de zijkant, en net zo'n vies, verwaarloosd stuk blik als ze zelf had.

Ze ontdekte een eenvoudige deur waar LEVERANCIERS op stond, klopte aan en moest een eeuwigheid wachten. Keer op keer klopte ze aan, maar er werd niet opengedaan. Ten slotte pakte ze haar mobiel om het telefoonnummer op te zoeken en de firma op te bellen, maar op dat moment klonk er een krakerige stem uit de intercom boven haar hoofd.

'Wiesdaar?'

Een vrouwenstem, rauw en nasaal.

Morrow keek naar de bron van de stem. Boven haar aan de muur zat een kegel met een rode bol erop. Een camera gecombineerd met een intercom. Ze deed een stap naar achteren en keek omhoog.

'Ik ben van de politie,' zei ze, maar ze bedoelde: sodemieter op. 'Ik wil de bedrijfsleider spreken.'

Stilte. Daarna een mannenstem uit de intercom, stroperig glad. 'Hallo, wat kan ik voor u doen?'

Morrow pakte haar portefeuille, klapte hem open en hield hem omhoog naar de camera. 'Rechercheur Alex Morrow van het district Strathclyde.'

Ze meende de stem 'Wel verd…' te horen zeggen, waarna de deur zoemde, klikte en openging. Ze duwde ertegen en liep een paar stappen de koude betonnen gang in. De deur viel met een klap dicht. Ze ging een andere deur drie meter verderop door en stond toen in de chique showroom.

De etalagewanden waren van rookglas, waardoor het avond leek, als in een duur hotel in het buitenland waar veel rijke zakenlui komen. Binnen waren de auto's nog glanzender, de lijnen verleidelijk en de kleuren helder, als een rij volmaakte kinderen die geadopteerd willen worden.

Een legertje identieke ventilatorkachels stuwde zoemend warmte de bespottelijk grote ruimte in, maar had de strijd tegen de vage schimmellucht verloren. In de verte was het silhouet zichtbaar van een dikke vrouw in trainingsbroek en T-shirt, die het donkere tapijt onder een auto aan het stofzuigen was.

Een man die ongeveer even oud en even lang was als zijzelf dook voor haar op, en hij glimlachte beleefd. Knap was hij niet, maar wel uitstekend verzorgd. Zelfs de grijzende slapen in zijn donkere haar leken onderdeel van zijn imago. Het fraai vallende grijze kostuum zat als gegoten om zijn schouders. Zijn glimlach onthulde een heel regiment kronen. 'Mag ik uw legitimatiebewijs nog even zien, alstublieft?'

Ze haalde het kaartje tevoorschijn en gaf het hem. Merkwaardig dat hij wist dat hij gerechtigd was daarnaar te vragen – interessant. Hij gaf het terug en schonk haar zijn standaardglimlach. 'Hartelijk dank.'

Ze kon nooit naar zulke tanden kijken zonder zich voor te stellen dat een tandarts zich met hamer en beitel op het echte gebit had uitgeleefd.

'We moeten nu eenmaal erg voorzichtig zijn,' zei hij, 'vanwege de waarde van wat hier staat. En, waarmee kan ik u van dienst zijn?'

'Een zekere Omar Anwar heeft bij u een auto besteld?'

'Hm, welk merk?' Hij glimlachte zonder de dreiging te horen die ze haar woorden had willen meegeven. Morrow voelde zich een tikje beledigd.

'Lamborghini.'

'Aha, een Lamborghini.' Hij sloeg zijn ogen op naar het plafond en het viel haar op dat zijn ondertanden geel waren en scheef stonden, alsof ze bij een heel ander gebit hoorden. 'De gevaarlijke jongen. De auto aller auto's.'

'Zeg, spaar me dat gelul. Ik wil de boeken inzien, meer niet.'

Daar had hij niet van terug. Ze had dat niet mogen zeggen, maar ze wilde hem boos hebben omdat ze zelf boos was. Die uitwerking had ze niet alleen op Brian, maar op iedereen. Iedereen die ze ontmoette werd door haar een hufter. Vroeger was dat niet zo. Ze moest denken aan Brian in de oude ligstoel van zijn moeder, en haar woede ebde weg. 'Neem me niet kwalijk, dat had ik niet mogen zeggen, dat was onbeschoft.'

Opnieuw toonde de man haar zijn tanden. 'Ja, zulke taal is nergens voor nodig.'

Ze keek de showroom nog eens rond. 'Vocht?'

Hij zuchtte. 'Het is te ruiken, hè? Op zich is het niet zo erg, maar we zijn eigenaar van het pand, dus we kunnen niet dreigen met verhuizen of zo. Er loopt een beekje onderdoor.' Hij trok een denkbeeldige lijn over de vloer. 'We hebben een aanklacht tegen de architect ingediend.'

'Heel verstandig,' zei ze, om welwillend over te komen.

'Ter zake. Ik kan u zonder officiële verklaring niet zomaar laten zien wie wat heeft gekocht. Ik moet mijn klanten beschermen. Het zou niet goed zijn voor de zaak als men niet op onze discretie kan vertrouwen.'

'De koper vindt het prima dat wij uw boeken inzien. Ik kan met hem langskomen, of u kunt hem bellen.'

'Dat laatste lijkt me handiger.' Hij straalde weer, wat hem ditmaal beter af ging, alsof zijn gezicht warm begon te lopen. 'U zult begrijpen dat veel van de mensen aan wie wij verkopen…' Hij knikte haar veelbetekenend toe, glimlachte en liep weg.

In gedachten vroeg Morrow hem of zijn klanten oplichters waren, drugdealers, die zijn auto's met gestolen geld aanschaften. In gedachten dreigde ze al zijn boeken in te zien, die boeven in de kraag te vatten met de mededeling dat ze de gegevens van hem had gekregen, en dan zou ze hun zijn foto geven en zich zijn naam en adres laten ontvallen, maar ze hield haar mond. Gerald was dood. Voor het eerst sinds ze uit het ziekenhuis waren vertrokken dacht ze die woorden. Gerald is dood. Ze had het tegen niemand gezegd, want ze kon het niet eens dénken. Gerald was dood, maar het bloedbad dat erop was gevolgd had ze zelf aangericht.

Ze liep achter hem aan over de vochtig ruikende vloer en slikte een paar spontane traantjes weg: lag haar hand nog maar op Brians arm en haar pols op het vermolmde hout, dat moment voordat hij haar had aangekeken.

Het kantoor bleek slechts een groot rond bureau in een hoek van de showroom, zo groot dat het chic oogde, maar van dichtblij bleek het te bestaan uit vier gebogen tafels die tegen elkaar aan geschoven waren. De man deed zijn jasje uit en hing het op een hanger. Hij nam plaats in een kantoorstoel op wieltjes en rolde zich naar de computer toe, boog zich opzij om het apparaat aan te zetten, waarna hij met zijn ogen op het scherm gericht en zijn handen zwevend boven het toetsenbord bleef zitten als een concertpianist die wacht op een teken van de maestro.

Het duurde lang. Achter Morrow zoemde de stofzuiger, de ventilatorkachels bromden tegen elkaar, en ze moest haar best doen om niet aan Brian te denken. Ze sloot zich al voor hem af sinds ze uit het ziekenhuis waren vertrokken, in de lift naar beneden om precies te zijn, toen ze per se de twee plastic tasjes met Geralds spullen had willen dragen en het niet goed had gevonden dat hij de SpongeBob-knuffel onder haar arm uit pakte. Tot nu toe was het niet in haar opgekomen dat ze ook iets anders had kunnen doen.

Opeens flakkerde de monitor hel op, waar ze beiden van schrokken. Hij glimlachte naar haar. 'O ja.' Hij stond op en stak haar formeel zijn hand toe. 'Ik ben Bill Prescott.'

Morrow gaf hem een hand. Het zat haar niet lekker dat ze was vergeten te vragen hoe hij heette.

De glimlach lag nog op zijn gezicht toen hij weer ging zitten en eraan toevoegde: 'Bedrijfsleider.'

Morrow knikte, ging verzitten en schraapte zachtjes haar keel. Het begon opeens warm te worden in de showroom. Ze voelde het zweet in haar oksels prikken.

'Daar gaat ie dan.' Met de muis klikte hij een bestand aan, waarna hij de telefoon pakte en het nummer op het scherm intoetste. Met de hoorn tegen zijn oor keek hij haar al wachtend glimlachend aan, en opeens klaarde zijn gezicht op. 'Aha, hallo, met Omar Anwar?' Hij knikte. 'Met Stark-McClure in Rosevale… Ja… Klopt, ja… Eh, prima, goed… Ik bel u over het volgende, meneer Anwar. Naast mij zit iemand van de politie…' Hij luisterde, keek naar Morrow alsof er over haar werd gesproken, lachte zijn onbetaalbare glimlach. 'Geweldig. U hebt daar dus geen bezwaar tegen? "Alle beschikbare gegevens", meneer Anwar? Uitstekend.' Opeens betrok zijn gezicht, hij knikte en probeerde ertussen te komen. 'Ik begrijp het. Dat kan worden teruggestort. Niet de hele aanbetaling, maar dat gedeelte wel. Oké, komt voor elkaar. Prima, zoals ik al zei, meneer Anwar, dat is dan helemaal geregeld… Oké, oké? Mocht u ervoor voelen om nog eens te komen kijken naar… Oké, rechtstreeks op uw rekening, oké. Prima. uitstekend. Tot ziens. Tot ziens.'

Onderdanig boog hij zich naar voren om de hoorn op het toestel te leggen. 'Tot ziens.' En hij verbrak de verbinding. Hij ging rechtop zitten, zag kans flauwtjes te glimlachen en spreidde zijn handen. 'Bestelling geannuleerd. Verzoek om terugstorting van de aanbetaling. En u mag alle gegevens inzien, zei hij.'

Op het parkeerterrein zat Alex in haar auto de fotokopieën te bekijken. De aanbetaling was gedaan op naam van Aamir Anwar. Zoals Bill Prescott omstandig had uitgelegd was die aanbetaling bestemd voor een plaats op de wachtlijst, het ging niet om een aanbetaling voor de auto. Het resterende bedrag had over twee maanden betaald moeten zijn, maar de bestelling was nu geannuleerd, met het verzoek om terugstorting van de aanbetaling op de rekening van Aamir.

Twee mille kon je met goed fatsoen niet beschouwen als bewijs voor grootschalige internationale fraude. Hij zou het geld gespaard kunnen hebben van een baantje in de horeca.

Het betalingsbewijs was een bevestiging van alles wat Omar de avond ervoor had gezegd. Toch zat het haar allemaal niet lekker. Drie kinderen en een godsdienstige vader, die de werkeloze jongste zoon hulp bood bij de aanschaf van een Lamborghini. Niet de oudste zoon. En de vader was zuinig. Voor het huis stond een goedkoop blauw bestelbusje. Zoiets extravagants strookte daar niet mee. Nogmaals bekeek ze het betalingsbewijs.

Bill Prescott had het rekeningnummer van Aamir Anwar weliswaar afgeplakt, maar zijn naam stond er nog op. Omar had gisteren gezegd dat ze die rekeningen zouden kunnen leeghalen om de terugkeer van zijn vader te betalen. Hij had toegang tot die rekeningen. Niets weerhield hem ervan om er een auto van te kopen, als hij het geld maar terugstortte.

Ze besefte wat dit voor de zaak betekende: Omar was een fantast, hij had geen geld, geen rijke vader en geen fraudeplannen. In het ergste geval was hij te optimistisch over een slecht ondernemingsplan.

Het enige wat ze hadden waren vingerafdrukken van Malki Tait, en het zat er dik in dat die afkomstig waren van een oud stukje folie.

33

Er heerste een vreemde rust op het bureau. Ze ging naar haar kamer, ontdeed zich van haar tas en jasje en keek naar het bureau van Bannerman. Zijn computer stond uit en ze zag geen koffiebekertje. Ze keek de gang in. De kamer van MacKechnie was dicht en er brandde geen licht. Ze waren samen ergens heen. Waarschijnlijk naar de afdeling Fraudebestrijding. Ze had even moeten bellen over haar bevindingen in de garage.

In de regiekamer was het druk. Rechercheurs waren bezig allerlei tips na te trekken, aantekeningen te maken, te telefoneren. Ze draaide zich om en zag dat Harris in zijn kamer naar een scherm zat te turen; hij maakte een nog kwaaiere indruk dan de dag ervoor. Ze stak haar hoofd om de hoek. 'Alles goed?'

Hij kreunde. 'Schele hoofdpijn, heb de halve nacht naar deze rotzooi zitten kijken.'

'Ziel. Waar is Bannerman?'

'Heb je het nog niet gehoord?' Hij boog zich naar voren en drukte op de pauzeknop. 'Banner is afwezig wegens familieomstandigheden. Zijn moeder schijnt longontsteking te hebben. Ze ligt in het ziekenhuis.'

'Verlof wegens familieomstandigheden?'

'Ja, geen idee wanneer hij terugkomt.'

Ze slikte haar grofste krachtterm in, beet op haar onderlip tot ze op haar kamer was en deed de deur dicht. Morrow ging zitten. De lul smeerde 'm, hij liet deze kloterige rotzaak vallen omdat ie een zak was en hij verschool zich achter de longontsteking van die stomme trut van een moeder van 'm. Killersmentaliteit, goddomme nog an toe. De lul.

MacKechnie begreep heel goed dat Bannerman haar in een lastige positie had gebracht, maar het was belangrijk dat ze de handen ineensloegen en zich in deze moeilijke tijd achter hem schaarden.

'En dus,' zei hij weloverwogen, met een klapje op zijn bureaublad, 'neem jij de leiding van de zaak over.'

Morrow leunde achterover in de kantoorstoel bij zijn bureau en probeerde zijn gezichtsuitdrukking te doorgronden. Als MacKechnie al besefte dat zijn beschermeling 'm was gesmeerd omdat de zaak hem niet beviel, liet hij dat niet merken. Ze keken elkaar lange tijd aan tot MacKechnie het oogcontact verbrak. 'Een paar dagen geleden heb je me nog uitgemaakt voor racist. Dat heb je echt tegen me gezegd, zó was je op deze zaak gebrand.'

Ze begreep dat hij op dat moment een gruwelijke hekel aan haar had. Niets aan haar deugde. De kwestie was niet alleen dat ze een vrouw was, en nog grof in de mond en onbehouwen ook, dat haar South Side-accent haar nederige afkomst verried of dat ze geen medestanders had. Nee, wat hem het meest in haar tegenstond was dat het haar allemaal werkelijk geen moer kon schelen, want waar ze ook was, hoe het politieke reilen en zeilen op het bureau ook verliep, het enige op de wereld waar ze echt om gaf was er niet meer. MacKechnie voelde die duistere, agressieve leegte aan en wist dat hij haar nergens mee kon raken.

'Deze zaak is een prachtige kans voor je…'

'Deze zaak is een grote klerezooi, en dat weet u best. Die familie liegt de hele boel bij elkaar. De man is zesendertig uur geleden ontvoerd, en de kans dat we hem levend vinden wordt met de minuut kleiner…'

MacKechnie had genoeg gehoord. Hij stond op en siste haar toe: 'Aan de slag. Wegwezen.'

Harris zette de auto voorzichtig langs de kant. Zijn voorzichtigheid was overdreven, want er stonden niet veel andere auto's in de straat, en de meeste waren geparkeerd in krappe, bestrate voortuintjes. Maar hij vond het heerlijk om even weg te zijn uit het bureau, weg van die videobanden, zodat hij wat kon stoeien met de feiten van de briefing.

'Toryglen?'

'Ja, hij heeft hem in de hoofdstraat afgezet, zei hij.'

'Wonen er Taits in die buurt?'

'Nee.'

'De tapes hebben niets opgeleverd?' vroeg ze.

'Een paar vreemde dingen, maar niks belangrijks. Ik heb ze aangegeven en ik heb Gobby gevraagd er nog eens goed naar te kijken, of ik soms iets over het hoofd heb gezien.'

'Als ik terug ben, moet je me ze even laten zien.'

'Goed. Maar dan nog, zelfs als het om btw-fraude gaat, dan nog is het eigenlijk niet zo belangrijk, want daarmee krijgen we de oude man immers niet levend terug? Die btw-invalshoek... Zelfs als de familie miljoenen aan btw opstrijkt, dan nog weten we alleen waarom ze het doelwit waren, maar niet hoe we de oude man levend terugvinden.'

Morrow knikte. 'Klopt, maar als we weten waarom ze het doelwit waren, komen we dichter bij de ontvoerders. En in een eventueel proces zal de verdediging het aanvoeren om ze verdacht te maken. De hele zaak wordt er ingewikkelder van.'

'Zal wel.' Harris opende zijn portier, zette een voet op het wegdek en vroeg: 'Denkt u dat Bannerman 'm gepeerd is?'

Het zou niet collegiaal zijn om dat te beamen. 'Agent Harris, hoe kom je daar nou bij?' Terwijl ze ieder aan een kant van de auto stonden en de buurt in zich opnamen, vroeg ze: 'Zonder gekheid, waarom vraag je dat?'

Hij haalde zijn schouders op, wist nog steeds niet goed wat hij aan haar had. 'Geruchten.'

'O.' Hij was niet bereid er dieper op in te gaan. Dat beviel haar wel.

'Wat voor geruchten gaan er over mij?'

'Er gaan geen geruchten over u.'

Morrow keek hem aan. Ze scheerden angstig dicht langs oprechtheid, wat haar een onbehaaglijk gevoel bezorgde. 'Jammer. Ik heb anders best aanleiding gegeven.'

'Alleen dat u het wel erg zwaar hebt.'

Haar keel werd dichtgesnoerd: medeleven had ze niet verwacht, en ze was diep geroerd. Ze keek van hem weg zodat hij haar gezicht niet kon zien.

Het was een arme buurt. Een lange, gebogen straat met kale gemeentewoningen waar telefoon- en elektriciteitskabels tussenin hingen, grijs gestuukte gevels die zwart waren geworden – de architectonische tegenhanger van een huidaandoening. Toch hadden veel huurders hun huis gekocht: enkele voordeuren waren voorzien van een houten portiek die er niet bij paste. Een van de huizen had ramen in zogenaamde tudorstijl: veel glas-in-lood met weelderige vitrage erachter. Ook de tuintjes waren goed onderhouden, keurig geharkt grind en hangmandjes met bloemen, potten te groot en te zwaar om zomaar mee te nemen en heggen die netjes werden getrimd. Zelf zou ze de wijk niet hebben gekozen, maar deze bewoners hadden het er zo te zien naar hun zin. In een tuin slingerde roze plastic speelgoed op het gras, en bij de stoeprand lag een leeggelopen voetbal. Morrow zag dat het een doodlopende straat was. Een aardige, veilige speelplek voor kinderen. Maar nu was het er verlaten: alle kinderen waren naar school, alle ouders bezig met het huishouden of naar hun werk. Op een heuveltje aan het eind van de straat stond een modern kerkje, net een dorpsgevangenis.

Malki Tait woonde op nummer 12, een huis dat deed denken aan een bejaardenwoning. Kleine porseleinen beeldjes stonden in het gelid op de vensterbank: een herdershond, een tuiltje bloemen, een muis met een stukje kaas tussen zijn pootjes. De stoep was pas geschrobd, vochtig maar bijna droog, de grijze sporen van de bezem nog zichtbaar op het beton.

De deur was nog de oorspronkelijke uit de jaren zeventig: vlakke panelen, nu fleurig korenblauw geschilderd, geen eigen huis, hier zat geen geld, maar de deur was sinds de jaren zeventig niet vervangen. De huurder woonde er kennelijk vanaf het begin, want wanneer er nieuwe bewoners kwamen, werd zo'n woning eerst door de gemeente gerenoveerd. Ook de zittende huurders kregen nieuwe deuren en ramen aangeboden, maar de oude garde wilde meestal alles houden zoals het was, omdat ze tot een generatie behoorden die een bepaalde smaak had en vond dat de mode niet op de voet gevolgd hoefde te worden.

'Oude dame,' vermoedde Morrow, en ze belde aan.

'Tien tegen één,' zei Harris.

Schuifelende voetstappen, een oude-vrouwenstem riep zwak: 'Hallo.'

Morrow keek glimlachend naar het stoepje. 'Mevrouw Tait?'

'Hallo?'

Harris en Morrow keken elkaar aan. Of ze had niets gehoord, of ze probeerde tijd te winnen. Wie weet verliet Malcolm Tait het pand op dat moment via de achterdeur.

Met nieuwe daadkracht hief Morrow haar vuist om op de deur te bonken, en Harris liep achterwaarts het trottoir op om te zien of er een achterom was. Opeens ging de deur open en stonden ze tegenover een magere vrouw die haar hoofd een beetje achterover hield om hen door het ondergedeelte van haar dubbelfocusbril met rood plastic montuur te kunnen bekijken.

Annie Tait droeg een wijde rode joggingbroek en een wit hemdje waar de behabandjes onderuit kwamen. Ze had de armen van een veel jongere vrouw. Vroeger was ze even rossig geweest als haar zoon; nu was ze geblondeerd, maar het haar groeide al flink uit in een mengeling van rood met grijs. Het was weerbarstig kroezig haar, dat er door het verven aan de punten niet beter op geworden was. Het had iets van een verregend afrokapsel. Ze geneerde zich er kennelijk voor, want ze streek er met haar hand over. 'Wie bent u?'

Morrow stapte naar voren. 'Ik ben rechercheur Morrow, dit is agent Harris. We komen voor Malcolm.'

'Hoezo? Hij is toch niet gearresteerd?'

'Nee, mevrouw Tait, we willen alleen heel graag even met hem praten.'

Annie trok de deur bíjna dicht en ging zo staan dat ze niet naar binnen konden kijken. 'Ik wil de warmte binnenhouden,' legde ze Harris uit, waarna ze zich weer naar Morrow wendde, alsof het vanzelf sprak dat die de leiding had. 'Ik ben zelf ook op zoek naar Malki. Ik ben aldoor op zoek naar dat rotjong. Hebben jullie dat nummer van dat taxibedrijf nog gekregen?'

'Jazeker, daar wilden we juist met u over praten.'

'Hoezo?' Annie drukte haar kin tegen haar borst om door het bovengedeelte van de dubbelfocusbril te kunnen kijken. Omdat ze niet tevreden was, koos ze toch maar weer voor het ondergedeelte. De glazen vertekenden haar ogen, waar Morrow een beetje draaierig van werd.

'Mogen we even binnenkomen, mevrouw Tait? Zou dat kunnen?'

Annie keek naar de overkant en vervolgens in de richting van de kerk, alsof ze zich ervan wilde vergewissen dat Jezus het niet zag, en ze opende de deur. 'Goed.' Ze trok haar neus op alsof ze een natte zwerver binnenliet voor een glaasje water. 'Kom verder.'

Harris liep achter Morrow aan naar binnen en deed de deur dicht.

De smalle, kale gang was groen geschilderd, en er lag vloerbedekking in dezelfde tint. Links was een voorkamer, in zijn soort even keurig als die bij de Anwars, maar met ouder, goedkoper meubilair. Rechts was een trap naar de slaapkamers. Aan de wand bij de trap hingen kliklijsten met collages van familiekiekjes: Malcolm en rossige Annie gekleed volgens de heersende mode, in de voortuin, in sfeerloze trouwzaaltjes, niet een in het buitenland, niet een op het strand. Foto's van een vader ontbraken.

Malcolm die zijn eerste communie deed: stokstijf en ernstig in een overhemd met das, zijn vochtige haar gladgekamd, een rozenkrans om zijn gevouwen handen gesnoerd als een salon-Houdini. De foto was genomen bij de kerk verderop, zag Morrow, want op de achtergrond zag ze dit huis.

Annie zag haar kijken. 'Dat is 'm toen hij nog lief was. Het is nog steeds wel een lieve jongen, hoor, maar anders. En, hebben jullie die taxi nog gevonden? Hij heeft helemaal niet gebeld, en dat doet hij meestal wel als hij niet thuis komt slapen en als hij eraan denkt, als ie zich niet te barsten snuift.'

'Te barsten snuift?' herhaalde Harris.

Annie sloeg haar armen over elkaar. 'Wisten jullie dat niet? Malki is aan heroïne verslaafd.' Ze wees naar een stapel gekopieerde flyers op de grond bij de deur, MAD – MOEDERS ANTI DEALERS. Ze wees naar zichzelf. 'Heb ik opgericht,' zei ze trots.

'Goed gedaan,' zei Harris.

'Het zit in de familie,' zei ze, alsof ze het over een ziekte had, wat alles verklaarde.

'O ja?' Harris keek oprecht verbijsterd en geïnteresseerd. Morrow was onder de indruk. 'Wat doen jullie ertegen?'

'Oooo.' Annie rolde met haar ogen. 'We praten erover.'

'Hm.' Harris wist niets meer te vragen en knikte dus maar vol medeleven.

Annie liet zich daardoor vermurwen en ging hen voor naar de voorkamer, waar ze hun de sleetse bruine bank wees. Ze gingen naast elkaar zitten.

Er hing een grote afbeelding van het Heilig Hart van Jezus aan de muur, in blauw met rood, Disney-achtig. De televisie was een oud gevaarte, de vloerbedekking was versleten.

'Jullie zien wel dat hier alleen hartstikke goedkope spullen staan,' zei ze trots. 'Zo is het nou om een verslaafde in huis te hebben. Je kunt die gasten geen seconde uit het oog verliezen, anders gappen ze je nog de ogen uit je kop, ik zweer het je.'

'Het valt allemaal niet mee,' zei Harris luchtig.

'Dat mag je wel zeggen.' Annie liet haar hoofd hangen. 'Vooral voor de moeders is het erg. Daarom hebben we MAD opgericht.'

'Is het een praatgroep?' vroeg Morrow.

'O, meer dan een praatgroep.' Annie fleurde op. 'We voeren actie. Vorig jaar hebben we twee van die rotzakken weggejaagd uit de buurt.'

'Weggejaagd?' informeerde Harris vriendelijk.

Gniffelend deed Annie alsof ze een lucifer afstreek en van zich af gooide. Morrow kon zich inderdaad herinneren dat ze in de krant iets had gelezen over brandstichting in enkele woningen in deze buurt. 'Heb je hun huizen in brand gestoken?' vroeg ze. 'Dat is verboden, Annie, er hadden wel doden kunnen vallen.'

'Ik zeg toch niet dat ík het heb gedaan?' Ze stak haar tong diep in haar wang, tartend, bijna flirterig: ze daagde hen uit met bewijzen te komen.

'Als je weet dat er in de buurt wordt gedeald, moet je ons bellen.'

Annie was niet gewend te worden tegengesproken. 'Hoor 's, we kunnen de politie net zo goed niet bellen. Jullie komen toch nooit. Trouwens, de helft van jullie is omkoopbaar.'

Morrow keek haar streng aan en wierp toen een blik op Harris, om aan te geven dat zij dit misschien wel pikte, maar dat hij haar weleens van repliek zou kunnen dienen.

Annie merkte wel dat ze iets verkeerds had gezegd, en keek berouwvol. 'Sorry,' zei ze tegen Harris. 'Moge God me vergeven. Ik weet dat de meesten van jullie wel deugen.'

'Hebt u ergens brand gesticht?'

'Geen sprake van.' Ze lachte besmuikt. 'Grapje.'

'Terug naar de zaak.' Morrow nam het heft in handen. 'Malcolm heeft gisterochtend van hieruit een taxi naar Toryglen genomen. We zijn bang dat hij in grote problemen zit.' Dat was niet waar, maar met die leugen kon ze leven. 'Weet u wie hij daar kent?'

Dat nieuwtje overrompelde Annie. 'In Toryglen?'

'Toryglen, ja, in South Side.'

'Daar kent ie niemand. Toryglen, zeker weten?'

'Ja.'

'Toryglen is wel twintig pond hiervandaan.'

'Ja.' Morrow keek in haar aantekeningen. 'Het ritje kostte… Achttien pond dertig.'

'Nee maar.' Annie was woedend. 'Het is dat rotjong geraaien dat ie grote problemen heeft. Ik hoop voor 'm dat iemand anders dat heeft betaald, want anders… Als hij zoveel geld had, en het hier in huis had verstopt… Hij is me nog een heleboel schuldig.' Ze keek hoopvol naar Morrows aantekeningen. 'Heeft iemand anders de rit betaald?'

'Nee, hij heeft een briefje van twintig gegeven en het wisselgeld aangenomen.'

'Goddomme, ik kan dat jong wel vermoorden.'

'Met wie gaat hij de laatste tijd om? Heeft hij werk? Weet u met wie hij op stap is geweest, de afgelopen dagen bijvoorbeeld?'

Annie was zo boos dat ze niet goed kon denken. 'Goddomme, ik vermoord dat jong. De teringlijer, moge God me vergeven, moge God me bijstaan…' Annie leunde achterover, keek naar buiten en verstarde. Het was of ze woest met haar hoofd knikkend een seintje gaf naar iets achter de grote ruit. Harris en Morrow stonden op om te zien waar ze naar keek. Een zilverkleurige auto, dat was alles. Morrow besefte dat Annie niet knikte maar afwisselend door het onderste en het bovenste gedeelte van haar bril de straat in keek, om scherp te kunnen zien.

'Mevrouw Tait? Met wie gaat Malcolm om?'

Annie bleef naar buiten kijken, maar leek opeens te zijn gekalmeerd. 'Gewoon, met zijn bekende vrienden. Een dealer in Shettleston. James Kairn, woont vlak bij de Tower Bar. Misschien het natrekken waard. Wilt u me nu excuseren?' Ze repte zich naar de gang, deed de deur open en liet hen uit. Hoewel ze nog op haar pantoffels was, graaide ze een sleutelring uit de vensterbank en deed de deur achter zich op slot, nam werktuiglijk afscheid en haastte zich naar de overkant.

Ze zagen Annie bij de overburen het tuinhekje opendoen en het

pad op hollen naar het betonnen stoepje bij de voordeur. De overkant lag op een flauwe helling, en de stoeptreden waren steil. Bovenaan stond een blonde jongeman, die zich omdraaide om Annie
te begroeten.

Hij was knap en slank, had hoekige kaken, en hij droeg een schone spijkerbroek met een wit T-shirt, geen jas. Vermoedelijk kwam
hij niet uit deze contreien, hij zag er gezond uit, had gespierde armen
en een platte buik, maar hij had wel een gebroken neus. Er stond een
gloednieuwe zilverkleurige Lexus bij het hekje geparkeerd.

'Heb je het kenteken van de Lexus die wij zoeken?' vroeg Morrow.

Harris keek in zijn boekje. 'VFI 7LJ.'

'Dan is het hem niet. Een bijzondere auto voor deze buurt, lijkt
me. Trek dat kenteken voor de zekerheid maar na. We wachten wel
even.'

Harris noteerde het en ging naar de mobilofoon in de auto. Morrow bleef op de uitkijk.

De blonde jongeman leek aangenaam verrast Annie te zien. Hij
kuste haar op haar wang, gaf haar een ingetogen knuffel. Annie,
kennelijk zeer op hem gesteld, bleef hem weliswaar lachend aankijken, maar toonde ook gespeelde ergernis door fronsend haar handen in haar zij te zetten, met haar ellebogen strijdlustig uitgestoken.

Harris kwam weer naast Morrow staan.

'Zó bezorgd is ze nou ook weer niet over Malcolm, hè?' merkte ze
op.

'Veel bezorgder over die twintig pond van hem.'

Aan de overkant ging de deur open, en Annie en de jongeman
gingen naar binnen.

Harris opende het portier van zijn auto, maar Morrow hield hem
tegen. 'Moet je kijken.'

Het was een koophuis, de voordeur was vervangen door een degelijk eiken exemplaar, voorzien van stevig hang- en sluitwerk met
een Castiliaans motief. Alle ramen waren elektronisch beveiligd en
aan de muur hingen enkele camera's. Maar het gekste was dat Annie
bij een raam in het buurhuis stond, twee ramen verderop, alsof de
huizen waren doorgebroken.

'Fort Tait,' zei Harris. 'Ik wist wel dat het ergens was, maar het
juiste adres had ik nog niet.'

'Heb je dat kenteken al opgevraagd?'

'Tot uw orders, ze zijn ermee bezig. Maar het zal wel vervalst zijn.'

'Ja. Wat doet ze daar, denk jij?'

Harris keek en haalde zijn schouders op. 'Familiebezoek? Misschien is ze een volgende brandstichting aan het beramen.'

34

Na Eddy was Annie wel de laatste op de wereld die Pat graag was tegengekomen, maar ze liet zich niet afpoeieren en ratelde maar door over die twintig pond van Malki.

Ze stond te dicht bij hem, zo dichtbij dat hij haar gezicht niet scherp kon zien zonder pijn in zijn ogen te krijgen. Bovendien stond ze niet stil: ze zwaaide naar voren en naar achteren om nu eens door het boven- en dan weer door het ondergedeelte van die bespottelijk dikke brillenglazen naar hem te turen.

'Ik bedoel maar, als hij ergens geld vandaan heeft, zou dat via mij moeten lopen,' zei Annie, met een hebberig trekje om haar mond. 'Ik betaal alles, ik krijg nog zo'n zevenhonderd pond van hem, of negenhonderd, zoiets. Hónderden in elk geval.'

'Ik weet er niets van, tante Annie, echt niet.'

Pat verwachtte dat hij te horen zou krijgen dat de Grote Man geen tijd voor hem had en dat hij het maar moest bespreken met Parki, die aan de andere kant van de kamer de krant zat te lezen en hem negeerde. Ze lieten je altijd wachten.

Pat wilde de Grote Man eigenlijk helemaal niet spreken, het lag allemaal te ingewikkeld, hij moest te veel paaien en vleien. Hij had ze keer op keer afgewimpeld als ze hem een baantje aanboden als beveiliger bij het familiebedrijf, of als dommekracht bij eenmalige klussen. Erger nog, Pat vond het niet goed dat zijn naam werd gebruikt op officiële stukken van de beveiligingsfirma. De verhoudingen waren op zijn zachtst gezegd koel. Op die manier hielden ze iedereen bij de les, door iemand buiten te sluiten als hij niet meewerkte. Tot voor kort was Pat redelijk op het rechte pad gebleven, tot Eddy met dit karwei was gekomen. Uit loyaliteit had hij meegedaan.

'Hoe kwam ie d'r aan?' drong Annie aan. 'Van jou? Waarvoor?'

Pat haalde zijn schouders op en ontweek haar blik. Hij had een hekel aan dit kille huis. Ze hadden van twee panden één gemaakt, een muur doorgebroken zodat er een twee keer zo grote woonkamer was ontstaan. Het klopte allemaal niet, de kamer was vreemd van proporties, het plafond was te laag in verhouding tot de rest van de ruimte, vier grote ramen voor en achter, net een wachtkamer of zoiets. Onmogelijk warm te krijgen. Dom. De Grote Man had wel geld maar geen smaak, hij had veel geld uitgegeven aan dure spullen zoals bureaus en antiek, maar alles stond her en der verspreid als in een autoshowroom.

'Echt niet van mij, Annie. Ik heb geen idee hoe hij aan dat geld is gekomen.'

Sinds de dood van zijn vrouw mocht er van de Grote Man ook niet meer worden schoongemaakt, zodat alles er plakkerig en vies uitzag. Pat richtte zijn blik op een vitrinekast. Zo'n ding hoorde in een winkel, een glazen kast met drie glasplaten en bovenin een kapot lampje dat uit de fitting bungelde. Er stonden drie beeldjes in van Chinese vrouwen: een onder een parasol, een tegen een boom geleund, een op een bankje. Ze hadden allemaal hetzelfde gezicht.

''k Bedoel maar, iedereen weet toch dat ik zijn geld beheer. Als ze iets extra's voor hem hebben, moet dat via mij lopen.'

Hij moest zich hiervan distantiëren. Van dit hele gedoe. Moeders die hun kinderen geld aftroggelden, koude kamers, wachten en afgewezen worden. Hij verlangde naar geroosterd brood en warmte en roze en lokken op een kussen. Hij verlangde naar familieleden die huilden als een van hen werd ontvoerd. Hartelijkheid.

'Want weet je, Pat, jongen…'

'Tante Annie, hij heeft dat geld níet van mij. Ik weet niet waar hij het wel vandaan heeft.'

Ze sloeg haar armen over elkaar en monsterde hem van top tot teen. 'Hij is in Toryglen geweest. Wie woont er in Toryglen?' Ze deed dreigend.

Pat keek haar strak aan. 'Heeft hij tegen u gezegd dat hij naar Toryglen ging?'

'Nee.' Ze keek naar buiten. 'De politie is naar 'm op zoek.' Met haar ogen volgde ze een stel in een zwarte Ford. 'Hij heeft gisteren een taxi genomen en ze hebben uitgezocht waar hij heen is gegaan.'

De politie zat op dit moment in een auto voor het huis, en Malki werd gezocht. Opeens werd Pat hondsberoerd. Hij haalde schutterig zijn schouders op. 'Ik ken niemand in Toryglen.'

'Shugie Wilson,' zei tante Annie effen.

Ze was zo ontzettend gewiekst. Dat vergat Pat telkens weer. 'Ik ken Shugie niet.'

'O jawel,' zei ze, en ze keek hem door het ondergedeelte van haar bril aan. 'Alcoholist. Laat zich altijd vollopen in Brian's Bar. Zat vroeger bij de Banksheads.'

Parki liet een droog kuchje horen en sloeg luid ritselend een pagina van zijn krant om. Hij wilde Annie duidelijk maken dat ze haar kop moest houden, dat Pat een buitenstaander was en dus niet te vertrouwen. Hij was in zijn jonge jaren een messentrekker geweest. Er zat een litteken in zijn gezicht, een jaap die zijn onderlip had gespleten. De wond was niet goed geheeld. Elke keer dat Pat naar hem keek ging er een steek door hem heen.

'Parki…' Annie bleef vlak achter Pat staan en glimlachte naar Parki alsof ze met z'n tweeën waren. 'Tante Annie, mag ik even?'

'Wat bedoel je, jongen?'

'Ik wil onder vier ogen met Parki praten.'

Annie wierp Parki een blik toe die aangaf dat Pat zijn zin niet mocht krijgen, maar Parki zei niets, zijn gezicht bleef emotieloos. Ze keken haar allebei strak aan.

'Mooie boel is dat.' Ze liep een eindje bij hen vandaan. 'Tegen je ouwe tante zeggen dat ze moet oprotten.' Ze wachtte nog even of ze haar zouden terugroepen, maar dat gebeurde niet. Mokkend vertrok ze. Gordon, de andere zware jongen van de Grote Man, liet haar uit.

Pat en Parki keken elkaar aan.

'Nog 'n wonder dat Malki zo'n aardige jongen is, hè?' zei Parki.

Gordon kwam naar hen toe. Ooit was hij bodybuilder geweest. Had anabolen geslikt maar na zijn rugblessure niet meer getraind. Al het spierweefsel was vervet. Zelfs zijn vingers waren dik geworden. Er werd gefluisterd dat zijn pik niet groter dan een sigaret was. 'De Grote Man heeft nu tijd voor je, Pat.'

Stomverbaasd liep Pat met Gordon mee de kamer uit en de trap op. Gordon was lang en had zo'n vette rug dat zijn nek niet te zien was als je een tree lager stond. Boven aan de trap draaide Gordon zich om. 'Fijn dat je er bent trouwens,' zei hij, met een welwillende glimlach op hem neerkijkend. Pat vond het maar vreemd dat hij dat zo zei, hartelijk, alsof Pat er weer bij hoorde. Hij wees naar de deur, klopte er twee keer op en zwaaide hem voor Pat open.

De Grote Man was het zich waarschijnlijk niet bewust en Pat zag het alleen omdat hij zo lang weg was geweest, maar de benauwde woonkamer op de eerste verdieping was een replica van zijn voormalige huis. Een bruine fauteuil stond tegenover zijn tegenhanger, leeg nu zijn vrouw was overleden. Op een donker houten ladekastje – afkomstig uit het oude huis – met een kanten kleedje eroverheen stond een kleine tv. Zelfs het dressoir stond op dezelfde plek naast de deur, net als in de oude kamer, voordat hij het huis ernaast had gekocht en de muur had laten doorbreken. Aan de wanden en op tafeltjes prijkten de symbolen van zijn clan: een groot houten crucifix met een lijdende koperen Jezus erop, bidprentjes bij devotiekaarsen, een ingelijste foto van pater Pio. Schoolfoto's van zijn dochter, lachend, duidelijk aan het wisselen.

De Grote Man was niet groot maar vierkant, zoals profvoetballers uit een ander tijdperk, en vasthoudend als een terriër. Hij keek vanuit zijn fauteuil op naar Pat en maakte ondanks zijn leeftijd nog een vitale, vervaarlijke indruk.

'Jongen.' Hij knikte, glimlachte bijna, en Pat begon zich af te vragen of ze hem gemist hadden. Dat leek hem niet waarschijnlijk. 'Wat kom je doen?'

'Eh…' Pat bleef stuntelig bij de deur staan, met zijn handen in zijn zakken. Het liefst was hij weggegaan. 'Neem me niet kwalijk dat ik hier ben…'

De Grote Man gebaarde dat hij moest opschieten.

'Ik heb een huurauto voor de deur staan, die moet ik kwijt, maar ik heb een andere wagen nodig. Ik wist niet bij wie ik anders moest aankloppen…'

'Gehuurd, op jouw naam?'

'Nee.'

'Model?'

'Lexus.'

De Grote Man knikte. 'Oké. Zeg maar tegen Parki dat ik het goedvind en dat hij je ook een paar mille mee moet geven.' Hij keek Pat verwachtingsvol aan.

'O. Eh… Hartelijk bedankt.'

'Ja?'

De ongerijmde reactie bracht Pat van zijn stuk, en hij keek om.

'Nee…?' souffleerde de Grote Man, en hij wendde zijn oor naar Pat toe omdat hij iets bepaalds wilde horen. Pat fronste, want hij had geen idee wat de man bedoelde.

'Pardon?'

Vreemd genoeg begon de Grote Man zachtjes te lachen, en hij zei een paar keer achter elkaar Pats naam. Hij zuchtte eens en keek hem aan. 'Ik wist het wel.' Hij stond op en liep naar het dressoir om er een fles Johnny Walker Black Label uit te pakken. Glimlachend schroefde hij de dop eraf en vulde hij twee kristallen glazen, die er stoffig uitzagen.

Opeens was het of Pat een klap op zijn achterhoofd kreeg. De Grote Man wist het. Hij wist alles van de wapens en de kussensloop, en hij dacht dat Pat dat wel had begrepen, want anders had hij het verhaal eruit getrokken, hem in het ongewisse gelaten.

De Grote Man gaf Pat een glas en hij bracht het andere naar zijn mond. 'Hoe gaat het?'

'Hoe het gaat?'

'Die klus. Samen met Eddy. Hoe staat het daarmee?'

Pat zette het glas aan zijn mond en snoof een vleug bittere whisky op. 'Eddy… Het is…'

'Ja ja,' zei de Grote Man. 'Regel het maar. Naderhand spreken we elkaar nog wel.'

Ze waren hem geld schuldig. Eddy was de Grote Man geld schuldig. Op die manier waren ze aan het busje gekomen, aan de wapens, de gloednieuwe kleren en de stomme schmink die hij in Eddy's flatje op zijn gezicht had moeten smeren. Pat had de klus al helemaal niet zien zitten, en nu bleek dat Eddy naar de Grote Man was gegaan om aan kapitaal te komen en dat hij hem van meet af aan had belazerd. We spreken elkaar nog wel.

'Je gaat nog steeds naar de kerk?'

Hij keek fronsend op naar Pat, ernstig, alsof dit heel erg belangrijk voor hem was. Pat sloeg de whisky in één teug achterover en bracht moeizaam uit: 'Nee, ik ben niet gelovig.'

De Grote Man had zijn glas in zijn hand, maar had nog geen slok genomen. 'Dat is jammer,' zei hij in het glas. 'Dat is jammer. Ons geloof is wat ons bindt. Vroeger was het een cultuur, een familie, het schiep een band. Nu gaan de mensen nog maar zelden naar de kerk, ze biechten niet meer, alleen bidden doen ze nog weleens. Het is geen lopend buffet. Je kunt er niet alleen maar uitpikken wat je bevalt.'

Pat zette zijn glas op het dressoir. 'Ik ga maar.'

'Goed. Zeg tegen Eddy dat ik hem naderhand nog wel spreek.'

Gordon liet Pat uit, maar stak zijn hoofd nog even de kamer in voor een onuitgesproken opdracht van zijn baas, en draafde daarna achter hem aan de trap af. Hij bracht hem naar de enorme woonkamer en fluisterde Parki iets in. Parki knikte en legde zijn krant op het victoriaanse kaarttafeltje. De krant was opengeslagen bij de foto van een topless grietje, dat het heel goed met zichzelf getroffen had. Hij stond langzaam op en liep naar het raam om naar buiten te turen. Pat hoopte maar dat hij de politie niet zag.

'De Kia is een vrouwenautootje, maar wel betrouwbaar.'

Het werd hem vriendelijk aangeboden, wat Pat op prijs stelde. 'Dat is aardig van je, Parki.'

Maar Parki wuifde zijn dankbaarheid weg. 'De wil van de Grote Man is wet.' Hij pakte een stel sleutels uit een antieke wandkast. 'Ga maar achterom naar de garageboxen. De derde.'

Terwijl hij de autosleutels aannam knipperde Pat heftig met zijn ogen. 'Bedankt, man.'

'Hoe gaat het eigenlijk met je?'

Pat haalde zijn schouders op.

Parki haalde een bundel bankbiljetten uit zijn achterzak, telde tien briefjes van honderd af en gaf ze aan Pat. 'Hoe is het met je neef Malki? In geen eeuwen gezien.'

Pat haalde de autosleutels uit zijn zak, compleet met de penlight en Eddy's huissleutel, en gaf de bos aan Parki, waarna hij achterwaarts de kamer uit liep.

'Ga je er alweer vandoor?' vroeg Parki, die nog niet goed doorhad wat er allemaal gaande was.

'Zit niks anders op, man,' zei Pat zachtjes. 'Ik moet dringend ergens heen.'

Toen het telefoontje binnenkwam zat Morrow nog samen met Harris in de auto voor het huis van Annie Tait. Het was een vals kenteken van een ander merk, een ander jaar, een heel andere auto.

Ze pakte de radiomicrofoon en gaf haar eerste bevel in deze zaak: als die auto hier wegreed moesten twee teams hem volgen om te zien waar hij heen ging. Het was een grote gok, maar het was alles of niets.

Ze wachtten tot de burgerwagens hun positie hadden ingenomen en de collega's wisten waar de twee ingangen van het betreffende pand zich bevonden. Toen pas startte Harris de auto en reden ze weg.

35

Ook Gobby had de banden doorgekeken, en hij was het met Harris eens dat er iets interessants te zien was. Ze hadden ze voor Morrow klaargelegd op haar kamer, maar ze kon zich moeilijk op het scherm concentreren doordat er telkens wrokkige gedachten door haar hoofd speelden. Dingen die ze tegen Bannerman zou willen zeggen als ze ruzie kregen, maar zover zou het niet komen, zinloze opmerkingen over wat er precies aan hem mankeerde: hij was egoïstisch, ambitieus, gewichtigdoenerig en laf, en hij was een kloothommel, een lul en een hufter. Ze wist al heel lang uit ervaring dat het repeteren van een ruzie die nooit zou plaatsvinden een kortstondige luxe was. Even een roes, maar je schoot er niets mee op, werd er alleen maar opgefokter van.

Ze dwong zichzelf naar het scherm te kijken, maar de beelden waren erg onscherp. De video's van Anwar waren vele malen hergebruikt, en de magneetbanden waren aan de bovenkant hier en daar uitgerekt, waardoor belangrijke beeldinformatie had plaatsgemaakt voor hyperactieve diagonale strepen. Af en toe daalden er ook nog sneeuwgolven neer over de beelden, en dan boog ze van links naar rechts, alsof ze eromheen kon kijken. Er gebeurde niets interessants in de vale grijstinten van de winkel, het enige wat opviel was hoe druk Anwar in de weer was met het ordenen van de planken met snoepgoed.

Telkens als iemand een reep chocola of een zakje chips had gekocht wachtte hij tot de klant weg was, waarna hij licht schuldbewust om de toonbank heen schoof om alles recht te leggen. Johnny Lander was er vrij vaak. Zwijgend zat hij op de kruk naast Anwar, en als hij in de zaak was, glipte hij ongevraagd naar de planken om ze netjes te maken.

Kloothommel.

Weer schemerde er een sneeuwfront over het scherm, en opeens stond ze zo abrupt op dat haar stoel bijna omviel, ze rende naar de deur en gooide hem open. 'Harris!' riep ze de gang in. 'Kom hier en zeg waar ik naar moet kijken. Ik heb vierkante ogen.'

Harris verscheen in de deuropening, verheugd dat zijn inspanningen eindelijk werden gewaardeerd, en hij trok een stoel bij. Ze ging naast hem zitten en prevelde onbeholpen een excuus. Hij reageerde niet, wat ze op prijs stelde.

'Zo.' Hij legde zijn hand op de rugleuning van haar stoel, waarna ze beiden drie meter naar achteren schoven. 'Ogen halfdicht, en een flink stuk van het scherm af, anders krijg je migraine.'

Hij spoelde wat sneller door: vele gezamenlijke uren van Lander en Anwar teruggebracht tot enkele minuten. De twee oude mannen repten zich als Keystone Cops door de winkel, Johnny Lander energiek, verdween geregeld uit beeld, vulde schappen, bracht thee, Aamir rustiger. Er heerste een eigenaardige intimiteit tussen de mannen, ze zeiden niet veel, maar zaten dichter bij elkaar dan de meeste mannen zouden doen, keken elkaar zelden recht aan, keerden hun gezicht liever naar de toonbank.

Klanten liepen af en aan, forenzen die verstrooid sigaretten, snacks of kranten kochten, met weinig aandacht voor de winkel of de mannen, dagdromend op weg naar hun werk.

'Hier,' zei Harris. Hij vertraagde de band en schoof zijn stoel dichter bij het scherm.

De vrouw trok de aandacht doordat ze zo aanwezig was. Onmiskenbaar lang, en slank. Doodgewoon kapsel, niet in een opzichtige kleur geverfd, geen opvallende blonde plukken, maar lang, glanzend geborsteld bruin haar. Ze droeg een witte broek met laarzen eronder, en een getailleerde overhemdblouse waarin haar figuur goed uitkwam. De deur was nauwelijks opengegaan en haar kruintje verschenen, of Aamir Anwar ging haar hartelijk begroeten. Johnny Lander liet zich van zijn kruk glijden en verdween in de richting van de achterdeur.

De vrouw bij de deur liep gebukt naar de toonbank, met een kind aan de hand. Een jongetje met bruin haar, een peuter, al bijna een kleuter. Hij trok zich los en rende naar de zijkant van de toonbank, met pompende mollige armpjes, zijn hoofd omlaag.

'Moet je kijken,' zei Harris. Hij bevochtigde zijn lippen.

Aamir Anwar bukte zich, met zijn handen op zijn knieën, en boog zich goedig naar het kind toe, dat hem onwillig een kus op zijn baard gaf. Anwar kwam overeind, hield vertederd zijn hand op de plek van de kus, knipte toen met zijn vingers ten teken dat het jongetje naar het snoeprek mocht komen.

De moeder stond nu met haar gezicht naar de camera en keek niet bepaald blij. Ze had haar armen over elkaar geslagen en greep niet in toen het jongetje van alles pakte: twee zakjes Skittles, een Milky Way, pakjes winegums, een armvol. Hij keek naar de oude man om te zien of het mocht. Aamir hief gespeeld geschoqueerd zijn handen, zei iets dat het kind niet begreep en lachte tevreden bij zichzelf.

Het bezoek was voorbij. De vrouw pakte het kind het snoep af, legde alles op de toonbank zodat hij het niet kon zien, sorteerde de zakjes en schoof er een paar opzij, waarna ze Aamir kort maar ernstig toesprak, om vervolgens een Milky Way voor het jongetje uit te pakken en de rest in haar tas te stoppen. Mooie tas, dacht Morrow, effen beige leer, grote schoudertas, veel vakken.

'Let nu goed op,' zei Harris.

Aamir gaf het kind een kus op zijn kruintje, liep met het tweetal mee naar de winkeldeur en bleef in de deuropening staan om hen uit te zwaaien, waarna hij glimlachend weer achter de toonbank op zijn kruk plaatsnam. Johnny Lander kwam terug, en daar zaten ze te zwijgen, Aamir met nog een zweem van een glimlach op zijn gezicht.

'Mag hij geen kennissen hebben?' vroeg Morrow.

Harris keek haar aan. 'Ze hebben dat snoep niet betaald.'

Ze krabde aan haar kin. Harris had gelijk. De vrouw had de zakjes in haar tas gedaan en was vertrokken. 'En dus…'

'Morrow, heb je enig idee van de winstmarge van zulke winkeltjes? Ze hebben dat snoep niet betaald. Als dat geen kleinzoon van hem is, is het een zoon.'

Johnny Lander, precies zo gekleed als de vorige keer, posteerde zich op zijn vaste plaats boven aan de trap en boog zich over de balustrade om hen te zien komen. Toen hij aan hun voetstappen hoorde dat ze haast hadden, bleef hij stram op de overloop wachten op het nieuws.

Hij keek gespannen van Morrow naar Harris. 'Jullie hebben hem nog niet gevonden?'

'Nee,' antwoordde Morrow.

Lander legde zijn hand op zijn borst en liet zijn schouders hangen. 'In hemelsnaam, jullie kwamen zo hard de trap op denderen dat ik...'

'Nee, meneer Lander, we hebben meneer Anwar niet gevonden.'

'Denkt u dan...?'

'Nee, we hebben alle reden om aan te nemen dat hij het goed maakt.'

'Godzijdank, dat is tenminste iets.' Door zijn opluchting vergat hij kennelijk zijn goede manieren, en korte tijd stonden ze op de koude overloop naar elkaar te kijken.

Morrow deed een stap naar de deur. 'Mogen we even binnenkomen?'

'O ja, natuurlijk, sorry.' Hij sprong naar voren om de deur voor haar open te houden zodat ze de gang in kon lopen. 'Neemt u me niet kwalijk.'

Ze liep meteen door naar de ordelijke woonkamer. Lander had kennelijk in de plaatselijke krant zitten lezen toen de bel ging, met een mok thee erbij en drie koekjes op een bordje – alles mooi rond zijn fauteuil gerangschikt. Ook brandde er een staaf van het elektrische kacheltje en het was er behaaglijk warm.

Hij deed de voordeur achter hen dicht. 'Dat wachten is een verschrikking, hè?'

Morrow haalde het onhandige videoapparaat van de afdeling tevoorschijn. 'Meneer Lander, kunt u me vertellen wie dit is?'

Terwijl ze de band van de vrouw in de winkel afdraaide, kwam hij dicht bij haar staan. Om tijd te winnen had Harris de band vanaf het tv-scherm gefilmd, en de definitie was er niet beter op geworden. Lander keek het fragment helemaal uit.

'Wie is die vrouw?'

'Lily. Dat is Lily.'

Morrow keek hem aan. 'Wat is de relatie tussen Lily en meneer Anwar?'

Ze zag wel dat hij hier moeite mee had. Hij wilde op alle mogelijke manieren helpen, maar zijn loyaliteit speelde hem parten. Hij keek naar buiten, neuriede even en haalde toen diep adem. Hij verkeerde in grote tweestrijd. 'Is het goed dat ik u haar adres geef? Dan kunt u het haar zelf vragen.'

'Prima.'

Hij gaf hun het adres, dat hij uit zijn hoofd kende, en legde duidelijk uit hoe ze er konden komen. Met de auto was het nog geen vijf minuten, zei hij.

Bij het weggaan, voordat ze haar aantekenblok wegborg, informeerde Morrow langs haar neus weg naar Lily's achternaam.

'Tait,' zei Lander. 'Lily Tait.'

Het huis lag nog geen kilometer van de winkel, aan de uitvalsweg. Morrow merkte op dat vrijwel elk ritje naar de stad onvermijdelijk langs de winkel voerde.

Ze parkeerden achter een zwart met zilverkleurige Range Rover met opgeplakte zonwering en een sticker BABY AAN BOORD tegen de achterruit. Ze stonden voor een steil pad naar een riant, half vrijstaand huis. De voortuin was met zorg aangelegd met bloeiende planten en struiken.

Morrow en Harris liepen over het pad naar de voordeur. Het huis was opgetrokken uit mooie lichte zandsteen, maar iemand had er een houten portiek aangebouwd die zich niet goed had gehouden. De bruine verf was verweerd en bladderde, de buitendeur was van dun glas. Binnen zagen ze schoenen en een blauw met rood driewielertje staan. Op de vermolmde vensterbanken stonden bakken waarin kruiden werden gekweekt, en op een schraagtafel achterin, een zonnige plek, stonden kweekpotjes.

Harris zag geen bel, en dus probeerde hij de deur, die open bleek. Ze liepen naar de eigenlijke voordeur; in de fraaie victoriaanse ruit was de omtrek van een urn geëtst.

Lily Tait deed open. De Taits waren bekenden voor Morrow en Harris. In Glasgow kon je niet om de vader heen, want elke keer dat er een bendelid vermoord was gevonden stond hij in de plaatselijke krant. Maar Lily leek niet op de rest van de familie. Ze was lang en slank, droeg een wijde mosterdgele trui met motgaatjes in de mouwen en een afgeknipte spijkerbroek. Ze zag er beeldschoon uit. Het ontging Morrow niet dat Harris begerig keek naar haar opvallend mooie bruine benen en gelakte teennagels. En toch zag Morrow in de ronde ogen en de hoekige schouders een vage afspiegeling van

Lily's achtergrond. Het was de vloek van de ambitie: de volgende generatie was weer beter gevoed en had een opleiding genoten die hun ouders ver boven de pet ging.

In de lichtgrijze hal achter Lily gluurde een blonde peuter van een jaar of drie pruilend naar hen door de geboende trapleuning waar hij tegenaan hing. Helemaal achterin kwam de gang uit in een lichte, gezellige keuken.

'Lily?'

Ze keek hen glimlachend aan. 'Ja. Wat kan ik voor u doen?'

Het jongetje bekeek hun donkere pakken en strenge houding, hield het voor gezien en rende naar de keuken.

Morrow stelde zichzelf en Harris voor. 'Wij doen onderzoek naar de ontvoering van meneer Aamir Anwar. Kunnen we u even spreken?'

'Ach jee, ja, natuurlijk.' Ze deed de deur wijd open en liet hen binnen. 'Hebt u al iets over Aamir gehoord? Is hij weer thuis?'

'Helaas nog niet.'

'Kom verder, kom verder.' Ze ging hen voor naar de keuken en noodde hen aan een vurenhouten tafel met een allegaartje van kopjes, kindertekeningen en rekeningen. 'Let maar niet op de rommel, de werkster is hier nog niet geweest,' zei ze, en ze veegde de troep opzij. Het jongetje zat in een rood ministoeltje in de hoek uit een tuitbekertje te drinken en boos naar hen te kijken.

Lily schoof op een keukenstoel tegenover hen. 'En, wat kan ik voor u betekenen?'

'Dat zal ik u zeggen.' Morrow haalde voor de vorm haar aantekenboekje tevoorschijn. 'Uw naam is een paar keer gevallen, en we zouden het graag met u willen hebben over uw verhouding tot meneer Anwar.'

Ze keek wat ongemakkelijk naar het prinsje in zijn stoel. 'Goed.'

'Waar kent u elkaar van?'

Ze haalde haar schouders op. 'Van school.'

Morrow keek eens goed naar haar. 'U hebt op school gezeten…'

'Met Omar en Billal, ja. Hetzelfde jaar als Billal.'

'Aha.' Ze noteerde dat, om tijd te winnen en na te denken. 'Oké, en wat is uw relatie?'

'Eh… Billal is de vader van Oliver.'

Het jongetje keek fel van de een naar de ander, want hij begreep dat ze het over hem hadden, en dat vond hij niet leuk.

'En hoe oud is Oliver?'

'Drie jaar en vier maanden.' Ze zei het alsof het een geweldige prestatie was.

Morrow noteerde het in haar boekje. De punt van het potlood maakte een scheurtje in het papier. 'Maar u woont niet samen met Billal?'

'Nee.' Lily keek naar het papier, naar het scheurtje, en er verscheen een rimpel in haar fraaie voorhoofd.

'En u weet dat hij en zijn echtgenote kortgeleden een baby hebben gekregen?'

'Hm.' Ze keek van het scheurtje naar Morrow en begreep dat de rechercheur haar uit haar evenwicht probeerde te brengen. 'Daar kan ik niet mee zitten.'

'Jullie waren toch al uit elkaar?'

Lily pakte haar dikke bos haar beet en steunde op haar elleboog. 'Billal is…' Een blik op het kind. 'Knap vermoeiend, eerlijk gezegd. Niets voor mij.'

'Wat bedoelt u met "knap vermoeiend"?'

Ze aarzelde even en liet haar stem dalen. 'Hij is erg met de familie bezig.'

'Met uw familie?'

Lily keek haar strak aan en ontweek de vraag. 'Vlak na de geboorte van dat manneke daar heb ik met hem gebroken.' Ze knikte naar haar zoon. 'Maar pas heel lang daarna heeft hij met mij gebroken.'

'U bedoelt dat hij u lastig heeft gevallen?'

Lily schraapte haar keel, ging rechtop zitten en keek op de wandklok. 'Moet u horen, eh… De nanny komt zo, kunnen we niet even op haar wachten en er dan over praten? Ik vind het niet zo prettig om…'

'Nee,' antwoordde Morrow bot. 'Het is dringend.'

Daar was Lily niet blij mee. Ze keek van Morrow naar het scheurtje in het aantekenboekje en terug, beet op haar wang en wendde zich tot het kind. 'Manneke, als jij nu eens een trui aantrok en lekker even in de tuin ging rondrennen?'

Het kind haalde zijn schouders op, stond op en liet zijn bekertje achteloos vallen. Ze ging naar hem toe, raapte een lichtblauwe trui van de grond en trok hem die aan. Nadat ze zijn veters had gecontroleerd en de achterdeur had geopend, duwde ze hem naar buiten. 'Pas op voor de brandnetels.'

Ze liet de deur openstaan en ging weer aan tafel zitten; opeens maakte ze een veel hardere indruk. 'Oké, ik weet niet wat die klootzak u heeft verteld, waarschijnlijk dat ik gestoord ben, waarschijnlijk dat ik een inhalig kreng ben…'

'Is Billal betrokken bij uw familiezaken?'

'Aha.' Woedend zwaaide ze met haar wijsvinger voor Morrows gezicht. 'Ten eerste, het zijn niet míjn familiezaken. Je familie kun je nu eenmaal niet kiezen. Ik heb mijn vader al in geen vijf jaar gesproken. Ten tweede: Bill en ik kenden elkaar van school. Daar kan ik ook niets aan doen. In die tijd heeft hij mijn vader leren kennen. Voor mijn part gaan ze tegenwoordig samen op vakantie, dat is mijn zaak niet. Ik heb niks met ze te maken, met geen van tweeën, helemaal niks. Ik zie hem nooit. Hij mag het kind onder toezicht één keer per maand zien, en daar ben ik niet eens bij…'

Haar woede ebde weg, en Morrow greep die gelegenheid aan om het heft weer in handen te nemen. 'Hebben jullie op school verkering gekregen?'

'Nee. Het is begonnen op de bruiloft van een vriendin. In het begin was er niets met hem aan de hand, maar ik raakte zwanger, oké, prima, nog steeds bij elkaar, maar toen opeens, zomaar, verdomd als het niet waar is, bestond er niets anders meer dan de zaak en werd hij nog godsdienstig ook, heel erg godsdienstig.'

'Is hij bij een groep gegaan, ging hij met bepaalde mensen om?'

'Nee, hij is niet… Dat soort godsdienst is het niet. Het heeft niets met politiek te maken…'

'Waarmee dan wel? Met spirituele bewustwording?'

'Spiritueel? God, nee.' Ze moest lachen, schudde haar hoofd en haar weelderige haren. Zelfs Morrow viel bijna voor haar. 'Spiritueel? Welnee. U komt zelf zeker niet uit een godsdienstig gezin?'

Morrow schudde haar hoofd. Harris aan de zijlijn knikte, om aan te geven dat hij wel uit een godsdienstig nest kwam, voor het geval het iemand interesseerde. Nee dus.

'Het gaat niet alleen om… om Jezus of zo iemand, zeg maar. Het gaat eigenlijk om…' Lily was onzeker geworden, kon de juiste woorden niet vinden. 'Het gaat erom dat je bij een bepaalde groep mensen hoort, begrijpt u wel?' Ze keek hen aan om te zien of ze het inderdaad begrepen.

Morrow knikte. 'Ga door.'

'Billal wilde dat ik me bekeerde en dat ik bij zijn moeder kwam wonen. Begrijp me niet verkeerd: ik ben dol op Sadiqa, het is een geweldig mens, maar ik ben katholiek, ik ben Schots, ik ben niet van plan om bij volslagen vreemden te gaan inwonen en me de rest van mijn leven te verschuilen onder zo'n rottige hoofddoek.'

'Dat zou zonde zijn.'

De vrouwen keken naar Harris, die schrok, alsof hij niet had gemerkt dat hij dat hardop had gezegd.

Morrow probeerde Lily bij de les te houden. 'Maar Billal was daar niet blij mee.'

Ze snoof. 'Dat is dan nog verdomd zacht uitgedrukt.' Haar gekwelde ogen dwaalden over tafel, zagen weer eindeloze ruzies en late telefoontjes voorbijkomen. 'Ik bedoel, als Aamir en Sadiqa niet zo hadden aangedrongen, zou hij niet eens alimentatie betalen.'

'Waarom niet? Vindt hij dat u zelf genoeg verdient?'

'O, maar ik werk niet.' Het idee alleen al scheen haar te verbazen. 'Oliver is net drie.'

'Zo zo.' Morrow keek de grote keuken rond. 'En uw eigen familie?'

'Nee.' Ze reageerde verontwaardigd omdat ze dacht dat Morrow haar niet begreep. 'Ik hou mijn hand niet op, geen sprake van.' Ze leek er prat op te gaan dat ze geen geld van haar vader aannam. Dat ze wel iemand anders uitbuitte was een ironie die haar ontging. 'Bill dacht dat ik wel met hem zou trouwen als hij de hypotheek niet meer betaalde. Op een gegeven moment betaalde hij ook niet meer voor de nanny. Daarna werd hij een steeds strengere moslim en trouwde hij met dat meisje uit... Newcastle, maar daar wil ik van af zijn. Uitgehuwelijkt verdomme, alsof we nog in de middeleeuwen leven. Ik weet zeker dat Sadiqa geschokt was. Zij en Aamir zijn uit liefde getrouwd. Ze moet niets hebben van onderdanige vrouwen.' Ze schudde haar volle haardos naar achteren, als om aan te geven dat Sadiqa haar liever had dan Meeshra. 'Ik ook niet.'

'Lily, wat doet Billal voor de kost?'

Lily zweeg even, omdat ze niet goed begreep hoe het gesprek van een gedegen verkenning van haar grieven op dit onderwerp was gekomen. 'Voor de kost? Bill zit in de autohandel.'

'Bill?'

'Exclusieve auto's.'

Morrow dacht aan de Lamborghini, rook het vocht, zag een stel bespottelijk witte tanden. 'Aha, ik begin het te begrijpen.' Ze zei het langzaam, omdat ze ook langzaam wilde denken. 'Waar is zijn showroom?'

'Nee, hij heeft helemaal geen showroom.'

'O nee?'

'Nee, nee.' Lily maakte een wegwerpgebaar. 'Hij is maar tussenpersoon. Import/export.'

36

Er klopte een bossanovabeat in Pats hart, een blijmoedig pom-pa-dom bij de gedachte dat zij daar achter die dichte houten deuren rechtop in bed zat, badend in goudgeel zonlicht, een bruid die op haar bruidegom wachtte, met haar gezicht naar de gang gewend en een zweem van een glimlach om haar lippen. Bijna achtenveertig uur geleden hadden ze elkaar voor het laatst gezien, maar het leek veel langer.

Terwijl hij rondhing bij de liften, niet goed wetend of dit de juiste verdieping was, zag hij de moeder zijn kant op schommelen, nog in haar nachthemd met een jas eroverheen. Hij wendde zich af om zijn gezicht te verbergen en las de mededelingen aan de muur tot ze voorbij was. In de gang hingen overal allerlei geboden: geen mobiele telefoons, geen bezoek behalve op vaste tijden en alleen van familie, geen warme drankjes, geen dit, geen dat. Hij liep met een boog achter haar langs naar de deur van de afdeling.

Door het raampje zag hij dat de gang verlaten was, geboend, glinsterend als een rivier. Terwijl hij zijn hand uitstak om tegen de deur te duwen, was hij zich scherp bewust van alles wat hij voelde: van zijn hoofd dat zich naar voren boog, van zijn hielen die zijn voeten voortstuwden.

Op slot. Hij duwde nog eens licht met zijn vingertoppen. De deur klemde niet maar was echt afgesloten. Hij keek nogmaals door het raampje, maar zag niemand. Toch was het beslist de afdeling die hij hebben moest, want hij had de moeder net gezien.

'Is er niemand?'

Achter hem stond een slanke vrouw van rond de vijftig, in uniform, met haar bril aan een gouden kettinkje; ze had een stapel paperassen in glimmende gele mappen bij zich. Hij schonk haar zijn mooiste glimlach en haalde zijn schouders op. Ze lachte terug, balanceerde de mappen op haar opgeheven knie en toetste vijf keer een nul in op het beveiligingspaneel. De deur klikte open, en hij duwde er met zijn vingertoppen tegen, zodat de weg naar de rivier zich opende.

Pat liet de vrouw en haar mappen voorgaan, en ze bedankte hem met een aanstellerig lachje en een blik op zijn tors. 'Een echte heer, die kom je tegenwoordig nog maar zelden tegen,' zei ze, alsof iedereen haar diep had teleurgesteld.

Pat lachte nog maar eens. Hij hield de deur zo open dat ze voor hem uit zou lopen en het niet zou merken als hij rondkeek. Ze stapte de gang door, rechtop en heupwiegend, overtuigd van zijn aandacht.

Maar Pat zag haar helemaal niet. Hij keek links en rechts de eenpersoonskamers in, waar gele gordijnen half voor de donkere ramen waren geschoven. Rustige afdeling. Een oudere vrouw keek in bed naar een praatprogramma op een aan de muur bevestigde televisie. Een dikke vrouw met beide benen in het gips lag te slapen; haar tienerdochter zat naast haar een roddelblad te lezen. Spoedeisende chirurgie.

Er zat een haakse bocht in de gang, en op de volgende afdeling had elke kamer vier bedden, gescheiden door gordijnen aan rails, vele halfdicht of niet helemaal opengetrokken. Hij kon de patiënten zien, maar wilde niet stilstaan om echt goed te kijken, want stel dat iemand hem zou vragen wie hij was en wat hij daar deed.

Toen hij bijna bij de laatste kamer was, zakte de moed hem in de schoenen. Twee toiletten markeerden het einde van de gang, en hij besloot naar de wc te gaan om na te denken over wat hem te doen stond. Op dat moment zag hij haar.

Door het raam bleef hij naar haar staan kijken. Een oude vrouw lag plat op bed, helemaal alleen. Ze had een zuurstofmasker op, en hij kende die grauwe kleur. Ze lag op sterven, net als Malki, eenzaam en verlaten.

'Pardon?' Op een paar meter bij hem vandaan stond een dikke leerling-verpleegkundige, en ze wilde weten wie hij was.

Pat wees de kamer in. 'Hoe lang…?'

Hoe lang heeft ze nog, bedoelde hij, maar de verpleegkundige begreep hem verkeerd. 'Mevrouw Welbeck ligt hier nu vijf dagen. Bent u haar…?'

Pat draaide zich weer naar het raam toe en fluisterde: 'Neef?'

'Ach jee.' Ze hield haar hoofd een beetje scheef. 'Wat akelig. Ze hebben nog geprobeerd de familie op te sporen…'

Hij knikte treurig. 'Het is gelukt.'

Omdat hij niets meer wist te zeggen keek hij nog maar eens goed naar de vrouw. Ze was achter in de zeventig, begin tachtig misschien, halfkaal als een jong vogeltje, een paar plukjes grijs haar nog. Ze werd ondersteund door smetteloos witte kussens, maar ze had zich niet verroerd. Als ze uitademde vormde zich in het masker een nauwelijks waarneembaar waasje condens. Ze haalde amper nog adem.

De verpleegkundige legde vol medeleven haar hand op zijn arm. 'Wilt u even bij haar gaan kijken?'

Toen Pat bedroefd knikte loodste ze hem aan zijn arm de kamer in. Een onhoorbare hartmonitor knipoogde hem oranje toe. Het rook er naar sinas, met een ondertoon van talkpoeder. De aardige verpleegkundige troonde hem mee naar het bed en pakte een plastic stoel voor hem, en dus ging hij maar zitten.

Grijs vel over een schedel. Handen bedekt met een flinterdunne huid waar je de polsslag doorheen zag kloppen. Een smalle trouwring, een goedkope verlovingsring, te wijd voor de magere vingers; om de onderkant was een reepje leukoplast gewikkeld om te voorkomen dat hij afviel.

'Ik laat u met haar alleen.' Ze liep om het bed heen om het gordijn tussen het raam en de gang dicht te trekken.

'Nee, nee, nee, alstublieft, het is beter om wat licht te hebben…'

Dat klonk stom. Achter hem was een raam, en uit de gang kwam geen daglicht, maar de verpleegkundige was er wel aan gewend dat verdrietige mensen domme dingen zeiden en gaf hem zijn zin. 'Prima.' Ze ging de kamer uit en liet Pat alleen.

Op het kaartje aan het bed stond dat ze Minnie Welbeck heette.

Voor het geval de verpleegkundige naar binnen zou kijken nam Pat haar rechterhand in zijn beide handen. De vingertoppen voelden koud aan, maar de handpalm was warm, alsof ze van buiten naar binnen aan het sterven was.

Hij was hierheen gegaan om dat mooie meisje in bed te zien zitten, badend in zonlicht. Hij was hierheen gegaan om zichzelf op te monteren, en sinds hij bij Breslin was weggereden had hij alleen nog maar aan hun ontmoeting gedacht. Maar deze Minnie had iets waardoor hij zich niet van haar kon losrukken. Ze was getrouwd geweest, misschien was ze weduwe. En nu lag ze op sterven, helemaal alleen, op een plek waar ze niemand tot last was, naast de toiletten.

Langzaam, als een versnelde film van een verwelkende bloem op een hoge stengel, zakte Pat naar voren over de kleine hand tussen zijn beide handen. Zacht als een zucht hield hij Minnies knokkels tegen zijn voorhoofd, en hij begon te huilen.

Eén ding was zeker: hier verkochten ze geen Lamborghini's. De Lexus was erheen gereden door een onbekende, ietwat louche jongeman, duidelijk niet de eigenaar en zeker niet Edward Morrison, de huurder en de houder van het rijbewijs, die bij de Avis-vestiging een fotokopie van zijn identiteitsbewijs had afgegeven. De jongeman stopte bij het hek van kippengaas en pleegde een telefoontje, waarna een oude kerel hem de poort binnen liet. Vlak voordat Morrow en Harris aan de overkant stopten, had het arrestatieteam gemeld dat er een Audi was gearriveerd en dat een onbekende man, fors en breedgebouwd, zichzelf had binnengelaten, de twee hangsloten weer had gesloten en naar het gebouw was gereden.

'Op de avond dat de oude man werd ontvoerd heb ik een Audi bij de Anwars zien staan,' zei ze tegen Harris.

'Zou het Billal zijn?'

'Zou kunnen.'

Het pand was ontworpen als garage, maar werd kennelijk niet als zodanig gebruikt. Het voorterrein was verlaten, het onkruid schoot door de scheuren omhoog. De bonte reclamevlaggen die nog aan het roestige kippengaas hingen waren door zon en regen gebleekt. Het gebouw stond op een industrieterrein een kilometer of drie uit het centrum, vrijwel onzichtbaar. Waarschijnlijk was het pand door faillissementen enkele malen in andere handen overgegaan en goedkoop doorverkocht. Volgens het onderzoek dat Routher had gedaan was het nu eigendom van een lege vennootschap. Het bedrijf stond wel nog geregistreerd in het handelsregister, maar er werd geen handel meer gedreven, al was er een belastingaangifte gedaan waaruit bleek dat er plannen in ontwikkeling waren. Op de lijst van directeuren stonden geen bekende namen. Zo slim was Billal wel.

Voor een sluimerende onderneming namen ze wel ontzettend veel voorzorgsmaatregelen. Twee hangsloten op het hek, nieuwe automatische deuren op de werkplaats, nieuwe tralies op de ramen en een uitgebreid bewakingssysteem: op alle hoeken een vissenoogcamera. Het gebouw zelf was laag, saai grijs en onopvallend, op die veiligheidsmaatregelen na. Voor zover ze kon zien stond er niet eens een naam op de deur.

'Is hij daar nu, volgens jou?' vroeg Harris.

'Ja, maar we blijven ver uit zijn buurt tot het arrestatieteam al zijn speeltjes in stelling heeft gebracht.'

Het arrestatieteam bevond zich aan de achterkant, in een busje dat een straat verderop verstopt stond. De manschappen waren aan het uitdokteren hoe ze het beste naar binnen konden gaan.

'Zou het wraak zijn?' vroeg Harris.

Ze keek strak naar de deur. 'Wat zeg je?'

'Is Billal aangepakt omdat hij het Lily lastig maakt? Denk jij dat het de Taits waren?'

'Nee…' Ze moest denken aan het jongetje dat vanuit zijn stoeltje boos naar hen had zitten kijken, aan zijn geelblonde haar en zijn volmaakt ronde kin, zijn vingers, zijn wimpers. Ze stelde zich voor hoe zacht zijn wang onder haar lippen zou voelen. 'Opa Tait zal het jongetje waarschijnlijk dolgraag willen zien. Dat zet hij niet op het spel. Misschien geeft hij info door, maar dat risico neemt hij vast niet, volgens mij. Zijn vrouw is overleden…'

'Maar hoe is hij erachter gekomen dat Billal btw-fraude pleegt?'

'Ik neem aan dat hij zijn oren goed openhoudt, omdat hij wil weten waar het geld voor Lily vandaan komt, een beetje wroeten.'

'Aha. Daar word je vies van, en waar je mee omgaat, daar word je mee besmet.'

Daar kon Morrow wel om lachen. 'Ja. Wie met pek omgaat, wordt er zeker mee besmet.'

De radiotelefoon begon te kraken: het hoofd van het arrestatieteam meldde dat ze er klaar voor waren om aan de achterkant binnen te vallen. Morrow en Harris keken elkaar aan, opgewonden als kinderen die op de kerstman wachten.

Er was niets te zien. Terwijl ze naar de eentonige gevel van de garage zaten te kijken hoorden ze opeens een klap, een schreeuw, weer een klap, iemand die terugschreeuwde, gevolgd door stilte. Een lange stilte. Toen het hoofd van het arrestatieteam zich via de radio meldde, hijgde hij en klonk hij boos.

'We hebben drie kerels. Geen vuurwapens. Het staat hier vol...' Hij onderbrak zijn zin even om bij iemand te informeren waar het eigenlijk mee vol stond, en kwam toen terug. 'Gekannibaliseerde auto's. Geen papieren waaruit blijkt wie de eigenaar is. Lijkt... eh... zwendel.'

Morrow en Harris gooiden hun portier open en renden om het pand heen. Het arrestatieteam had een grote doorgang in de omheining geknipt en de deur ingetrapt, die nu als een brug in de achteringang lag en regelrecht naar de werkplaats leidde.

Het was daarbinnen een stuk kouder, zo koud dat Morrow onwillekeurig huiverde terwijl ze rondkeek naar de vele motorblokken en portieren die langs de muur stonden. Glimlachend keek ze naar de stevige kerels van het arrestatieteam in hun beschermende uitrusting en naar de drie mannen die ze hadden aangehouden. Twee tengere kerels en de forse, brede man uit de Audi, de enige die geen goedkoop, opzichtig trainingspak droeg. Danny McGrath keek Morrow kil aan, alsof hij zijn zus nog nooit eerder had gezien.

Ze was regelrecht voor de aansnellende trein beland.

37

De zware metalen deuren gingen galmend open, waarna de passagiers het autodek op stroomden en tussen de bestelbusjes en auto's door laveerden die keurig in rijen stonden opgesteld, met hun neus naar de groene hoge boegdeur van de veerboot. Een stem uit de intercom verordonneerde hen in afgemeten Londens Engels pas te starten nadat de veerboot had aangemeerd en de valbrug was neergelaten. En wee degene die het waagde om op het autodek een sigaret op te steken.

Een onopvallende man met wit haar, een marineblauwe golftrui en een dikke buik als een kerstman in burger, begaf zich langs de auto's van gezinnen die met vakantie waren geweest of die met vakantie of op familiebezoek gingen, naar een groene Peugeot stationcar. Nadat hij was ingestapt en zijn gordel had vastgemaakt, stak hij de sleutel in het contact maar draaide hem nog niet om. Hij wachtte geduldig, met neergeslagen ogen, nog steeds onopvallend.

De verkeersregelaars, in hun fluorescerende gele jacks en grote laarzen, stonden bij de deuren onbeschaamd naar de passagiers te staren, klaar om in actie te komen.

Het gebrul van de machines kreeg opeens een ander timbre, ze schakelden terug, waarna de veerboot de pier trager naderde, licht overhelde en afmeerde. Langzaam werd de boegdeur geopend, zodat de felle havenverlichting toegang kreeg tot de ingewanden van het schip.

De auto's in de eerste rij startten, en de verkeersregelaars gaven een teken dat ze mochten oprijden, de valbrug over en Schotland in.

Zelfs in zijn stoutste dromen over met bloed overgoten roem had Eddy niet kunnen bedenken dat hij naast een echte paramilitaire ex-terrorist door de straten van Glasgow zou rijden, na een maaltijd in een Beefeater waar je zoveel mocht eten als je op kon. Kortom, Eddy genoot met volle teugen. Hij deed zijn best om cool over te komen, maar probeerde de man intussen zoveel mogelijk te observeren. Vol bewondering bekeek hij de kalme manier van doen en de arrogante schouderbewegingen tijdens het lopen. Bovendien was de Ier voortdurend waakzaam, hij maakte zelden echt oogcontact met hem, maar keek over zijn schouder. En Eddy vond het prachtig dat de man, nadat hij in de Beefeater een bescheiden bord had opgeschept met vlees, één aardappel en jus, een tafeltje in de hoek had gekozen, ver van de ingang en de ramen. Voorzichtig. Een prof.

Eddy keek aan zijn kant uit het raampje van de Peugeot en bedacht dat alles heel anders zou zijn gelopen als de Ier er aldoor bij was geweest, dat hij vast iets heel hoogs bij de extremistische tak van de IRA geweest was, want hij bezat een vanzelfsprekende autoriteit – Eddy zou hem blindelings in de strijd zijn gevolgd.

'Daar.' De man met het witte haar, die had gevraagd of Eddy hem gewoon 'T' wilde noemen, stopte aan de stoeprand en knikte naar een telefooncel verderop in de straat.

'Maar…' Eddy wist niet goed of hij het nu zeggen moest of niet: 'Het wemelt hier van de camera's.'

De man keek door de voorruit naar het grijze kastje aan een straatlantaarn. 'Geen probleem,' zei hij langzaam met zijn hese stem. 'Jongeman, gewoon een kwestie van pet ophouden en omlaagkijken, dat weet je toch wel?'

Eddy wist dat niet, maar zou het onthouden voor toekomstige escapades. 'Eh… Ik heb mijn petje niet bij me.'

T reikte achter zijn stoel en viste twee identieke marineblauwe petjes van het England Cricket Team op, en gaf er een aan Eddy.

Eddy wees op het logo en waagde een joviale opmerking: 'Dat is toch zeker een grapje, hè?'

'Wat denk je er zelf van, jongen?' Er twinkelde een lichtje in zijn ogen. Eddy begon het gevoel te krijgen dat T hem wel mocht.

'Zeg, T, waarom zouden ze ons niet oppakken als we het geld ophalen? Stel dat ze de politie hebben ingeseind?'

T grijnsde met zijn lippen stevig op elkaar. 'Ik doe dit niet voor het eerst, jongen, maak je maar geen zorgen.' Hij trok zijn petje diep in de ogen, en Eddy volgde zijn voorbeeld.

Daarna stapten ze uit en liepen ze in gesloten formatie naar de telefooncel. Het viel niet mee om zich samen in de cel te wurmen, want de Ier was aardig dik en door al zijn inspanningen in de sportschool was Eddy ook niet bepaald de slankste. Niettemin zagen ze kans de deur bijna dicht te krijgen, zodat ze minder last hadden van de achtergrondgeluiden van het verkeer en het hoge gepiep van een oversteekplaats honderd meter verderop.

De Ier trok een latexhandschoen aan en pakte de hoorn, die hij tussen kin en schouder klemde terwijl hij een munt van een pond uit zijn zak haalde en in de gleuf stopte.

'Zo,' zei hij. 'Toets jij het nummer maar in, jongen.'

Eddy knikte, pakte het supermarktbonnetje waar met potlood het privénummer van de Anwars op gekrabbeld stond en begon het in te toetsen. Hij gebruikte zijn knokkels om, hoopte hij, een vakkundige indruk te maken.

'Staat het op een papiertje dat je in je zak hebt zitten? Stel nou dat je wordt aangehouden? Dat is belastend materiaal.'

Eddy kromp in elkaar. 'Ja, eh… Mijn maat had ze gebeld en ik kende het niet uit mijn hoofd en toen, nou ja…' Hij zag de man misnoegd kijken. 'Maar na het telefoontje zal ik het opeten.'

'Hè?' T's teleurstelling sloeg om in verbazing. 'Ben je van plan een bonnetje van de Tesco op te eten?'

'Om het te laten verdwijnen.' Eddy schaamde zich voor zijn flater, toetste de laatste cijfers in en stopte het bonnetje in zijn mond. Jammer dat het zo'n lange sliert was, want het smaakte naar inkt en krant.

T sloeg hem met verwondering en lichte afkeer gade. 'Je had beter even kunnen wachten tot we zeker wisten dat het 't goede nummer was…' Opeens richtte hij zijn aandacht op een stem aan de andere kant. 'Anwar?'

Eddy kon de reactie niet horen, maar alle aarzeling was van T's gezicht verdwenen. 'Ik moet een zakelijke kwestie met u bespreken,' zei hij gedecideerd en met een diepe frons die zijn ogen bijna aan het zicht onttrok.

Behoedzaam opende T de deur van de telefooncel. Hij duwde Eddy met zachte maar resolute hand naar buiten en trok de deur dicht. Eddy stond op straat en kauwde braaf op het papiertje, voor het geval T zijn kant op zou kijken. De regen bespatte zijn meekleurende brillenglazen tot hij niets meer kon zien.

Sadiqa, Omar en Billal staarden naar de rinkelende telefoon, bloednerveus. Met een verontschuldigend gebaar reikte Omar naar de hoorn. De stem aan de andere kant beweerde dat hij een zakelijke kwestie te bespreken had, maar zijn stem klonk anders, Iers, nasaler, dieper.

'Met wie spreek ik?' vroeg Omar.

'Met de Baas. Wie ben jij?'

'Omar.'

'Anwar?'

'Anwar is de achternaam, mijn voornaam is Omar.'

'Maar ze noemen je anders, hè?'

Omar zuchtte, zag Billal boos naar hem kijken en sloot zijn ogen om dat niet te hoeven zien.

'Je hebt een bijnaam, hè?' De man aan de andere kant glimlachte. Omar hoorde de krokodillenbek wijd opengaan, klaar om hem doormidden te happen. 'Ze noemen je Bill, hè?'

'Bob.'

'Hè?'

'Ze noemen me Bob.'

'Welnee.' Hij lachte vreugdeloos. 'Nee, hou me niet voor de gek, jongen. Bill, zo word je genoemd.'

Omar opende zijn ogen. Billal had het ook gehoord. Hij keek van Omar naar de telefoon.

'Luister, Bill, we weten toevallig zo ongeveer waar je mee bezig bent...'

Billal schrok en bukte zich abrupt. Hij stortte zich op de bandrecorder als was het een spin in zijn bord met eten, en zette het apparaat uit.

'De bekende btw-truc en zo, dus je kunt maar beter meteen dokken, anders gaat je lieve vader eraan, snap je?'

Billal bleef zitten waar hij zat, gehurkt bij het telefoontafeltje, met hangend hoofd.

'Waar en wanneer?'

'Over een uur. Leg de tas langs de A1, bij de eerste praatpaal voorbij het servicestation. Begrepen?'

'Ja. Ik kan niet alles bij elkaar krijgen wat jullie vragen. Ik heb veertig mille.'

'Daar zullen we het dan mee moeten doen.'

'En dan laten jullie mijn vader vrij?'

'Zodra we het geld hebben opgepikt wordt hij ergens in de stad vrijgelaten, met geld voor een taxi naar huis. Duidelijk?'

'De eerste praatpaal voorbij het servicestation. Begrepen.'

'En als er geen paki achter het stuur zit, is dat voor mij een teken dat jullie de politie hebben gebeld. En je weet wat er dan gebeurt, hè?'

Omar kon amper nog iets uitbrengen, het dreigement en de racistische opmerking werden hem te machtig.

'Zeg,' zei de stem. 'Zeg, kan je moeder rijden?'

'Eh, ja.'

'Laat haar de tas dan brengen. Alleen.'

Omar bracht met moeite drie woorden uit: 'Over een uur.'

'Over een uur.'

Hij hield de hoorn zo stijf tegen zijn oor dat de klik waarmee de verbinding werd verbroken pijn deed aan zijn trommelvlies. Oppervlakkig ademend haalde hij de hoorn langzaam van zijn oor, tilde hem hoog op en sloeg Billal zo hard hij kon op zijn achterhoofd.

Harris keek naar het huis van de Anwars. Het lage tuinmuurtje was nog steeds beschadigd, maar alle bordjes bij bewijsstukken en afzettingslinten waren uit de tuin verdwenen, en de bungalow was weer even onopvallend als alle andere huizen in de buurt.

'Niets bijzonders aan te zien,' zei hij. 'Hoeveel heeft hij volgens jou weggemoffeld?'

'In het handelsregister staat een hele ris failliete firma's, tot anderhalf jaar terug. Die btw kan miljoenen per maand opbrengen. Hij moet ergens een bergplek hebben.'

'En toch woont hij samen met zijn nieuwe vrouw in één slaapkamer?'

'Maar hij is kapitalen kwijt aan lady Lily en dat manneke.'

'Hoeveel denk je? Paar mille per maand?'

Morrow haalde haar schouders op. 'Hij moet ergens nog dózen met cash hebben staan.' Door het melkglas van de voordeur zag ze iemand bewegen, een wilde uithaal van de ene kant van de gang naar de andere. Ze probeerde zich voor te stellen wat er gaande was – een snelle greep naar de telefoon, een zelfbedacht springspelletje, iemand die vooroverdook om een vaas die dreigde te vallen op te vangen – toen er een reuzengestalte zo hard tegen het glas bonkte dat het ervan trilde.

In een reflex sprongen Harris en Morrow de auto uit en liepen het pad op, net toen de gestalte opkrabbelde en de gang in verdween. Harris rammelde aan de deur en schreeuwde: 'Politie! Politie! Doe open!'

Sadiqa opende met een zwaai de deur. Als een angstige goochelaarsassistente wees ze de gang in.

Omar zat schrijlings op de borst van zijn broer en bewerkte hem met het zware telefoontoestel. Billal zat onder het bloed, hield beide armen voor zijn gezicht en fietste, zodat hij zijn jongere broer afwisselend met de linker- en de rechterknie in zijn rug porde. Aan Omars gezicht was niet te zien dat hij de klappen tegen zijn nieren opmerkte. Omar hoorde Harris niet eens aankomen. Met volle aandacht liet hij de telefoon telkens weer op zijn broer neerkomen, als een boos kind dat een stuk speelgoed waar hij genoeg van heeft probeert te vernielen.

Harris griste Omar de telefoon af en nam hem in de houdgreep. Daarna pakte hem bij zijn lurven, trok hem van zijn broer af en zette hem overeind.

Billal was bevrijd, zijn neus was een bloederige brij. Hij keek op, maar toen hij zag dat Morrow hem gadesloeg wachtte hij een fractie van een seconde en begon toen te schreeuwen: 'O mijn god, mijn god!' Hij rolde een eindje weg maar bleef haar in de gaten houden, als om haar zover te krijgen dat ze kwam kijken of het wel goed met hem ging. Een reden voor haar om rond te kijken.

Meeshra stond in de deuropening van de slaapkamer, haar ogen star van schrik, met haar handen aan weerszijden tegen de deurposten. Morrow deed een stap in haar richting en zag tot haar verbazing dat er een schokje door haar heen ging. 'Meeshra?' In de slaapkamer slaakte de baby een kreetje, maar Meeshra keek niet om. Ze blokkeerde de deur niet om haar baby te beschermen. Meeshra beschermde iets anders.

Zonder het oogcontact te verbreken liep Morrow naar haar toe, pakte haar rechterhand van de deurstijl en zag Meeshra's ontzetting toen het tot haar doordrong dat ze de boel verraden had. Zachtjes lachend liep Morrow naar het enige meubelstuk in de kamer dat groot genoeg was. Ze gunde zichzelf de tijd om zich om de lippen te likken, waarna ze zich bukte om de rand van het divanbed met beide handen beet te pakken. De matras gleed aan de andere kant van het bed op de grond en de lattenbodem kon makkelijk worden opgetild. Ze hield hem vast en keek omlaag.

In krimpfolie verpakte bundels roze en paarse bankbiljetten, keihard, zoveel dat ze een schatting moest maken: een meter vijftig bij een meter twintig, ruim een halve meter hoog.

Opeens hoorde ze hoe stil het in de gang was geworden. Ze keek op. Sadiqa, Harris en Omar, die achter Meeshra stonden, zagen het geld. Even bleven ze verbouwereerd stokstijf staan, tot Sadiqa bukte, de kapotte telefoon opraapte en, met opmerkelijk veel gratie voor een vrouw van haar omvang, uithaalde om er haar oudste zoon een oplawaai mee tegen zijn ballen te geven.

Daar was de verpleegkundige weer. Ze kwam vragen of hij beneden even een kop thee wilde gaan drinken in de cafetaria. Dan kon zij intussen zijn tante verschonen, zodat ze er lekker fris bij lag als de artsen hun ronde deden. Als hij terugkwam, kon hij met hen praten.

Pat ging rechtop zitten, keek naar Minnies hand en zag dat haar middelste knokkel wit was, zo hard had hij zijn voorhoofd erop gedrukt. Behoedzaam legde hij de hand terug op het dek en hij rechtte zijn rug. Zijn gezicht was nat, zijn ogen dik van het huilen en het vooroverzitten. Opeens wist hij zich met zijn figuur geen raad.

'Ja, misschien moest ik dat maar eens gaan doen.' Pat stond langzaam op, met zijn gezicht afgewend van de verpleegkundige. Ze gaf hem een handje tissues.

Ze zei zachtjes: 'Neem rustig de tijd,' en vertrok weer.

Pat ging naar de gang en sloot zich op in het toilet. Hij draaide de kraan open en boog zich over de wasbak om handenvol water in zijn gezicht te gooien. Hij wilde wel in de spiegel kijken of hij er redelijk uitzag, maar hij kon de moed niet opbrengen. Nadat hij zijn gezicht met een handdoekje van ruw groen papier had afgedroogd, ging hij weg.

Een andere verpleegkundige zag hem aankomen, een oudere vrouw in marineblauw uniform met lange broek. Hij keek haar aan. Toen ze zijn rode ogen zag keek ze hem met haar hoofd meelevend een beetje scheef glimlachend aan. 'Meneer Welbeck?'

Patrick probeerde langs haar heen te schuiven. 'Ik ga even een kop thee drinken,' mompelde hij.

'De artsen hebben pas op z'n vroegst over een halfuur tijd voor uw tante, dus doe rustig aan, u hoeft u niet te haasten.'

Hij wilde haar voorbij, maar ze kwam naar hem toe en raakte zijn elleboog aan; ze zakte zelfs iets door haar knieën zodat hij haar wel moest aankijken. Hij bleef staan, niet bij machte zich te verzetten.

'Ze lijdt niet,' zei ze. 'Maakt u zich daar maar geen zorgen over.'

Hij knikte, haalde diep adem om zijn tranen terug te dringen en gooide zijn hoofd in de nek.

Over de schouder van de kleine verpleegkundige zag hij een raam van draadglas; hier en daar op de ruit zaten vergeelde restanten plakband. Gele gordijnen met roze driehoekjes. En daar zat ze, rechtop in bed, met een soepele golf haar over een schouder, haar handen op de lakens, het licht achter haar. Ze keek naar hem.

'... al heeft ze wel doorligplekken, maar die zijn niet ontstoken en de baden met fysiologisch zout schijnen verlichting te brengen.'

Pat kon zijn blik niet van haar losmaken, en omgekeerd gold hetzelfde. Hij meende dat haar ogen zich heel even verwijdden, alsof ze hem herkende, maar vervolgens vroeg hij zich af of hij zelf misschien grote ogen had opgezet om haar nog beter in zich te kunnen opnemen.

De vrouw voor hem ratelde maar door over doorligplekken en over het verpleeghuis waar Minnie had gelegen, over een rapport en een bepaald onderzoek, maar hij verstond haar niet goed. Er zweefden alleen onsamenhangende woorden naar hem toe, over hem heen, langs zijn oren.

Zonder het oogcontact te verbreken, zelfs zonder haar hoofd te bewegen, zo leek het, gooide Aleesha de dekens af. Ze zette haar voeten met een zwaai keurig naast elkaar op de grond en stond op. Een hand zat in een dik, wit verband. Ze pakte die hand met haar andere hand bij de pols, maar bleef hem aankijken terwijl ze naar hem toe liep. Zelfs bij de deur, zelfs toen ze elkaar door de muur met het rauhfaserbehang niet konden zien, bleven ze naar elkaar kijken.

Ze wachtte in de deuropening tot de verpleegkundige wegging.

'Sorry,' zei de verpleegkundige, en ze wees op zichzelf, 'ik ben zuster Sarah, hoe heet jij?'

Aleesha deed een stapje naar achteren zodat haar ene oog schuilging achter de deurpost. Kennelijk wist ze nog niet of het wel zo'n goed idee was om met die onbekende te gaan praten, ze bedacht zich half en half, keek naar haar verbonden hand en boog licht achterwaarts, alsof ze de kamer weer in wilde gaan, alsof ze door een bepaalde kracht werd teruggezogen.

'Roy.' Hij stapte langs de verpleegkundige en stak Aleesha zijn vlakke hand toe, niet om haar een hand te geven, maar als teken dat ze met hem mee moest komen. 'Hallo.'

Aleesha keek naar zijn hand, trok een wenkbrauw op vanwege de vrijpostigheid, keek hem aan en kon aan zijn gezicht zien dat hij wanhopig naar haar verlangde.

Hij was fantastisch. Lang. Geelblond haar, zo dik dat het rechtop stond, niet met gel of zo, niet met van die piekjes alsof het zo belangrijk voor hem was dat hij er uren aan besteedde, zoals bij andere jongens. Kaken met stoppeltjes in allerlei verschillende kleuren, een platte neus alsof hij een auto-ongeluk had gehad en schouders bijna breder dan de deur. Hij keek haar met opgetrokken wenkbrauwen aan: droeve, lieve ogen, lichtblauw.

Ze gaf hem geen hand. Ze kende die jongen helemaal niet. Ze trok zich terug in haar kamer, draaide zich om zodat hij haar gezicht niet meer kon zien.

'Zeg,' vroeg de verpleegkundige, en ze keek lichtelijk ontstemd naar Aleesha's hand, 'kennen jullie elkaar?'

'Ja,' antwoordde Pat. 'Ik weet het bijna zeker, maar ik kan maar niet bedenken waarvan.'

Aleesha draaide zich terug naar de deur. 'Zit je soms op de St. Al?'

Pat lachte flauwtjes. 'Ik ben achtentwintig. Het is lang geleden dat ik naar school ging, en ik heb niet op de St. Al gezeten, nee.'

'Ik dacht dat je op de St. Al zat,' zei ze. Haar stem was hoger dan hij had verwacht, liever.

Hij keek naar haar en zag een meisje, niet de godin uit zijn verbeelding. Hij gaf de voorkeur aan het meisje. 'Mijn, eh...' Hij keek achterom de gang in naar de toiletten. 'Mijn tante krijgt dadelijk bezoek van de dokter. Ik was, eh...' Hij keek naar de deur van de afdeling en kon opeens niet geloven dat dit echt gebeurde. 'Ik ga een kop thee drinken…'

Ze zag hoe moe hij was, en hoe bedroefd en hoe knap. 'Je hebt gehuild.'

Hij knikte.

'Waarom?'

De verpleegkundige maakte afkeurende geluiden tegen het meisje en sloeg haar armen over elkaar: ze koos partij voor hem tegen haar. Pat trok aan zijn oor, moest even slikken en deed zijn uiterste best niet weer te gaan huilen. 'Verdrietig,' fluisterde hij, en hij wees met zijn duim over zijn schouder.

Ze keken elkaar weer recht aan, weer te lang, onbetamelijk lang. Hij zag dat ze met hem meevoelde, zag aan haar ogen dat ze zijn stemming overnam. Met haar goede hand hield ze hem het bundeltje verband en pleisters voor. 'Ik doe een beetje vreemd,' zei ze, 'want ik zit ónder de pijnstillers.'

Hij wees zwakjes naar haar hand, wilde vragen hoe het was gekomen, verbazing voorwenden, maar hij kon zich er niet toe zetten om dit met een leugen te beginnen. Ze keken beiden naar haar hand. Aleesha frunnikte aan een rafeltje van het verband.

Het irriteerde de verpleegkundige dat ze buitengesloten werd. Ze ging tussen hen in staan, maar Aleesha stapte met bovenmenselijke gratie opzij, terug in Pats gezichtsveld.

'Als mijn moeder belt,' zei ze, 'zeg dan maar dat ik over twintig minuten terug ben.'

38

Ze hadden de Lexus en zeventien andere gestolen auto's, of onderdelen ervan – maar ze konden Danny McGrath niets maken. Zijn vingerafdrukken stonden nergens op, zijn naam stond nergens op. Wel kwam hij vrijwillig vragen beantwoorden, bij wijze van gunst tegenover de politie.

Danny had nog nooit eerder een bedreiging voor haar gevormd; ze hadden elkaar altijd met rust gelaten. Zijn aanwezigheid hier betekende dat hij geloofde dat zij het staakt-het-vuren had geschonden. En ze besefte dat het nooit meer goed zou komen, ook al zou ze hem onder vier ogen kunnen uitleggen hoe het was gegaan.

Ze kon hem niet door iemand anders laten verhoren, omdat het risico bestond dat hij haar zou verraden, maar als ze het zelf deed zouden de collega's hen samen zien en zou de gelijkenis opvallen en haar afkomst bekend worden. Het liefst zou ze voorgoed hier op het invalidentoilet blijven. Ze wenste bijna dat er een raampje was om door te ontsnappen, of dat ze een aansteker had om het brandalarm in werking te stellen. Een klopje op de deur werd gevolgd door de stem van Harris: 'Zit je opgesloten?'

Ze maakte een geluid dat voor een lach moest doorgaan, trok haar kleren recht en wist een luchtig 'ik kom eraan' uit te brengen, waarna ze de deur nogal abrupt opende. Harris bleek wel erg dichtbij te staan. 'Doe me een lol, zeg,' zei ze. 'Gedraag je.'

'Je zit daar al twintig minuten. Hij gaat al bijna weer naar huis. Hij is hier uit vrije wil, dat weet je toch? Hij mag zo weg.'

Ze knikte naar de rechercheafdeling. 'Waar is de grote baas?'

'MacKechnie is al naar huis.'

Ze keek op haar horloge. 'Het is pas halfvijf.'

'Hij had een vergadering, en daarna is hij vertrokken. Maar hij zou terugkomen voor het ophalen van het geld, zei hij. Hij gaat met je mee in de observatiewagen.'

'Kut.' Het was ook een opluchting. Gelukkig, hij zou hen niet samen zien. 'Kut.'

'Voel je je wel goed?'

'Niet echt. Is het te zien?'

'Beetje.'

Ze praatte snel, hoorde ze opeens, waarmee ze zichzelf verried. Ze staarde hulpeloos naar de muur, tot Harris aandrong: 'De tijd dringt, hij staat in zijn recht…'

'Welke kamer?'

'Vier.'

'Zeg tegen Gobby dat hij naar de gang komt bij kamer drie. Ik wil hem even spreken voordat we naar binnen gaan. Als hij er over twee minuten niet is, krijgt hij een schop in z'n ballen.'

Danny zat tegenover haar, naast zijn advocaat. De advocaat zag er niet echt uit als een strafpleiter. Morrow had hem nooit ontmoet en zelfs zijn naam kwam haar niet bekend voor. Hij hield zich voornamelijk bezig met ondernemingsrecht, antwoordde hij toen ze daar een opmerking over maakte, en hij glimlachte er charmant bij.

Danny maakte een onbehouwen en boze indruk. Hij zat zo ver achterover dat de rugleuning van zijn stoel doorboog onder zijn gewicht, met een arm naar achteren, zo relaxed als het maar zijn kon. Hun vader zat er ook altijd zo bij. Op een keer had ze hem vanuit die houding een rake klap zien uitdelen. Verder droeg hij zijn dikke eendendonsjack, duurder dan menig pak, maar je zag toch meteen uit welk milieu hij kwam.

Zijn advocaat daarentegen droeg een echt duur wollen kostuum, en hij had een aktetas bij zich van schitterend leer. Daar haalde hij een notitieblok en een schildpadvulpen uit, een kleine brillenkoker met een half leesbrilletje in een goudkleurig montuur, en een pakje kauwgom, dat hij Danny voorhield. Morrow hield zich muisstil.

De deur zwaaide zo ver open dat hij tegen de muur stootte, en Gobby kwam binnenslenteren. Er lag een vreemde uitdrukking op zijn gezicht, een mengeling van arrogantie en buikpijn. Morrow stond beleefd op. De advocaat volgde haar voorbeeld en stak zijn hand uit. 'Inspecteur MacKechnie?'

Gobby schudde de man de hand, keek enigszins narrig naar Morrow, vond ze, en trok zijn jasje uit. Hij schudde het uit zoals Bannerman voorafgaand aan het verhoor van Omar had gedaan. Toen ging hij zitten, legde zijn gevouwen handen op tafel en schraapte zijn keel.

Iedereen wachtte af. Gobby schraapte nogmaals zijn keel en wierp Morrow een verwijtende blik toe.

'Zo,' zei ze. 'Sorry, oké, ik ben rechercheur Morrow, en dit is insp... Nou ja, jullie hebben elkaar ontmoet. Weet u eigenlijk waarom u hier zit?'

Danny klemde zijn kaken op elkaar, en aan zijn blik zag ze dat hij dit nooit zou vergeten.

'De feiten op een rijtje,' vervolgde ze. 'Er is iemand ontvoerd door enkele gewapende mannen, en wij proberen die op te sporen. Bij dat misdrijf is een auto gebruikt die is gevolgd naar de garage waar u bent, eh, aangehouden. Kunt u me vertellen wat u daar deed?'

'Onderdelen kopen,' antwoordde Danny.

'Auto-onderdelen?'

Hij kneep zijn ogen bevestigend half dicht.

'Van wie kocht u die?'

'Van de kerels die daar waren.'

'De twee andere mannen die we in de garage hebben aangehouden?'

Hij schokschouderde.

'Om wat voor onderdelen ging het?'

'Bougies.' Zijn stem klonk geringschattend.

'Bougies?'

Hij zoog hoorbaar lucht tussen zijn tanden naar binnen. 'Dat zeg ik toch net?'

'Waarom ging u die dáár kopen?'

Hij haalde achteloos een schouder op. 'Waarom niet?'

'Dat zijn toch geen dure onderdelen?'

Hij snoof verachtelijk en leunde nog verder achterover.

'Waarom gaat u ze daar halen als u ze ergens anders net zo goedkoop kunt krijgen?'

Hij mompelde iets tegen de tafel.

'Pardon?'

'Je hebt goddomme wel lef,' zei hij zachtjes.

'O ja?'

'Je zet me hier neer, goddomme, en ik moet dit gezeik aanhoren.' Hij keek Gobby aan maar sprak tegen haar. Hij knikte naar haar. 'Heb je weleens naar haar gekeken?'

Gobby keek naar Morrow.

Danny grijnsde. De kuiltjes in zijn wangen zakten al uit tot groeven, zag ze, zijn charme verwaterde, verbittering kondigde zich aan. 'Maar zíé je haar ook echt?'

De advocaat keek van de een naar de ander. Ontdekte de gelijkenis. De kuiltjes in de wangen, het hoge voorhoofd.

Danny en Morrow keken naar elkaar, en even herkende ze zichzelf volkomen in hem: de boosheid die diep zetelde in angst, de behoefte alles onder controle te hebben omdat hij niets goeds van de wereld verwachtte, de diepe, wanhopige behoefte om ergens bij te horen.

'Ik wil je graag even onder vier ogen spreken,' zei hij zelfverzekerd.

Morrow aarzelde. 'Mij?'

'Hém.' Hij haalde een pakje kauwgom uit zijn zak, schoof twee witte rechthoekjes in zijn hand en mikte ze in zijn mond alsof het pijnstillers waren. Hij kauwde erop; in het stille vertrek was het gekraak van het knapperige buitenlaagje hoorbaar.

Gobby schoof naar voren. 'Waarom?'

'Ik wil je iets vertellen.'

Ze wist zeker dat hij het niet zou doen, dat kon hij niet maken, maar hij dreigde haar ermee, wilde haar duidelijk maken dat het mogelijk was, dat hij het zou kunnen doen.

'Meneer McGrath.' Gobby leunde achterover, in navolging van Danny's houding. 'Wij praten alleen met een verdachte in bijzijn van een collega. Om verklaringen te kunnen bekrachtigen.'

De advocaat mengde zich erin. 'Het spijt me, maar...'

Danny legde hem met een handgebaar het zwijgen op. 'Ik heb interessante informatie.'

'Aha,' zei Gobby verwonderd. 'U wilt informant worden?'

'Nee.'

'Inspecteur MacKechnie,' zei de advocaat op lachwekkend formele toon. 'Helaas heb ik werkelijk geen idee waar mijn cliënt op doelt. Kunnen wij elkaar even onder vier ogen spreken?'

Gobby nam het heft in handen. 'Nee. Waarom zit u hier? Bent u bereid om ons iets over die auto's te vertellen?'

Danny leek opeens een stuk minder zelfverzekerd. 'Want anders…?'

'Want anders – niks,' zei Morrow.

'Want anders word ik gearresteerd omdat ik een bougie heb gekocht?'

'Meneer McGrath,' zei ze, 'waarom bent u eigener beweging hier gekomen? Waarom betaalt u uw advocaat om u bij te staan?'

Danny liet nu allebei zijn armen achter zijn stoelleuning hangen, ontblootte zijn borst, stak zijn kin naar voren. 'Hoe komt het, Alex, dat ik weet waar je woont? Hoe komt het dat ik weet' – hij aarzelde even voordat hij het volgende dreigement uitsprak – 'dat ik weet naar welk kinderdagverblijf je zoontje gaat?'

Morrow leunde achterover en keek hem aan. Hij dacht dat hij haar kende, had in het roddelcircuit het een en ander over haar opgevangen, maar het allerbelangrijkste wist hij niet. Hij wist niets van Gerald, en dat was het enige wat ertoe deed. Danny hoorde niet tot haar familie. Ze keek hem lange tijd strak aan, en toen ze ten slotte het woord nam was ze heel rustig. 'Meneer McGrath, u weet helemaal niets van mij.'

Gobby stond op. 'Als u hier nog eens komt,' zei hij bars tegen de advocaat, 'dan valt dat in de categorie verspilling van onze kostbare tijd.'

De advocaat knikte in de richting van zijn aktetas en begon zijn spullen in te pakken. Pas op dat moment kwam Danny op het idee om naar de videocamera te kijken. Hij zag dat het apparaat niet was aangesloten en dat de stekker erbij bungelde.

Morrow haastte zich voor de anderen uit naar beneden en in de hal liep ze Routher tegen het lijf. 'O ja, uw man staat buiten. Wil u even spreken.'

Aleesha gebruikte inderdaad medicijnen. Paracetamol. De operatie, twee dagen geleden, was goed verlopen, en ze kreeg al veertien uur geen morfine meer. Maar ze deed alsof ze er nog behoorlijk veel last van had: ze liep een beetje onzeker, met trage stappen, ze pakte dingen op en legde ze weer weg alsof ze was vergeten dat er al een blad op de doorschuifbalie in het zelfbedieningsrestaurant stond, en dat ze al een lepeltje en suiker hadden. Ze deed het met opzet. Het was een test.

Roy gedroeg zich hoffelijk, kwam naast haar staan wanneer er een karretje voorbijsnelde, om haar te beschermen. Hij legde het blad en de suiker rustig terug, sprak zachtjes tegen haar. Terwijl hij haar flesje water en zijn mok thee afrekende, bestudeerde ze zijn gezicht. Hij treurde, diep achter zijn ogen lag een verdriet dat niet van wijken wist, ook al glimlachte hij naar de serveerster en dacht hij eraan een lepeltje mee te nemen.

Toen hij het wisselgeld van het briefje van vijf pond aannam, zag ze dat hij heen en weer keek tussen de muntjes en de collectebus voor het ziekenhuis: hij wist dat hij er eigenlijk iets in moest stoppen, maar besloot het niet te doen. Ze zag aan zijn minieme mimiek dat hij zich een tikje schaamde. Dat beviel haar wel. Hij loodste haar behoedzaam mee naar een tafeltje in de hoek, zo ver mogelijk weg van de bedrijvige gang, naar de stoel waar ze het minste risico liep te worden aangestoten.

Hij ging tegenover haar zitten, waarna hij het flesje water voor haar neerzette, de thee bij zijn elleboog en het blad op de grond tegen de tafelpoot. Hij keek naar haar, te beginnen bij haar kin, langzaam omhoog via haar lippen naar haar neus, genietend van haar wenkbrauwen, om ten slotte haar ogen te ontmoeten.

Ze zag al het verdriet vervliegen, de pijn verdwijnen, en ze besefte dat zíj dat teweegbracht.

'Roy?'

'Ja, ik ben Roy.'

'Zeg, Roy, waarom ben je verdrietig?'

Hij haalde zijn schouders op, wendde zijn blik af, verzonk weer in zijn verdriet. 'Het verlies…' Het was of hij niet meer wist wat hij moest zeggen.

Terwijl ze probeerde het flesje water rechtop te houden, pulkte Aleesha met haar goede hand het etiket eraf. Hij zat naar haar te kijken.

'En, wat is jouw verhaal?'

Ze glimlachte.

'Nee, serieus,' drong hij aan. 'Wat is er met jou?'

'Hoezo, wat bedoel je?'

'Waarom doe je alsof je in de war bent?'

Ze rechtte haar schouders, pakte het flesje en richtte het tuitje dreigend op hem. Maar hij glimlachte. 'Ik weet hoe het eruitziet als je onder invloed van medicatie bent.'

Ze beantwoordde zijn glimlach. 'Je vindt me echt leuk, hè?'

'Ja.' Het kwam zo diep uit zijn hart dat hij het nauwelijks over zijn lippen kreeg. 'Ja.'

'Waarom vind je me leuk?'

Ze verwachtte een complimentje, een afgezaagd lijstje met pluspunten: mooie ogen, prachtig haar, fraai figuur. Roy leunde achterover, omklemde het oor van zijn mok, legde zijn hand weer op tafel en zei het enige op de wereld waarmee hij haar vertrouwen kon winnen: 'Ik heb geen idee. Maar ik vind je echt heel erg leuk.'

Aleesha had moeite met drinken, zo breed lachte ze naar hem. Hij zat haar met half dichtgeknepen ogen vol bewondering te bestuderen, haar armen, haar schouders – hij hield van haar. Terwijl ze hem over het plastic flesje heen aankeek, begon haar hart sneller te kloppen, haar ademhaling werd dieper. Ze slikte, voelde dat het flesje zich even aan haar lip vastzoog, en liet het los.

'Roy?'

Alleen al het feit dat ze die naam uitsprak, maakte hem aan het lachen.

'Roy, heb je een auto?'

Morrow herkende de auto niet. Het was niet hun auto, maar ze keek er toch in omdat het de enige burgerwagen op het terrein was die ze niet meteen kon thuisbrengen. Een lompe lichtblauwe Honda Accord. Haar adem stokte, zo overrompelde deze actie haar. Ze bleef op de hellingbaan staan en zocht steun bij de balustrade. Hij zat achter het stuur, met zijn handen op zijn bovenbenen, naar haar te kijken. Brian had zonder met haar te overleggen een auto gekocht. Tweedehands. Geen bijzondere auto, eerlijk gezegd een lelijk ding, maar precies zo een als hij had gehad toen ze elkaar leerden kennen.

Ze zaten allebei op het Langside College, en hij was gestopt bij de bushalte voor het Battlefield Rest bij het Vicky, en had haar een lift naar huis aangeboden. Ze waren niet bevriend maar hadden tijdens geschiedenisles een paar keer vlak bij elkaar gezeten, ze kenden elkaar van gezicht, dronken weleens in dezelfde groep koffie.

Nu ze een door de wol geverfde politievrouw was en om zich heen had gekeken in de wereld, zou ze nooit meer bij een onbekende man in de auto stappen. Nu zou ze zich voorover hebben gebogen, terwijl de regen op haar capuchon spetterde en haar enkels ijskoud werden, en het aanbod hebben afgewimpeld: nee hoor, ze kon best met de bus, ze zag hem morgen wel, wist hij wel dat hij daar niet mocht stoppen? Nu zou ze nooit bij Brian in de auto gaan zitten. Maar toentertijd had ze de warmte uit het raampje voelen zweven en was ze uit de bushalte aan de winderige straat de auto in gestapt; ze had haar capuchon afgedaan, en hij had haar thuis afgezet. Ze hadden zitten praten over muziek, het weer en de geschiedenisleraar, en Brian had verteld dat hij van voettochten door de bergen hield en gevraagd of ze een keer meeging.

Hij had die auto twee jaar gehad en hem vlak voor hun huwelijk naar de schroothandel gebracht. Op haar aandringen waren ze samen een nieuwe auto gaan kopen, bescheidener maar gloednieuw, die beloofde probleemloos te rijden.

De wind wervelde over het parkeerterrein en blies de bladeren onder de auto's. De deur sloeg dicht en een collega schoof langs haar heen de smalle hellingbaan af. Ze liet hem passeren, waarna ze zich naar de lichtblauwe auto haastte. Ze ging voor de motorkap staan en keek naar binnen. Brian keek terug en zette zijn bril af. Op zijn neusbrug tekenden zich twee ovale deukjes af, en zijn ogen leken kaal zonder het glas ervoor. Hij zag er jonger uit.

Morrow was het liefst door de voorruit gevlogen om hem te verzwelgen, met haar lichaam te smoren, te verslinden. In plaats daarvan liet ze haar hoofd hangen om haar gezicht te verbergen voor het geval ze werd gezien op een van de vele camera's op het terrein, en ze beende naar het portier aan de passagierskant. Toen ze het opende was het mechanisme bijna een tastbare herinnering, alsof haar hand haar eigen hand – jonger, goed van vertrouwen – omvatte en ze haar gladde, warme huid voelde.

De hitte sloeg haar tegemoet. Brian had de verwarming hoog staan, net als die dag bij de bushalte. Later had hij verteld dat hij dat expres had gedaan, zodat ze het zou voelen wanneer hij het raampje omlaagdraaide en vroeg of ze wilde meerijden, om haar te verleiden bij hem te komen zitten, in de warmte.

Ze plofte op de stoel en sloeg het portier dicht. Meteen klapte ze de zonneklep omlaag, zodat haar vochtige ogen onzichtbaar waren voor de camera's en de komende of gaande collega's.

Morrow keek uit het zijraampje, zoekend naar een cliché of een zin, het deed er niet toe wat, maar hier waren geen woorden voor. Haar ogen dwaalden over de motorkappen van de auto's in hun rij, naar de stomme gemetselde muur om het terrein, en in gedachten baande ze zich een weg door de specie het gebouw in. Naast haar, ver weg, hoorde ze Brian een zucht slaken.

Een pols raakte haar pols aan. Voor het eerst sinds Geralds dood trok ze zich niet terug, kromp ze niet ineen onder zijn aanraking. Het was zo warm in de auto dat ze amper had gevoeld dat hij zijn vlakke hand op de rug van haar hand had gelegd.

Hand tegen hand, zijn pols gleed omhoog naar haar pols, zijkant tegen zijkant. Zijn pink verschoof een millimeter, streelde haar pink, en toen, snel als een landverschuiving, vonden hun vingers elkaar, ze uitten zich in de geheimtaal van geliefden en spraken dingen uit waar geen woorden voor waren.

Morrows gezicht was nat, ze had het benauwd, haar ogen schrijnden, maar ze volgde nog steeds snakkend naar adem een weg over de muur, door de ruwe gleuven en donkere geulen; zelfs als ze haar ogen sloot om de wazige tranensluier weg te knipperen wist ze nog precies waar ze was. Ze ging door tot ze plotseling aan het eind van de muur was beland en geen kant meer op kon.

'Ik ben ontslagen,' zei Brian plompverloren.

Ze keek naar de hand die zich stevig met de hare had vervlochten. Een mooie hand. Kleine haartjes op de eerste vingerkootjes.

De vingers lieten hun greep iets verslappen, de toppen streelden haar vingertoppen. 'Ik ben al die tijd niet naar mijn werk geweest...'

Ze keek naar de muur. Buiten liepen mensen in uniform, onscherp, ze stapten in, reden weg. 'Wordt het moeilijk? Financieel?'

'Misschien moeten we dat huis wel verkopen.' Zijn vingers bewogen zich snel over de hare, angstig, nerveus, ze wachtten op de warmte die werd beantwoord.

Ze draaide zich naar hem toe en zag dat hij zich had afgewend en dat er dikke tranen van zijn kin drupten. 'O, Brian. Ik heb de pest aan dat rothuis.'

Vingers vervlochten zich met vingers, stevig, stevig en stil. Morrow bracht Brians hand naar haar lippen en hield hem daar vast.

39

Haar buik drukte tegen het stuur. Sadiqa keek verontschuldigend naar Morrow en MacKechnie. 'Ik ben te dik…' zei ze eenvoudig.

Erg vertrouwenwekkend zag het er niet uit.

'Kunt u de stoel nog iets verder naar achteren zetten?' vroeg MacKechnie.

'Mijn benen zijn te kort.' Ze keek zoekend rond, alsof er in de auto misschien iets lag om ze langer te maken.

Morrow boog zich naar het open raampje. 'Maar u kunt wel rijden?'

Sadiqa trok haar buik in, knikte vastberaden naar het stuur. 'Ja, ja, ik kan rijden. Maar rij niet graag op de snelweg.'

'Gaat het lukken?'

Ze keek onzeker naar het dashboard, alsof ze haar hadden gevraagd een vliegtuig te besturen, maar ze antwoordde gedecideerd: 'Ja.'

'De agenten zijn al ter plekke, en u weet de weg?'

'Ja.'

'U stapt uit, zet de tas achter de praatpaal, stapt weer in en rijdt door. Oké?'

'En dan kom ik hier terug?'

'En dan komt u hier terug.'

In de observatiewagen was het stervenskoud. Gobby zat op een opvouwbaar krukje bij de achterdeur. Op het bankje was voor hem geen plaats meer, want daar zaten MacKechnie en Morrow al, die daar het beste zicht hadden op de hoekige grijze schermen.

De camera's langs de snelweg hingen hoog, wat de hoek bepaalde waaronder de beelden binnenkwamen: een grijze weg met vier rij-stroken en een middenberm. Het was een lang, recht stuk, geschikt om kentekenplaten af te lezen, en de camera was zo gericht dat de gezichten van de bestuurders duidelijk zichtbaar waren, goed ver-licht door de lantaarns. Ze konden alles later afkijken, stilzetten en uitprinten. Prima materiaal voor in de rechtszaal.

Het was een hoofdader, en het was er druk voor dat tijdstip. Een gestage stroom auto's, busjes en vrachtwagens kwam in de richting van de camera en reed eronderdoor; de koppen op de voorbank praatten, zwegen, zongen, pulkten in hun neus of keken uitdruk-kingsloos, gebiologeerd door de saaie weg. Op een ander hoekig scherm was een parkeerplaats te zien met een praatpaal op de voor-grond. Afgezien van passerende lichten langs de rand van het beeld gebeurde er niets. Er waren nog twee schermen, beide met beelden van kruispunten verderop, voor het geval de ontvoerders zo ver zou-den komen voordat ze werden tegengehouden en van de weg ge-haald.

'Iedereen op zijn post?' vroeg MacKechnie, hoewel hij niet eens wist waar iedereen zou moeten zitten.

'Alles is geregeld,' antwoordde Morrow.

MacKechnie was zeer over haar te spreken, maar dat bewees eens te meer dat hij voordien geen hoge pet van haar had op gehad. Hij verheugde zich al op hun triomf, vermoedde ze, en ook op hoe en wanneer hij daar profijt van kon trekken. Het zat haar niet lekker dat hij haar met respect behandelde. Morrow was nu eenmaal in de verdediging geboren en voelde zich alleen als underdog op haar ge-mak.

Tien minuten lang zaten ze in gespannen stilzwijgen te kijken naar de grijze schimmen die voorbijkwamen; hun ogen schoten van het ene scherm naar het andere. Ze had opdracht gegeven tot radio-stilte, want als de ontvoerders ook maar enigszins professioneel be-zig waren, zouden ze de politiefrequentie afluisteren. Ze belde Har-ris op zijn mobiel. Hij was waar hij moest zijn, en er was nog niets gebeurd.

'Oké,' zei ze. 'Zorg dat je er klaar voor bent.'

Het was maar een klein bankje, en veel armslag hadden ze niet. MacKechnie keek even naar haar, wat voelde als de aanloop tot een stuntelige kus. Morrow keek op haar horloge: ze waren bijna tien minuten te laat, de deadline van zeven uur was al tien minuten verstreken.

'Daar!' Ze wees naar het scherm met de vier rijstroken.

Sadiqa kwam langzaam aanrijden, ze zagen een andere auto van baan verwisselen om haar te ontwijken. Vervolgens racete op monitor twee een vrachtwagen voorbij, waar ze zo van schrok dat ze nog langzamer ging rijden. Sadiqa reed op de buitenbaan en trok de aandacht door zich aan de maximumsnelheid te houden en iets naar rechts uit te wijken wanneer ze in de achteruitkijkspiegel keek. Op het moment dat ze de parkeerplaats op moest rijden, verdween ze uit beeld.

Op een andere monitor, een korrelig zwart-witbeeld, stak Sadiqa de parkeerhaven in, en haar achteruitrijdlichten beschenen de praatpaal. MacKechnie vloekte binnensmonds toen hij zag dat ze het ding op een haar na raakte.

Sadiqa stopte en trok de handrem zo stevig aan dat het was alsof de auto diep ademhaalde. Het portier ging open en ze stapte uit. Gespeeld ontspannen keek ze even naar de passerende auto's, waarna ze naar de kofferbak schommelde en er de zwarte weekendtas uit pakte. Sadiqa liet de tas met een smak op het wegdek vallen, probeerde hem weer op te tillen, maar dat lukte kennelijk niet. Ze bukte zich met haar korte benen onelegant naar buiten gebogen, pakte een handvat en sleurde de tas tot achter de praatpaal. Ze richtte zich op, keek er even naar. Het was alsof ze de tas toesprak. Vervolgens draaide zich om, ging weer in de auto zitten en sloot het portier. De motor werd weer gestart.

'Ik kan het niet aanzien dat ze dadelijk weer moet invoegen,' zei MacKechnie tegen niemand in het bijzonder.

Nadat de motor een paar keer was afgeslagen zag Sadiqi eindelijk kans de weg weer op te rijden. Een eind verderop verscheen ze opnieuw op een scherm. Maar zij letten niet op Sadiqa. Zij hielden de tas in de gaten.

Koplampen schichtten voorbij, zonder dat de bestuurders weet hadden van de veertig mille in de tas. Er denderde een vrachtwagen langs. Een gescheurd plastic tasje vloog door de lucht.

Morrows ogen dwaalden naar de andere schermen. Een gestage verkeersstroom, geen bijzonderheden, geen vreemde busjes met te veel personen op de voorbank voor dat tijdstip van de nacht.

'Daar!' MacKechnie kwam overeind, keek naar een auto die met knipperende waarschuwingslichten te ver de parkeerhaven op reed. Alleen de voorste helft van het voertuig was in beeld.

'Shit,' zei Morrow, die ook was opgestaan. 'Ik had nog zo gevraagd of ze het beeldbereik groter wilden maken. Shit!'

Een kale man stapte uit de personenauto, liep naar de kofferbak, bukte zich om naar zijn achterlichten te kijken. Hij richtte zich op, streek over zijn hoofd alsof hij zichzelf wilde troosten, keek om zich heen. Terwijl hij daar stond te kijken schoot het verkeer langs hem heen. Gobby noteerde gauw het kenteken, liet het meteen natrekken.

De man stapte weer in en reed weg.

Gobby verbrak de verbinding op zijn mobiel en keek Morrow aan. 'Zomaar iemand?'

Morrow haalde haar schouders op. Ook als alles in de soep liep, als Aamir het leven liet en het geld weg was, dan nog had zij Brian, ze had zijn hand vastgehouden en het gevoel gekregen dat een toekomst tot de mogelijkheden behoorde.

De verandering ging zo langzaam in zijn werk dat de beweging aanvankelijk bij het zwakke licht leek te horen. De tas verschoof.

MacKechnie tuurde. Uit het donkere talud achter de parkeerplaats kroop een arm het beeld in. Een voet, net zichtbaar, zocht houvast om de zware last de steile helling op te kunnen zeulen. Opeens omklemden twee handen het handvat, de tas werd met een zwaai het talud op getild en verdween uit het zicht. MacKechnie raakte in paniek. 'Shit, shit! De andere kant, ze zijn van de andere kant van de snelweg gekomen!' Hij draaide zich boos om naar Morrow, die daardoor bijna niet meer op de monitors kon kijken. 'Wat is er aan de andere kant van de snelweg?'

Morrow bleef stil en aandachtig naar de schermen zitten turen. Gobby keek op haar neer en zei: 'Ze zijn dus helemaal niet via de snelweg gekomen.'

Ze legde haar hand tegen de heup van MacKechnie om hem uit haar blikveld te duwen. 'Oké,' zei ze langzaam. 'Oké.'

Eddy snakte naar adem. Niet alleen moest hij het steile talud op zien te klauteren, hij moest ook goed kijken waar hij zijn voeten neerzette. Over de helling lag namelijk een grofmazig net om te voorkomen dat er keien op de snelweg vielen, en hij bleef erin haken, struikelde, had bijna de tas laten vallen. Boven aangekomen hapte hij even naar adem, daarna stortte hij zich de helling af, weg van de felle lichten van de snelweg, en hij tuimelde de donkere akker op.

Dorre grassprieten werden vertrapt onder zijn zware schoenen. Tweehonderd meter verderop stond de donkere Peugeot. T was wel zo slim geweest de lichten uit te doen, maar Eddy zag zijn silhouet achter het stuur, met zijn zilvergrijze bos haar als een baken in het duister.

Eddy had veertig mille in handen, veertig mille in contanten, maar nog beter, nog veel beter: híj had het gedaan. Niet Malki, niet Pat, geen van de anderen. Hij had alles met succes georganiseerd en uitgevoerd. Een energiestoot dreef hem naar voren, zijn voeten in de platte schoenen stommelden achter hem aan, de zware tas stootte tegen zijn knieën, sleurde hem heen en weer, uit zijn evenwicht. Zijn hart bonkte bijna zijn borstkas uit.

T keek niet op toen Eddy arriveerde en achter de auto om liep, de kofferbak opende en de tas er achteloos in dumpte, waarna hij naar de passagierskant rende. Hij opende het portier, maar T boog zich naar voren en hield hem tegen.

'Heb je het geld gecontroleerd op trackers? Op verfpatronen?'

Eddy's longen schrijnden. Hij had te lang gerend zonder adem te halen, maar toch strompelde hij terug naar de kofferbak en zette de tas op de grond, zoals T hem had opgedragen. Hij opende de rits helemaal en trok de tas open.

Briefjes van twintig in bundeltjes met een rood elastiek eromheen, slordig, alsof iemand het thuis had gedaan. Geen zendertjes, geen verfbommetjes ertussen. Eddy streek met zijn hand over het geld en betrapte zichzelf erop dat hij kwijlde.

'En?' riep T vanaf de voorstoel.

'Niets.'

'Schiet op dan.'

Hij slingerde de tas weer achterin, sloeg de kofferbak dicht en stormde naar de passagiersdeur. Zijn overbelaste knieën deden pijn van het rennen in die logge schoenen. Hij was hier te oud voor, voor dit soort opwinding en inspanning. De volgende keer zou hij alles uitdenken en in een auto blijven zitten, terwijl iemand anders honderden meters naar de weg rende en een steile helling op klom. Hij voelde de koude nachtlucht in zijn luchtpijp branden, de doffe pijn in zijn knieën en het bonken van zijn hart.

Hij plofte in de voorstoel en sloeg het portier dicht.

'Goed gedaan, jongen,' zei T. 'Heel goed gedaan.' En alsof ze een avondritje maakten ter ontspanning reed hij met normale snelheid weg, nog steeds zonder licht, met een glimlachje om zijn lippen.

'Zo, Eddy, als je me nu de wapens teruggeeft, staan we quitte. Heb je ze bij je?'

Eddy keek naar hem en bedacht opeens dat T helemaal niet vond dat hij het goed had gedaan, dat T misschien wel van plan was hem een kogel door zijn hoofd te jagen.

Opeens werd alles overgoten met een felle lichtflits die op Eddy's netvliezen schroeide, zodat hij T niet meer kon zien maar nog wel kon horen: een hik en een snorkend geluid, een soort boos sissend gegrom als antwoord op het verblindende licht. Vreemde reactie.

Langzaam sukkelde de Peugeot de weg af en belandde met een onschuldige bons in een ondiepe greppel. Eddy durfde zijn ogen nog niet open te doen, maar hij hoorde de claxon luid en treurig kreunen. Hij sloeg zijn handen voor zijn gezicht en gluurde onder zijn elleboog uit.

T zat met zijn gezicht naar hem toe, zijn wang rustte tegen het midden van het stuur; zijn ogen waren weggedraaid. Zijn bovengebit zat scheef, en Eddy wist dat hij niet meer ademde: om hem heen hing een heel bijzonder soort stilte.

'Wakker worden!' Hij jammerde, praatte niet echt. 'Wakker worden!'

De auto was in de greppel tot stilstand gekomen, het licht om hen heen begon te doven en T zakte nog verder naar voren, zodat het gewicht van zijn hoofd van de claxon schoof.

Eddy liet zijn handen zakken.

Bij de motorkap en bij de beide portieren stonden de donkere silhouetten van mannen in kogelvrije vesten, zwaar bewapend, en alle wapens waren op hem gericht.

Morrow stond buiten en wist dat het een maand zou kosten om de plaats delict naar behoren veilig te stellen. Een onbestemde grijze betonvlakte, bezaaid met rommel, stof en vezels. Door een moeras verderop was het er vochtig, wat betekende dat iedereen die hier de afgelopen vijf jaar was geweest een herkenbaar spoor had achtergelaten.

Eddy Morrison was zo verbijsterd over de hartstilstand van zijn handlanger dat hij een kaartje voor hen had getekend van machinefabriek Breslin, een primitieve schets van een laadperron, een ingang waar een balk voor hing en een pad door enkele grote hallen tot helemaal achter in het donkere gebouw. Daar hadden ze Aamir voor het laatst gezien, in een ketelruimte diep, diep in het pand. Gelukkig was er geen kelder. Aamir had zijn bewaker gedood, beweerde Eddy, en was ervandoor gegaan, maar dat geloofde ze niet. Op die manier leek Eddy wel erg onschuldig. Zulke verhalen waren maar zelden waar.

Harris kwam naast haar staan. 'Wat vindt u ervan?'

Of ze stelden de plaats delict veilig, of ze gingen toch maar vast naar binnen om uit te zoeken wat er was gebeurd. Ze keek naar de gebroken balk voor de deur. 'Oké, laten we zeggen dat het een kwestie van leven of dood is. Harris, jij gaat mee.'

'Met genoegen.' Hij klonk zo onderdanig dat hij meteen bloosde van spijt.

Uit de kofferbak pakten ze dienstzaklampen en felle zoeklichten met handvatten en batterijen van wel twee kilo. Harris kon er een nét tillen, en Morrow zeulde de andere door de deuropening, zorgvuldig met een omweg die niemand anders zou nemen, ver buiten de normale loop, om de sporen intact te laten. Het gebouw verkeerde in staat van verval. De glijdende lichtbundel van haar zaklamp onthulde gedeeltelijk ingestorte muren, stof zo dik als opgewaaide sneeuw, grote hopen puin. Harris ontdekte de voetsporen die een bepaalde ruimte in en uit gingen en wees haar daar zwijgend op door er met zijn zaklamp over heen en weer te schijnen. Naarmate ze dieper in het gebouw kwamen, werden de voetstappen die ze meden steeds donkerder. Eerst dacht Morrow dat het onder sommige voetafdrukken donkerder was omdat er een ander soort stof lag, tot Harris zijn zaklamp stilhield en ze de vegen op het kale beton zag. Bruin, net als op de muur in de gang bij de Anwars thuis. Bloed.

Hoewel Eddy hun over Malki had verteld, vond Morrow dat hij er ongelooflijk zielig bij lag. Een veel te magere jongen, heel anders dan Omar, geen gespierd en pezig lijf dat dikker zou worden wanneer zijn mond eindelijk gelijke tred hield met zijn stofwisseling, maar zo ziekelijk en ondervoed mager dat zijn knokige benen zich aftekenden onder zijn witte trainingspak. En zijn gloednieuwe sportschoenen staken helwit af tegen het zwarte duister van de ketelruimte.

Vanaf de metalen ladder liet ze de zaklamp door de buik van de ketel glijden. Aamir Anwar was verdwenen.

Het onderzoek bij Breslin werd gestaakt. Om zeven uur die ochtend werd de speurtocht naar vingerafdrukken afgeblazen, en alle dienders werden per bus teruggebracht naar het bureau om hun overwerkformulier in te vullen. De helikopter zwenkte weg over de baai, nam het zoeklicht mee, de rubberboten op het moeras zochten een aanlegplaats en de mannen stapten uit. Het team duikers pakte hun spullen in en ging naar huis.

Van Aamir Anwar was geen spoor gevonden.

Terwijl de leden van het rechercheteam rond het lijk van Malki Tait zochten naar sporen in de brokstukken van het bouwvallige pand, stond Morrow bij het metalen laddertje. Het was er ijskoud en het rook er naar metaal en stof. De rechercheurs hadden felle lampen opgesteld en die op het plafond gericht om zacht, diffuus licht te hebben. Dikke snoeren van de draagbare generator slingerden zich over de vuile vloer, maar zij was zich scherp bewust van de kou en de vreemde echo's in deze ruimte, en ze dacht aan die arme Aamir, een kleine onschuldige man die hier doodsbang moest zijn geweest, helemaal alleen, in zijn pyjama, bij een lijk. Wat zou hij bezorgd zijn geweest om zijn dochter – angstig, koud en eenzaam.

Ze trok haar jas dichter om zich heen, koesterde warme gedachten aan Brian: wat was hij kalm, en wat heerlijk dat ze in zijn rustige gezelschap zichzelf kon zijn.

Ze glimlachte bij zichzelf. Ze wist precies waar Aamir was.

40

In de richting van Leadhills verbreedt de M74 zich tot drie rijbanen van gaaf asfalt die zich sierlijk door de grote zachte heuvels slingeren. Prachtige staaltjes van ingenieurskunst tillen de weg over het oneffen terrein, zodat hij perfect vlak ligt terwijl het omringende landschap daalt en glooit en de weg zich manifesteert als een aparte eenheid: hij maakt er deel van uit, maar is stabieler, volmaakt.

Over een afstand van vijf kilometer daalt de weg naar rechts door een sleuf in de massieve heuvels, om vervolgens naar links te buigen en met de klok mee om een heuvel te lopen die door de tijd en de regen de vorm van een kolossale groene bowlingbal heeft gekregen. In het dal in de diepte kronkelde een smalle zilverkleurige rivier diep door mosgroene velden, als een draadmes door kaas.

Aleesha had de muziek gekozen, Glasvegas, en ze had erbij gezegd dat Roy dat mooi móést vinden, anders kon ze hem niet serieus nemen. Het was niet het soort muziek dat hij gewend was, want in de nachtclubs waar hij had gewerkt hadden ze oudere muziek gedraaid, meer dancenummers – alles wat zij mooi vond klonk een beetje gitarig.

Ze keek uit het raampje naar het dal, met haar blote voeten tegen het dashboard; aan haar grote teen zat een rode geëmailleerde ring. Ze vertikte het om haar gordel om te doen. Die kriebelde in haar hals, zei ze.

'Wow.'

'Ben je hier nog nooit geweest?'

'Nee.'

'Schitterend.'

'Hmm.'

Hij ging met grote snelheid de bocht in, want dat vond zij leuk, op de binnenbaan. Aleesha had haast om weg te komen.

'Mag ik mijn hand terug?' vroeg hij.

Ze keek naar de grote vlezige hand onder haar goede hand, op de versnellingspook. Ze pakte zijn wijsvinger. 'Dat ouwe geval? Waar heb je dat nou voor nodig?'

Roy glimlachte. 'Ik heb hem nodig om te rijden, om te sturen, want we gaan over de honderd.'

Ze draaide zich om tot ze op haar knieën naar hem toe gekeerd zat, nog steeds met haar hand om zijn wijsvinger. 'Weet je, Roy, als je echt van me houdt, als je echt, echt van me houdt, als een teken van hoeveel je van me houdt, kun jij volgens mij ook alles met één hand doen.'

'Als een bewijs van mijn liefde?'

'Je zou het kunnen doen om te laten zien hoe ontzettend hecht onze band is en hoe ontzettend veel we op elkaar lijken.' Ze boog zich naar hem toe en ademde tegen zijn oor op een manier die hem, dat wist ze, vreselijk afleidde. Toen haar mond het randje van zijn oor raakte, voelde hij een huivering door zijn pik gaan.

Achter hen schoof een truck met aanhanger naar de middenbaan, en Roy was zich er vaag van bewust dat de vrachtwagen te hard reed voor deze bocht, te snel en in de verkeerde baan, zodat zij ingesloten raakten. Achter hem, op een afstand van dertig meter, naderde een lichtblauwe sportwagen.

Aleesha volgde met haar warme tong de plooien in zijn oor.

Morrow en Harris, Gobby en Routher renden de koude betontrap op. Het geluid van hun voetstappen volgde hen, echo stapelde zich op echo, zodat het was alsof er een heel eskader in gesloten formatie en in looppas aankwam.

Daar stond hij, op de mat bij de deur, stram als een schildwacht, met zijn vest tot zijn kin dichtgeknoopt, handen vlak langs zijn bovenbenen. Zijn eergevoel bezorgde hem misschien soms vochtige ogen, maar zijn training stelde hem in staat hard op te treden, meedogenloos.

Morrow verordonneerde hem met haar ogen de gang weer in te gaan, en ze volgde hem naar binnen. Ze keek alsof ze hem wel kon slaan. Lander stommelde achterwaarts zijn woonkamer in, gevolgd door Morrow en de drie mannen. Ze hief vermanend haar vinger op. 'Waar is hij?'

Hij aarzelde, liet zijn tong langs het stoppelige randje van zijn snor glijden en keek nog eens goed naar hen. Langzaam wees hij naar een deur achter in de woonkamer. Morrow schopte de deur in, louter en alleen omdat ze woedend was.

Het bed was in militaire stijl opgemaakt, met lakens en dekens, de hoeken keurig strak ingestopt. Ze zag zijn voeten het eerst, knokige oude-mannenvoeten, vergeelde eeltige huid, met een zweem van groen over bruin. Hij droeg een paars met goudkleurig gestreepte pyjama, waarschijnlijk een van Lander, want hij was aan de grote kant. Hij had een wondje aan zijn enkel en een pleister op zijn pols. Zijn handen lagen slap naast hem, zijn mond hing open, zijn tanden waren als die van een schaap bijna tot op het tandvlees afgesleten.

Aamir Anwar lag plat op zijn rug, het kussen van Landers eenpersoonsbed lag keurig op een stoel ernaast. De koptelefoon die verbonden was met de langegolfradio was verschoven, zodat een van de grijze schuimplastic rondjes op zijn wang zat, het andere boven op zijn hoofd.

Achter hem fluisterde Lander: 'Hij moet uitrusten. Hij heeft een slaappil genomen.'

Morrow draaide zich met een ruk naar hem toe. 'Hoe is hij hier in godsnaam gekomen?'

'Geen idee. Hij stond opeens voor de deur. Zei dat hij rust nodig had. Ik wilde u bellen, maar hij vroeg of ik hem even wilde laten betijen en of hij een slaappil van me mocht.' Hij wees op de hoofdtelefoon. 'Australië krijgt ervan langs.' Hij glimlachte, alsof iedereen dat nieuws met vreugde zou begroeten.

'Zijn vrouw en kinderen zijn gek van bezorgdheid!' Ze wist dat het gelogen was, ze wist dat ze het eigenlijk over zichzelf had.

Lander keek naar zijn oude vriend, naar het lichte rijzen en dalen van diens borst, en hij lachte de stompjes zijn oude tanden bloot. 'Jawel,' zei hij. 'Maar met Aamir is alles goed. En de rest kan me geen barst schelen.'

Bij het benzinestation was het erg druk: een gezelschap ouderen dat met een touringcar op weg was van Newcastle naar de Highlands.

Ze kochten lekkere sandwiches van Marks and Spencer voor de lange weg naar het noorden en stonden in een keurige rij bij de kassa, naast het raam dat uitkeek op de snelweg.

Op het pompeiland stonden ze dicht bij elkaar, hij met het benzinepistool in de hand, zij met haar voorhoofd op zijn vrije schouder. Aleesha en Roy waren aan het tanken met het oog op een lange rit.

De benzine klokte snorrend naar binnen, de meter tikte, en zij fluisterde hem toe: 'Roy?'

'Ja?'

'Roy.'

Hij slaakte een diepe, tevreden zucht. 'Ja.'

Ze schraapte haar keel. 'Roy? Die eerste keer… je weet wel…'

Roy sloeg zijn vrije arm om haar middel en trok haar tengere gestalte nog dichter tegen zich aan. 'Welke eerste keer?'

Ze gaf geen antwoord.

Hij keek glimlachend op haar neer en probeerde haar van haar ene op haar andere voet te wiegen. Ze klampte zich aan hem vast, met gebogen hoofd, zonder hem aan te kijken. Haar voeten stonden stevig op de grond geplant. Het leek wel of ze een beetje bang was.

Met zijn kin probeerde hij haar gezicht naar zich toe te kantelen. 'Liefje, er is niets aan de hand, alles komt goed. Ik ben toch bij je? Jij hebt het helemaal voor het zeggen… Als jij nog niet wilt… Al duurt het járen, dat vind ik prima, hoe dan ook, als we maar bij elkaar zijn is alles goed. Jij mag het zeggen.'

'Niet de eerste keer wat dat betreft, dat bedoel ik niet…'

'Welke eerste keer dan wel?'

Ze maakte zich een beetje van hem los, keek naar het raam waarachter oude mensen naar hen stonden te staren en gretig in zich opnamen hoe jong, soepel en verliefd ze waren. 'Toen we elkaar de eerste keer ontmoetten…'

Roy fronste en bewoog het pistool in het vulgat heen en weer, schudde de druppels eraf. Met opeengeklemde kaken hing hij het benzinepistool aan de pomp.

Ze zouden er een leugen van kunnen maken, ze zouden kunnen afspreken daar iets moois op te bouwen. Het enige wat hij hoefde te zeggen was 'in het ziekenhuis?' of 'toen we elkaar in het ziekenhuis tegenkwamen?' Ze was jong en beïnvloedbaar, hij zou kunnen suggereren dat ze elkaar in het ziekenhuis hadden leren kennen. En als ze dat maar vaak genoeg zeiden, zou de leugen na een tijdje voor hen de waarheid worden, het verhaal dat ze aan de kinderen vertelden. Maar hij was nu Roy, en Roy kon er niet toe komen Aleesha tot die leugen te verleiden.

De paniek sloeg toe, hij kreeg het benauwd. Ze trok zich van hem terug, hij voelde het licht wegsterven en voor hij het wist was hij weer alleen in het donker. 'Wanneer…?'

'Ik bedacht eigenlijk, weet je, dat het voor ons een hele zorg minder is.' Ze haalde zo diep adem dat haar rug ervan kromde, en na een laatste blik op de oude mensen achter het raam maakte ze een halve pirouette en sloeg ze haar goede arm om zijn hals.

'Ik bedoel, in zekere zin was het goed zo,' fluisterde ze. 'Want nu heb je mijn ouders eigenlijk al ontmoet.' Met haar arm om zijn nek geslagen tilde ze haar benen op en sloeg ze om zijn middel.

Er stokte een snik in zijn keel, wat klonk als een hik, en hij trok haar dicht tegen zich aan, verstopte zijn gezicht in haar zachte hals, tranen drupten op haar gave huid.

Tegen beter weten in klampten Roy en Aleesha zich lange, lange tijd aan elkaar vast, tot haar benen stijf werden en hij zich heel oud voelde, stokoud.

Dankbetuiging

Ik ben veel dank verschuldigd aan Peter, Jon, Jade en alle anderen die hun steentje aan de voltooiing van dit boek hebben bijgedragen. En aan Stevo, mamma, Tonio en Ownie en Ferg voor hun steun.